Una Condesa Poco Común

JO BEVERLEY

UNA CONDESA POCO COMÚN

Titania Editores
ARGENTINA - CHILE - COLOMBIA - ESPAÑA
ESTADOS UNIDOS - MÉXICO - PERÚ - URUGUAY - VENEZUELA

Título original: *An Unlikely Countess*
Editor original: Signet, an imprint of New American Library, a division of
Penguin Group (USA) Inc.
Traducción: Claudia Viñas Donoso

1.ª edición Octubre 2012

Copyright © 2012 *by* Ediciones Urano, S.A.
Aribau, 142, pral. – 08036 Barcelona
www.titania.org
atencion@titania.org

ISBN: 978-84-92916-30-6
E-ISBN: 978-84-9944-318-8
Depósito legal: B-24336-2012

Fotocomposición: Montserrat Gómez Lao
Impreso por: Romanyà-Valls, S.A. - Verdaguer, 1 - 08786 Capellades (Barcelona)

Impreso en España - *Printed in Spain*

Capítulo 1

Marzo de 1765
Northallerton, Yorkshire

*E*staba borracho pero todavía veía bastante bien en la mal iluminada calle; lo bastante bien para distinguir a dos rufianes asaltando a una víctima, y ver que la víctima era una mujer.

Sonriendo de oreja a oreja, Catesby Burgoyne desenvainó su espada y se lanzó al ataque. Al oír su grito de guerra, los rufianes se giraron hacia él, enseñando el blanco de los ojos y boquiabiertos, y al instante emprendieron la huida.

Cate se detuvo, tambaleante, agitando la espada.

—¡Volved aquí! —rugió—. Volved aquí, canallas, a conocer mi espada.

La única respuesta fue la estampida de pies en polvorosa.

—Cobardes cabrones, maldita sea —musitó—. Una buena pelea es justo lo que necesito.

El sonido de unos suaves resuellos lo hizo girarse, con la espada levantada otra vez, pero sólo era la mujer, que estaba con la espalda apoyada en la pared de una casa, mirándolo.

La estrecha calle sólo estaba iluminada por la tenue luz de dos lámparas de una casa, así que lo único que veía era claros y sombras. Una cara blanca rodeada por pelo claro suelto; un vestido oscuro que la cubría del cuello a los pies. El vestido era respetable. El pelo no. Ella no podía ser respetable, ¿verdad?, sola ahí en la calle por la noche.

Volvió la espada a su vaina.

—Debes de ser nueva en el oficio, encanto, para vestirte de esa forma tan sosa.

Condenación, ¿dónde estaban sus modales? No hacía ninguna falta ser grosero porque ella fuera una puta y él estuviera reñido con el mundo. Se inclinó en una venia.

—Catesby Burgoyne, señora, a su servicio. ¿Me permite acompañarla hasta su destino?

Ella negó con la cabeza, muda.

Él se le acercó para verla mejor. Ella intentó retroceder, pero estaba la pared, inamovible. Con una delgada mano se apretó el chal al pecho, como si este pudiera servirle de armadura.

—Por favor... —susurró.

Cate estaba buscando palabras que fueran tranquilizadoras cuando en una casa cercana se abrió una puerta y una voz con un fuerte acento de Yorkshire preguntó:

—¿Qué pasa ahí, pues?

El fornido hombre sostenía una vela que iluminaba más su cara y su desordenado pelo que a ellos, pero de todos modos la mujer se giró como si quisiera ocultar la cara.

Entonces, ¿tenía una reputación que temía perder?

—A la dama la asaltaron, señor —dijo, intentando que su voz no delatara todo el gin que había bebido—. Los rufianes han huido y yo me encargaré de que ella llegue sana y salva a su casa.

El hombre se asomó a mirar, pero, como haría toda persona cuerda, no miró para buscar problemas. Tal vez su tono aristocrático le sirvió en eso, dedujo Cate.

—Buenas noches, entonces —dijo el hombre y cerró la puerta.

Entonces Cate se giró hacia la mujer. Ella seguía mirándolo, pero al parecer la intervención de una persona del mundo normal y corriente le había devuelto la voz.

—Debo darle las gracias, señor Burgoyne —dijo, con la respiración algo agitada—, pero, por favor, no hay ninguna necesidad de que se retrase.

La voz y la pronunciación eran las de una persona educada. No llevaba anillo en la mano izquierda. ¿Dónde estaban, entonces, su padre o un hermano, para protegerla?

—Puede que yo no sea el más perfecto de los caballeros, señora, pero no puedo permitir que una dama ande sola por las calles por la noche.

—Vivo muy cerca...

—Entonces esto me retrasará muy poco.

Le hizo un gesto para que echara a caminar. Había estado al mando de hombres en las batallas, así que sin duda era capaz de hacerse obedecer por una mujer corriente. Ella echó a caminar, rígida de recelo.

¿O rabia?

Bueno, eso sí era interesante. La evaluó lo mejor que pudo en la penumbra. Era difícil juzgar su expresión, pero le pareció que en sus rasgos había... resentimiento. Sí, eso era, resentimiento. Podía tener motivos para recelar de él, pero ¿por qué diablos podría tener resentimiento contra su persona? Además, caminaba muy despacio, pero no lo iba a disuadir con eso.

—¿Su dirección, señora?

Ella apresuró el paso, como si pudiera dejarlo atrás, esa criaturita delgada, agriada, toda ángulos duros y antipatía.

Continuó a su lado sin el menor esfuerzo.

—Es imprudente aventurarse a salir sola tan tarde, señora.

—Simplemente deseaba caminar.

—No tengo ningún compromiso urgente, así que si desea caminar, puedo acompañarla millas y millas.

A ella se le endurecieron más los angulosos rasgos y eso en cierto modo lo divirtió, lo cual era algo bueno ese día tan deprimente.

Habían llegado a la calle principal; no vio a nadie caminando por las aceras, pero esa era también la Gran Carretera del Norte, bordeada por posadas, todas abiertas todavía, a la espera de clientela tardía. Pasó traqueteando una diligencia, que viró y entró por la puerta en arco del patio de la Golden Lion, la mejor posada de la ciudad.

A la izquierda estaba la Queen's Head, una posada roñosa, mal llevada, en cuya taberna no logró ahogar sus penas. Había escapado para tomar aire fresco, pero el aire fresco de marzo era frío en Yorkshire, y la próxima diligencia a Londres pasaría a primera hora de la mañana. Necesitaría una cama para pasar la noche, pero sólo podía permitirse una habitación compartida con otros.

La mujer estaba simplemente detenida ahí.

—¿Ha olvidado dónde vive, señora? —preguntó en tono guasón.

Ella se giró bruscamente a mirarlo.

—¿Por qué anda usted por las calles de noche?

—A los hombres les está permitido, señora, sobre todo a uno que tiene una espada y sabe usarla.

—A los hombres se les permite cualquier cosa, mientras que las pobres mujeres no tenemos ningún derecho.

Ah.

—¿Qué hombre en particular la ha ofendido? Tengo una espada y sé usarla.

Ella emitió una corta risita.

—No va a retar a duelo a mi hermano.

—¿Él no lucharía?

—Sólo en un tribunal. Es abogado.

—La más baja forma de escoria.

Eso lo dijo a modo de mofa general, vulgar, pero ella contestó:

—Pues sí.

¿Qué le habría hecho el cabrón del hermano? ¿Algo que él podría vengar? Estaba harto de guerra, pero en ese momento un acto de asquerosa violencia le resultaría inmensamente satisfactorio.

—¿Su nombre y dirección? —preguntó.

—No sea ridículo.

—Tal vez él tiene motivos para ser vil si usted lo azota con esa lengua afilada.

—Usted sería igual si... ¡Ah! —La exclamación era de exasperación pura—. Supongo que por ser hombre va a insistir en salirse con la suya. Muy bien.

Diciendo eso cruzó la calle con paso enérgico, entró en un callejón bordeado por pequeñas edificaciones, y se detuvo ante la puerta de la cuarta casa.

—Buenas noches, señor.

Fue un siseo, enfadado pero cauteloso. O sea, que deseaba evitar que los vecinos se enteraran de su indecorosa conducta. Lo único que iluminaba el callejón era una luz que salía por las rendijas de un par de contraventanas cerradas, pero él vio que la casa era pequeña y tal vez sólo tenía dos habitaciones en cada piso. A juzgar por su porte y su manera de hablar, estaba claro que la mujer había venido a menos.

—¿Está dentro su hermano? —preguntó en voz baja.

—No, gracias a Dios.

—¿Volverá pronto?

—¿Si vive aquí? ¿Aaron?

Se rió, pero se apresuró a taparse la boca con una mano.

Algo iba mal ahí, y a él le resultaba difícil desentenderse de los casos perdidos; eso le amargaba la vida.

—Si me invitara a entrar, señora, tal vez podría aconsejarla.

—¿Invitarle a entrar? —Miró alrededor, desesperada, por si veía a alguien que pudiera escuchar—. Váyase.

—No estoy pensando en violarla. Usted necesita ayuda, pero no podemos hablar aquí de su situación.

—No podemos hablarla en ninguna parte. Márchese o gritaré.

—¿De verdad?

Ella soltó el aliento en un siseo.

—Miserable borracho...

Se abrió la puerta de una casa cercana.

—¿Quienés? ¿Quiendahí?

Era la voz de un anciano de acento tan cerrado que Cate no entendió las palabras, y eso que era de Yorkshire, nacido y criado ahí. Pero el sentido estaba claro.

Bajó la manija, abrió la puerta y la hizo entrar de un suave empujón. Tuvo que bajar la cabeza para entrar tras ella, y cerró la puerta. Los dos se quedaron inmóviles, con los oídos atentos, y Cate cayó en la cuenta de que los huesudos ángulos de ella estaban en contradicción con un agradable olor; se tomaba el trabajo de aromatizar su ropa con hierbas.

Entonces oyó el gemido de un perro.

Se giró a mirar el nuevo peligro, pero el perro era pequeño, parecía un spaniel, de buena raza. Era difícil captar su humor, al estar delante de la vela que iluminaba la habitación de atrás, pero los perros no amenazan con gemidos.

Pasando junto a él, la mujer corrió hacia el perro y le acarició las grandes orejas caídas.

—No pasa nada, *Toby*.

La mujer y el perro entraron en la cocina, así que él los siguió, agachándose por instinto, aunque las vigas no le tocaban la cabeza, por poco. El suelo era de tierra batida, el aire estaba húmedo y en la primera habitación sólo había un sillón, con el asiento bien hundido.

¿Habría vendido los demás muebles para poder sobrevivir?

¿Cuál sería la historia?

Entró en la cocina con la cabeza gacha y se encontró ante un cuchillo, bien firme en esa huesuda mano. Sólo era un cuchillo de cocina corto, pero era posible que estuviera lo bastante afilado para causar cierto daño.

El perro se limitó a gemir otra vez, el muy cobarde, pero ella, con su arma y sus ojos fieros y resueltos, su pelo claro brillante a la luz de la vela, estaba magnífica.

Cate levantó las dos manos.

—No es mi intención hacerle ningún daño, señora. Tiene mi palabra.

—¿Y por qué tendría que fiarme de su palabra? Márchese. Inmediatamente.

—¿Por qué? —preguntó él, echando una evaluadora mirada alrededor.

La vela de sebo daba muy poca luz y mucho mal olor, pero iluminaba bastante bien la pobreza. Hacía frío en la diminuta cocina, como en el resto de la casa; si había habido un fuego encendido en el fogón, hacía rato que se había convertido en cenizas; no se veían señales de comida.

Los únicos muebles eran una mesa de pino con dos sillas y una especie de aparador muy basto en que se guardaban cazos y utensilios baratos; pero junto a los cazos había unos cuantos objetos de bonita porcelana y de cristal. ¿Restos de la vida mejor que proclamaba su educada pronunciación y su actitud orgullosa?

¿Por qué esa diosa estaba sola y en una situación tan desesperada? ¿Por qué estaba tan desaliñada y tan pobremente vestida? El vestido que la cubría totalmente era de un matiz de negro particularmente lúgubre, y el chal de punto era de un feo color marrón.

¿Habría salido a la calle con la intención de ganar unos pocos peniques de la única manera posible?

Su flacura revelaba hambre, pero al mismo tiempo daba fuerza a esa cara digna de una emperatriz romana: frente ancha, nariz larga y recta, unos labios en curva perfecta y el mentón cuadrado. No era una cara para conquistar al mundo elegante pero, pardiez, él estaba en peligro de ser conquistado por ella.

—Márchese —repitió ella, aunque con voz insegura.

El cobarde perro volvió a gemir, metido entre sus faldas.

Comprendiendo que su altura la asustaba, se sentó y puso las manos sobre la mesa. Mirándola a los ojos, dijo:

—Admiro su valor, señora, pero no me va a ahuyentar, y si se decide a pelear, no me hará algo más que un rasguño. Es mucho más sencillo que se siente y me cuente su historia.

Ella intentó mantenerse firme, pero le temblaron los labios.

Córcholis.

Rápidamente sacó la petaca forrada de piel del bolsillo y la puso sobre la mesa.

—Beba un poco de esto.

—¿Qué es?

—Valor holandés.

—¿Qué?

—Ginebra. Gin.

—¡Gin!

—¿Nunca lo ha probado? Endulza la bilis.

Ella cambió de mano el cuchillo y volvió a cogerlo empuñándolo de otra manera. Sobresaltado, él medio se levantó para defenderse, pero entonces ella lo empuñó con las dos manos y lo enterró en la desvencijada mesa, bien profundo.

—Caramba —dijo él pasado un momento de admiración—. Siéntese, por favor, beba y explíquemelo todo.

—Usted ya ha bebido demasiado, señor.

—Nunca es demasiado a no ser que esté inconsciente. Tiene copas, veo. Incluso podríamos ser elegantes.

De pronto ella se rió. Fue una risa fea, pero una especie de liberación. Se echó hacia atrás el pelo que le había caído sobre la cara, cogió dos copas de cristal y las colocó sobre la mesa. Entonces fue a la parte de atrás, abrió un armario bajo y volvió con una botella.

—Coñac —dijo, poniéndola junto a los vasos—. El cordial medicinal de mi madre. Iré a buscar agua.

Cate cogió la botella y le quitó el tapón.

—Sería una lástima aguarlo. ¿Su madre está arriba en cama?

—Mi madre murió.

—Mis condolencias.

—Hace cuatro meses.

Cate maldijo su mente obnubilada por el licor. Ella le estaba dando trocitos de un cuadro y él no lograba armarlos.

Ella se sentó enfrente, con la espalda recta y orgullosa.

—Sírvame un poco, entonces.

El cuchillo estaba vertical entre ellos. En la mente intentó formarse una vaga referencia a la espada de Damocles, pero fracasó.

Olió el coñac. No era bueno, pero tal vez no era atroz. Sirvió medio dedo en una copa y la arrastró hacia ella. Sirvió la misma cantidad en la otra. Normalmente servía más, pero ese medio dedo podría bastar para hacerla caer debajo de la mesa. No quería emborracharla, sino sólo soltarle la lengua.

¿Y tenerla en sus brazos?

No, en su vida no había lugar para una tontería así, pero la ayudaría si podía.

Apareció el spaniel junto a su rodilla, gimiendo, aunque esta vez era pidiendo atención.

—Vete de aquí, cobarde.

—No sea cruel —dijo ella—. *Toby*, ven aquí.

El perro se deslizó hacia ella y sólo entonces él vio que le faltaba una pata trasera. Demonios, un perro cojo para un caso perdido, aunque un halcón le parecía más digno de la diosa. Cogió su copa y bebió, consciente de que tenía que marcharse antes de enredarse.

Ella bebió un sorbo e hizo un mal gesto. Pero volvió a beber, pensativa. Una mujer dispuesta a explorar nuevas experiencias. Otro anzuelo enterrado en su corazón.

—¿Me dice su nombre, señora?

—No.

—Yo le dije el mío.

—Pues, lo he olvidado.

Él dudó un momento, porque la casa de la familia Burgoyne, Keynings, estaba a menos de veinte millas de distancia, pero prefería la sinceridad.

—Catesby Burgoyne, a su servicio.

Ella rodeó la copa con las dos manos, como si el coñac pudiera calentárselas.

—Extraño nombre, Catesby.

—Es el apellido de la familia de mi madre. Sí, del linaje de Robert Catesby, que dirigió la conspiración papista de la pólvora para hacer volar a Jacobo primero y al Parlamento junto con él.

—¿El asunto Guy Fawkes? Extraño pasar ese legado a un hijo.

—Muchas veces lo he pensado, pero ella piensa que ese apellido representa a una persona que se mantiene firme en sus principios.

—¿Es usted papista, entonces?

—No, ni tampoco lo es ella, ni sus padres ni sus abuelos.

Ella curvó los labios y chispeó el humor en sus ojos profundos de párpados semientornados. Otro anzuelo. O más bien dos. Un agudo sentido del humor y unos ojos impresionantes. ¿Se reiría durante la pasión que prometían sus ojos? Eso era también lo que le gustaba.

Levantó su copa, como brindando por ella.

—No dije que mi madre fuera una mujer racional. ¿Su nombre tiene connotaciones tan horrorosas? ¿Judit, tal vez, la que le cortó la cabeza al invasor Holofernes? ¿Boadicea, que dirigió a sus ejércitos en contra de los romanos?

Ella se limitó a sonreír.

—¿No contesta? Entonces la bautizaré Hera.

—¿La esposa de Zeus?

—Reina de los dioses.

—Pero por virtud de su matrimonio. Preferiría ser Judit, que actuó por cuenta propia.

—¿Hay un hombre al que desea decapitar?

Ella simplemente bebió otro poco de coñac, contemplando el cuchillo, pero todo el humor la había abandonado.

—¿Su hermano, tal vez? Abogado... ¿y jugador?

Ella lo miró sorprendida.

—¿Qué le ha hecho pensar eso?

—La pobreza.

—Aaron no es pobre.

—Entonces es cruel.

Ella bebió otro trago de coñac. Pronto estaría tambaleante, pero no se le había soltado la lengua. Le sirvió otro poco en la copa y se llenó la suya.

—Yo tengo un hermano —dijo, para animarla a hablar—, pero es un príncipe entre los hombres. Un hijo tierno, un marido leal y un padre amoroso pero firme.

—Es usted afortunado, entonces.

—De eso no me cabe duda.

Ella ladeó la cabeza.

—¿Él no es todo lo que parece?

—Lo es.

—Pero eso a usted lo amarga. ¿Porque no es ninguna de esas cosas?

Era tan afilada como su cuchillo, maldita sea, pero eso le aumentó la admiración.

—¿Su hermano? —insistió—. ¿Cómo puede verla en esta situación? Está claro que usted nació para cosas mejores.

—No me ve. No me visita. No ha venido a verme nunca desde que murió mi madre, y entonces vivíamos en otra parte. —Bebió otro poco y nuevamente rodeó la copa con las manos, contemplando el movimiento de la luz de la vela en el licor—. Yo lo creía un hijo tierno, un buen hermano.

El coñac estaba haciendo su trabajo, por fin. Cate apenas recordaba cuándo una cantidad tan pequeña lo había hecho parlotear. Hacía mucho, mucho tiempo.

—¿Hasta? —preguntó.

—Ayer. Hasta ayer yo seguía aferrada a la esperanza. Hoy recibí su carta. —Miró el papel desdoblado que estaba en el suelo—. La envió por mano. Considerado, tal vez, al ahorrarme los peniques del correo normal, pero llegó tarde. Todo siempre parece peor por la noche.

—¿Qué dice?

—Que las responsabilidades derivadas de su inminente boda le hacen imposible aumentarme la suma de dinero que me envía para mi manutención.

—Eso no es del todo incomprensible.

Ella lo miró a los ojos por encima del cuchillo.

—¿No? Me envía tres guineas al mes.

—Eso es muy poco —concedió él.

—Mientras escribe acerca de la hermosa casa que va a tener pronto y el coche con dos caballos para su futura esposa.

—Ah.

Ella dejó la copa sobre la mesa con tanta fuerza que el coñac saltó fuera.

—Me debe una vida decente. Me la debe. Y a mi madre si estuviera viva. Todo lo que es, todo lo que tiene, se lo debe a nuestro incansable trabajo y sacrificio durante más de diez largos años. Hemos vivido sin ninguna elegancia ni complacencia, y muchas veces sin lo más necesario también.

Cate contemplaba casi sin aliento esa belicosa vehemencia.

—Vivo «aquí» —continuó ella, moviendo el brazo como para abarcar el entorno—. En otro tiempo teníamos una casa hermosa, pero... nos hemos ido mudando a casas más y más pobres con el fin de mantenerlo. Mi dulce madre murió en la pobreza. Y todo para que mi hermano pudiera educarse y establecerse en su profesión. Para que pudiera devolver a mi madre una vida decente y cómoda. Para que pudiera ayudarme a hacer un buen matrimonio.

—¿Y ahora?

—Ahora derrocha el dinero y dice que debo esperar.

—¿Esta noche usted salió para ir a visitarlo?

—Vive en Darlington. —Bebió otro trago y al parecer lo saboreó—. Cuando leí esa carta no podía creer lo que decía... espera, espera, espera. Esta casa tenía que ser para un corto periodo de tiempo, para mi primer periodo de luto, y mientras Aaron terminaba su formación. Ejerce la profesión de abogado. Pronto hará un buen matrimonio con una mujer que aporta dinero. ¿Qué necesidad hay de esperar? Me asombré, después me enfurecí, me enfurecí mucho, mucho. Sentí... sentí lo que me hace sentir este coñac.

Miró el cuchillo como si se estuviera imaginando una finalidad letal.

Pestes. El asombro se lo podía creer, lágrimas las esperaría, pero su furia era de otra clase, sobre todo cuando la impulsó a enterrar el cuchillo tan profundo en la madera. Podría estar encaminándose al manicomio o incluso a la horca.

—Pero ¿por qué salió? ¿Qué pretendía?

Ella lo miró pestañeando.

—¿Pretender? Simplemente no podía estar aquí dentro. Me sentía sofocada, rodeada por la oscuridad, la humedad y las pruebas de todas nuestras privaciones. Recordando las tiernas promesas que le hizo a mi madre, las lágrimas que derramó junto a su tumba porque su prosperidad había llegado demasiado tarde. En parte la culpa fue de mi madre, siempre tan resuelta a mirar la parte más positiva de las cosas, aun cuando...

Cate le sirvió otro poco de coñac en la copa, deseando que terminara esa frase. Esa no era una tragedia nueva. ¿Cuáles eran las causas?

—Él siempre agradecía muchísimo las monedas extras que lográbamos ahorrar —continuó ella—, pero nunca comprendió lo que nos costaban. Mi madre siempre insistía en que nos pusiéramos nuestra mejor ropa para recibirlo y le servíamos el té en las pocas tazas de porcelana que nos quedaban. Los muebles eran decentes entonces, pero tuve que venderlos para pagar el funeral. Mi madre me obligó a prometerle que Aaron no debía pagar nada, pues necesitaba cada penique para establecerse en su profesión.

—Entonces tal vez no toda la culpa es de él.

—Si tuviera una pizca de sentido común, si alguna vez mirara más allá de sus comodidades.... Pero nunca me imaginé. Leí esa carta, y... fue demasiado. Me sentí ahogada, necesitaba aire. Simplemente salí a la calle a caminar.

—Hasta que la asaltaron.

—Hasta entonces.

Apagado su fuego, puso un delgado dedo sobre unas gotas del coñac derramado para hacer un dibujo. Un dedo marcado por el trabajo, con la uña rota. Tres guineas al mes. Con eso pagaría el alquiler, compraría carbón y comida, pero poco más.

—¿Qué piensa hacer respecto a su hermano?

Ella enderezó la espalda.

—¿Hacer? Volveré a escribirle. Yo tengo la culpa por haber continuado con la costumbre de mi madre y no dejarle clara la situación.

—¿Y si no responde como usted desea?

—Debe.

Él no podía tener la seguridad que ella manifestaba con su tono. Ella no tenía ningún arma en esa lucha, y tenía que saberlo. Ojos que no ven corazón que no siente, un dicho potente, y si su hermano optaba por el egoísmo, ella seguiría eternamente viviendo ahí de esa manera.

Un algo de ella lo atrapaba con tanta fuerza que deseó llevársela a una vida mejor, pero ¿qué tenía para ofrecerle? No tenía profesión. En el ejército le aconsejaron enérgicamente que vendiera su comisión, y le dijeron que no lo recibirían bien de vuelta. Su historial en otras empresas era deprimente.

Su hermano podría haberle fijado una asignación si no hubieran estado casi a punto de liarse a puñetazos hace unas horas. Ya no podía volver a Keynings nunca más.

Al parecer su única opción era buscarse una esposa rica; no tenía mucho que lo recomendara a una familia de su misma clase, pero tal vez que fuera el segundo hijo de un conde tendría algún valor para un comerciante rico o algo así.

No, no tenía nada para ofrecerle a Hera.

—¿No viviría mejor como institutriz o dama de compañía? —sugirió.

—¿Convertirme en «criada»? Jamás. Tendré lo que me corresponde por derecho. Seré una esposa y tendré mi propia casa.

—Boadicea —dijo él haciendo un gesto de pena—. Dirigió a su ejército contra los romanos, y la mataron junto con casi toda su gente.

—No creo que yo esté en ese peligro, señor Burgoyne.

—Espero que no. Pero debe de saber que nuestro mundo no es amable con las mujeres exigentes, por muy justa que sea su causa. —Bebió el resto de su coñac y se levantó—. Lamento su situación, señora, pero no puedo hacer nada para ayudarla.

Ella también se levantó y tuvo que afirmarse en el respaldo de la silla para no caerse.

—Y no lo esperaba, señor Burgoyne. Le agradezco que haya ahuyentado a los rufianes, y deseo que le vaya bien.

Tenía la mano delgadísima, y qué sola estaba. Sí que había una manera ínfima de ayudarla. Sacó dos chelines del bolsillo.

—Sólo tengo dinero suficiente para viajar a Londres en la diligencia y comer y alojarme de la manera más sencilla, pero puedo dejarle esto si me permite dormir aquí esta noche. Así tendré más intimidad y menos temor a las pulgas, y usted tendrá el doble de su asignación por el día.

Ella miró los chelines y se pasó la lengua por los labios. Las monedas tenían valor para él en ese momento, pero en Londres tenía dinero y podía ganar chelines e incluso guineas de muchas maneras. Ella, por ser mujer, no.

—¿Y si alguien se enterara? Estaría deshonrada.

Esos labios lamidos podrían llevarla a la deshonra si él fuera otro tipo de hombre. Condenación, no debería estar sola y sin protección. Tal vez él podría ir a ver a su hermano...

Locura. No sabía el apellido del hombre ni su dirección, y no tenía ningún medio para obligarlo a hacer lo correcto. Y deseaba una vida sin complicaciones a partir de ese momento.

—Le prometo que me marcharé temprano y tendré cuidado.

Ella se mordió el labio, sin duda luchando consigo misma, pero el coñac es muy eficaz en aflojar los principios.

—Muy bien —dijo cogiendo la vela—. Le llevaré al dormitorio donde tengo la cama que era de mi madre. Lamento que no esté oreada.

—He dormido en camas en peor estado.

Antes de seguirla, cogió el mango del cuchillo y comenzó a tirar para desenterrarlo; ella se apartó, mirándolo atemorizada, pero él continuó hasta sacar el cuchillo y lo dejó sobre la mesa.

—Esta es una lección para ti, Hera. Te habría resultado muy difícil sacarlo. Siempre procura pensar en las consecuencias cuando actúes impulsada por la furia.

Ella se giró, se dirigió a una estrecha y empinada escalera y comenzó a subir, con la espalda muy rígida, que hablaba de resentimiento.

El camino nunca es llano para una mujer valiente y rebelde, pensó él.

Llegaron al rellano, un espacio diminuto entre dos puertas, en el que se encontraron peligrosamente encerrados. Ella abrió la puerta de la derecha y entró, y él pudo volver a respirar. Condenación, no había sentido una atracción tan instantánea y potente por una mujer desde hacía años.

Ella encendió el cabo de una vela iluminando la habitación, también casi vacía. La estrecha cama le quedaría corta, pero serviría.

—Gracias. Me marcharé antes que te levantes. Deseo que te vaya bien, Hera.

—Yo también... te lo deseo, Catesby.

La parpadeante luz de las dos velas hacía extraños juegos de luces y sombras en la cara de ella, y formaban cosas raras en la mente de él.

—Mis amistades me llaman Cate —dijo.

Reapareció el humor en la cara de ella.

—¿No te causa azoramiento eso?

—Tengo una espada, no lo olvides, y sé usarla.

Volvió a desaparecer el humor.

—Hombre afortunado.

Él deseó llevarla por senderos de rosas; de vuelta a ellos; en otro tiempo había sido feliz y alegre; eso lo sabía. Antes que cual fuera el desastre que hubiera hecho caer tan bajo a su familia. Deseó que su vida fuera fácil, devolverle la frivolidad y las risas.

Pero en eso él era impotente.

Ella seguía en la habitación. Volvió a dificultársele la respiración, medio deseando, medio temiendo, la intención de ella. Se le despertó el deseo, y en eso no era impotente en absoluto, pero ella no prometía otra cosa que problemas, y una relación con un desconocido sería desastrosa para ella.

Entonces, cuando levantó la cabeza y lo miró a los ojos, él seguía desesperado combatiendo su naturaleza más baja.

—¿Me das un beso?

«Demonios, Cate, no lo hagas.»

—Me pareció que me considerabas un peligro.

—Somos camaradas de bebida —dijo ella, frívolamente, mirando la pared, pero enseguida volvió a mirarlo a los ojos—. Nunca me han besado, y ahora me parece que nunca me besarán, así que se me ocurrió...

Él no podía resistirse a esa noble necesidad.

—Los hombres de Northallerton son unos tontos —dijo.

Cogiendo la vela que ella tenía en la mano, la puso junto a la otra y entonces ahuecó la mano derecha en su cara. Le habría gustado introducir los dedos por su pelo suelto, pero ella ya estaba tensa y él sentía demasiado deseo, así que simplemente la besó.

Ella le cogió la muñeca con una mano, pero no protestó. Demasiado tarde él comprendió que ella podría aterrarse y comenzar a gritar, y que él no podría alegar nada en su defensa.

Pero ella no gritó, y él deseaba darle eso.

No tenía ni idea de cuánto deseaba ella un beso, y dudaba de que lo supiera, así que volvió a besarla, moviendo los labios sobre los suyos con la esperanza de que los abriera; ella presionaba los labios sobre los de él, pero estaba claro que no sabía qué hacer.

Él podía bajarle el mentón con el pulgar, para que abriera los labios, pero simplemente continuó moviendo los labios sobre los de ella. Ella se relajó, pero no daba señales de que deseara más. Pasado un momento deslizó los labios para besarle la mejilla, con la intención de poner fin al beso.

Un instinto lo impulsó a abrazarla.

Tal vez él necesitaba eso tanto como ella.

Ella estaba rígida, hasta que de pronto se apoyó en su pecho con la cabeza gacha, agotadas sus fuerzas. Él le acarició la espalda, notando su flacura en los huesos de la columna y los omóplatos. Era la flacura del hambre constante, y eso lo enfureció.

«No hay nada que puedas hacer, Cate.»

La apartó suavemente y la sujetó hasta estar seguro de que estaba firme sobre sus pies.

Ella levantó una mano, tal vez para tocarse la boca, pero se la pasó por el pelo, como si temiera que se le hubiera desordenado.

—Gracias —dijo, sin mirarlo a los ojos.

—Deberíamos celebrar tu primer beso con un festín. Iré a una de las posadas a comprar un poco de comida.

Entonces ella lo miró a los ojos.

—No puedes ir y venir —dijo en un susurro—. La gente de esta calle observa las cosas.

—¿Cuándo comiste por última vez?

—Hace unas horas.

—No comiste suficiente.

—¿Quieres ser poco halagüeño respecto a mi apariencia, señor Burgoyne?

Él sintió ganas de reírse ante esa actitud altiva y engreída, pero el asunto no tenía nada de divertido.

—Deseo ayudarte. Dime tu nombre y cuando llegue a Londres te enviaré dinero.

Ante eso ella volvió a enderezar la espalda, muy rígida.

—No. No acepto caridad, y mucho menos de ti. Es a mi hermano a quien le corresponde ayudarme, y estoy segura de que lo hará.

—¿Y si no?

—Me las he arreglado y continuaré arreglándomelas.

Él deseó darle una buena sacudida.

—Entonces, buenas noches —dijo.

—Sí, buenas noches.

A pesar de la firmeza de su voz, ella vaciló, y él pensó qué haría si ella le pedía más, tal vez incluso todo.

Pero ella cogió la vela, salió a toda prisa de la habitación y cerró la puerta.

Maldita sea, la reina orgullosa e imperiosa, pero era mejor así. No le hacían falta más problemas en su vida.

Apagó la preciosa vela entre los dedos, tratando de pellizcar al mismo tiempo sus sentimientos tiernos. Una Boadicea en ciernes no era asunto suyo.

Capítulo 2

*P*rudence Youlgrave apagó la vela para no gastarla y luego se sentó en el borde de la cama y se quedó así un largo rato. En su interior seguían hirviendo el sufrimiento y la furia por la traición de su hermano, pero por encima de eso discurría la consoladora dulzura de ese beso.

Sabía que ese beso no había significado nada y no deseaba que fuera de otra manera, pero la aliviaba como un bálsamo sobre una quemadura. Tal vez la magia se debía a que había sido su primer beso, o incluso al coñac. Si era así, podría convertirse en adicta.

Tal vez la verdadera magia fue el abrazo. Qué maravillosa sensación de seguridad y calor le produjo estar entre esos fuertes brazos y sentir las tiernas caricias de sus manos.

Su madre la abrazaba con esa ternura cuando era niña, pero eso se acabó cuando se hizo mayor; por desgracia, recordaba, eso fue alrededor del momento en que fueron exiliadas del paraíso. Entonces su madre adoptó una actitud positiva, como un arma. Tal vez los abrazos la habrían debilitado.

En los últimos meses de vida de su madre era ella la que tenía que ofrecer ternura y protección. En los cuatro meses pasados desde su muerte, había disfrutado de su independencia; había vivido totalmente como deseaba, sin estar a disposición de nadie, libre para leer y dar paseos por el campo mientras pasaba el tiempo hasta ir a reunirse con Aaron en Darlington.

Pues bien, ahora tenía que enfrentar la verdad. No era independiente en absoluto. Dependía muchísimo de las tres guineas al mes que le enviaba Aaron. Sin ellas estaría en el asilo de los pobres, si tenía suerte; no albergaban a personas sanas, así que o bien aceptaba el trabajo de baja categoría que le encontraran o se dedicaba a hacer la calle, para sobrevivir de la única manera que sobrevivían las mujeres en esa situación.

Aaron no permitiría que llegara a eso, pero claro, jamás se había imaginado que él pudiera rechazar una franca petición.

Tuvo que presionarse los ojos para contener las lágrimas.

Sólo lágrimas causadas por el coñac. Seguro que el precio sería despertar sintiéndose mal, pero no podía lamentar el consuelo que le produjo. Ni el escandaloso contacto físico que le había pedido a ese hombre.

No sabía que sus labios pudieran ser tan sensibles, que le hormiguearían de esa manera. No se había imaginado ese efecto cuando entreabrió un poco los labios, cuando respiraron juntos; cuando algo, algo tirante, se enroscó dentro de ella, y la agitó de la manera más perturbadora.

Entonces deseó apretarse más a él, intentar hacer más profundo el beso. Menos mal que él paró. Pero entonces la cogió en sus brazos. Ah, fue celestial sentirte tan segura, tan a salvo, por primera vez en diez años. Y de esa manera en particular, tal vez por primera vez en su vida.

—Tonta ilusión —masculló, para sacudirse la locura con el sonido de su voz.

Catesby Burgoyne, pobre y borracho, no era una fuente de seguridad.

De todos modos, el abrazo fue un recordatorio de su finalidad.

Tendría un marido. Estaba en su derecho. Aaron le debía eso; era su deuda tácita. Sería una mujer casada, tendría una posición respetable en la sociedad decente, un hogar para llevar e hijos para querer y criar.

Y un hombre para protegerla, besarla, amarla y abrazarla. Se desvistió hasta quedar con la camisola. Un hombre sensato, digno, de valía, se dijo, metiéndose en la cama. Un abogado como Aaron. Un médico o un clérigo. Tal vez no le importaría casarse con un comerciante de la clase más respetable.

Un caballero de familia bien, ¿con una propiedad en el campo? Una propiedad en el campo como aquella en la que vivió en otro tiempo...

No, no sería una soñadora tonta. Ese tiempo ya estaba en el pasado. Un caballero decente de Darlington le vendría muy bien.

Cuando despertó entraba la luz del sol por las rendijas de las maltrechas contraventanas. Despertó y tomó conciencia de su absoluta locura. Había dejado entrar a un hombre en su casa. Y le había permitido pasar la noche ahí. Debió estar loca por causa del coñac para hacer eso.

Y para hacer lo otro.

Se tocó los labios, como si los fuera a encontrar distintos, pero enseguida se puso su sencilla ropa, abrió la puerta y se asomó. La puerta del otro dormitorio estaba abierta y la habitación desocupada. Una punzada de tristeza le hizo brotar lágrimas.

¡Idiota!

La pregunta era, ¿qué habría robado? ¿O estaría robando en ese momento? Oía ruido abajo.

Bajó la escalera, solamente armada con su palmatoria de madera, pero no vio señales del peligroso señor Burgoyne. Sólo estaba *Toby*, meneando la cola.

En lugar de robar, su escandaloso huésped había dejado algo más junto a los dos chelines de plata sobre la mesa. Cogió el alfiler de corbata de plata y lo puso a la luz del sol. La cabeza tenía la forma de una diminuta daga.

Examinó detenidamente el alfiler como si este pudiera revelarle algo acerca de él, pero si revelaba algo era que a él le gustaba la violencia. Debería enfadarla que él lo hubiera dejado habiéndose negado ella a aceptar su caridad, pero lo apretó más en la mano, casi como si fuera una ofrenda de amor.

Era un granuja y tal vez un jugador también, para estar en esa apurada situación, pero saber que se había marchado y no volvería a verlo nunca más le produjo una opresión en el interior muy parecida a pena.

Cate Burgoyne.

Un inútil, pero qué alto y fuerte. Qué valiente y qué rápido con la espada. Todavía se quedaba sin aliento al recordarlo cuando corrió a atacar a sus asaltantes. Qué apuesto.

¿Qué le daba ese aire tan apuesto? Unos rasgos bien cincelados, una boca firme, unas mejillas delgadas..., pero era algo más que eso. Era todo él, incluso la seguridad en sí mismo marcada en todos sus contornos.

Él dijo que iba escaso de dinero, pero no estaba acostumbrado a la pobreza. Su ropa era de excelente confección y estaba en buen estado; su corbata estaba adornada con encaje del caro. Ella conocía el valor de los encajes, pues poco a poco habían ido vendiendo todos los que tenían. Sin duda él podría pagar su viaje a Londres con lujo vendiendo esas cosas, y ni siquiera lo sabía.

Agitando la cabeza para expulsar el recuerdo de él, se guardó los chelines en el bolsillo y escondió el alfiler en el fondo de un cajón. Encendió el fuego en el fogón y puso a calentar agua en la tetera. Después de desayunar con pan y una taza de infusión de diente de león, sacó una de sus últimas hojas de papel para cartas, afiló la pluma y se instaló a escribir la bien pensada carta a su hermano.

Sólo había terminado una muy cuidada frase cuando entró Hetty Larn por la puerta de atrás.

—Aquí está su pan, señorita Youlgrave.

Prudence hizo a un lado la carta.

—Gracias, Hetty.

—No es ningún problema, señorita.

Hetty era delgada y poco atractiva, pero rezumaba una alegría que asombraba a Prudence. ¿Cómo podía alguien estar alegre viviendo en la pobreza de White Rose Yard? Tal vez Aaron veía el lugar cubierto de rosas, incluso en marzo, pero el nombre de la hilera de casas se debía a que estaban en un terreno que era propiedad de una casa de High Street.

La taberna llamada White Rose.

Hetty vivía en la casa de al lado con su marido, Will, y sus dos hijos pequeños, que en ese momento estaban apoyados en la falda de su madre sonriendo. *Toby* trotó hacia ellos moviendo la cola, y, riendo, los dos niños se arrodillaron a jugar con él.

Su madre era una mujer de buen corazón, pero aún así, dondequiera que vivieran, insistía en guardar las distancias entre ellas y sus vecinos de cuna más humilde. Ella, por su parte, viviendo sola, nunca había podido ser descortés. La parte de atrás de la hilera de casas de White Rose Yard era un estrecho patio común donde algunos cultivaban verduras, otros tenían pollos y todos colgaban la ropa de la colada. Cuando hacía buen tiempo, todas las puertas, tanto las de la calle como las de atrás, estaban abiertas, y los vecinos iban y venían.

Cuando ella se mudó a esa casa, al día siguiente Hetty golpeó su puerta de la calle. Ella ya sabía que eso era lo correcto en una primera visita; había etiqueta, incluso en White Rose Yard.

Entonces Hetty le ofreció un pequeño montón de panes de avena, que eran las tortas que comían los pobres ahí con más frecuencia que pan de trigo. Eso la soprendió, pero sabiendo que la intención era buena los aceptó y se los agradeció.

A partir de entonces se deslizó hacia la familiaridad, o fue de mal en peor, como diría su madre. Aunque en realidad era una especie de trueque. Hetty horneaba pan de avena extra para ella, y ella le cuidaba a los hijos unas horas de vez en cuando.

Así descubrió que los niños dan una asombrosa cantidad de trabajo, y se le ocurrió la idea de enseñarles las primeras letras, para evitar que hicieran travesuras. Sorprendida, comprobó que a ellos les encantaba y que el niño, Willie, era listo y aprendía rápido. Hetty estaba loca de contento.

Puso sobre la mesa el paquete con el material de estudio que había recopilado, y los niños corrieron a sentarse en los taburetes.

—Qué amable es usted por enseñarles, señorita.

—Tú eres amable al hornear pan para mí, Hetty. Yo nunca he encontrado la manera de hacerlo.

—Es bastante fácil. Yo podría enseñarle.

Prudence sonrió, disimulando así cuánto la ofendía eso. Jamás necesitaría aprender a hacer pan de avena ni ningún tipo de pan. Estaba destinada para cosas mejores.

—Yo podría enseñarte a leer, Hetty.

—¡A mí! Santo cielo, señorita, ¿para qué? Pero podría haber otros padres aquí que estarían encantados de que les enseñara a sus pequeños.

—¿Poner una «escuela»?

Hetty la miró sorprendida, y bien que podía, puesto que tenía que saber de su pobreza. Pero poner una escuela sería peor aún que convertirse en una institutriz. Confirmaría una eterna soltería y su necesidad de apretarse el cinturón. Sería una derrota.

—Supongo que no estaré aquí mucho tiempo más —dijo—. Ahora que ha pasado mi primer periodo de luto, no tardaré en irme a vivir con mi hermano en Darlington.

—Oh, eso es una pena, señorita.

Tragándose la respuesta, Prudence se giró hacia la mesa y abrió el paquete, dejando a la vista el alfabeto. En cada trozo cuadrado de papel había una letra y un pequeño dibujo. En otros trozos de papel había escrito palabras.

Le pasó una palabra a cada niño.

—Ahora encontrad las letras que forman esa palabra, queridos. —Delante de cada uno puso un plato de loza marrón espolvoreado con harina y a un lado un palito del tamaño de una pluma—. Cuando tengáis formada la palabra intentad escribirla sobre la harina.

Al instante Willie cogió el palito y con sumo cuidado formó la palabra «gato».

Hetty lo miró con adoración.

—Qué gusto verlos hacer palabras, señorita.

—Los dos son inteligentes —dijo Prudence.

En realidad la pequeña Sarah no daba muchas señales de inteligencia, pero Willie sí sería muy capaz de progresar si hubiera nacido en otro contexto social.

—Ah —dijo Hetty—, le iba a preguntar. ¿Se encuentra bien después de lo de anoche?

Prudence se quedó inmóvil y luego se giró lentamente a mirarla.

—¿Qué quieres decir?

—Oímos al señor Brown diciéndole a unas personas que dejaran de hacer lo que estaba haciendo. Will se asomó a mirar pero no vio a nadie. Pero esta mañana el anciano Brown dijo que estaba seguro de que había unas personas al acecho en las sombras fuera de nuestra casa y que hablaban en voz baja como si tramaran algo nada bueno.

—¿Sí? —preguntó Prudence, con los ojos lo más agrandados que pudo—. ¿Han entrado en la casa de alguien?

—No que yo sepa, señorita, y me alegra que no la hayan molestado. Bueno, me voy. Algunos trabajos son más fáciles sin los niños alrededor. Portaos bien, Willie y Sarie.

Se marchó y entonces Prudence soltó el aliento en un soplido. Se había retrasado en escribir la carta porque sus pensamientos volvían con mucha frecuencia al gallardo Cate Burgoyne, pero él había sido parte de su locura. Esa noche fácilmente podría haber quedado mancillada su reputación, con lo que se habrían frustrado todas sus esperanzas.

Se sentó junto a los niños, resuelta a no pensar más en él. Terminaría la carta y la enviaría. Aaron vería la justicia de sus quejas y la invitaría a vivir con él en Darlington después de su boda. Ahí lograría encontrar un marido conveniente.

Un hombre bueno y digno de la posición de ella, no un gandul de alcurnia como Cate Burgoyne.

Cuando habían transcurrido dos semanas desde que enviara la carta, Prudence aceptó que su hermano no le contestaría.

Y no entendía por qué llegó a pensar que él actuaría de otra manera. Siempre había sido bueno para olvidar sus obligaciones incómodas. La cantidad de veces que ella tuvo que reñirlo para que hiciera sus deberes del colegio.

Pero jamás se habría imaginado que él pudiera desentenderse de su apurada situación.

Cuando asistió al funeral de su madre él hizo comentarios despectivos sobre la pequeña casa en que vivían en Romanby Court, como si sus limitaciones hubieran sido culpa de ella; cuando hizo comentarios similares sobre los muebles, ella le dijo que los mejores los había vendido para pagar los honorarios al médico.

¿La respuesta de él? Que ella debería habérselas arreglado mejor.

Ya era consciente de que debería haber exigido más en ese momento, pero estaba acostumbrada a «invertir en su profesión», como lo expresaba su madre, y estaba segura de que sólo sería por un corto periodo de tiempo más.

Entonces se mudó a White Rose Yard, la casa más barata que logró encontrar, a esperar que pasaran los primeros meses de luto y los últimos meses de la formación de Aaron. Había sido descuidada con el dinero hasta hacía poco, hasta que el silencio de Aaron comenzó a preocuparla.

Siempre sensible a los problemas, *Toby* gimió, mirándola muy triste y asustado. Ella no sabía si era tímido antes del accidente en el que perdió la pata, a causa de lo cual ella lo llevó a la casa, pero ahora siempre parecía que temía lo peor. No, ella no sería un *Toby*; volvería a escribir. Aaron siempre necesitaba que le dijeran las cosas claras. Puso papel para escribir sobre la mesa, pero *Toby* volvió a gemir, mirándola lastimero.

—Tienes razón. ¿Qué sentido tiene repetir lo mismo?

Pero ¿en qué situación la dejaba eso? Arreglándoselas en White Rose Yard con tres guineas al mes o poniendo una escuela para niñas, en la que enseñaría los rudimentos de la escritura y la aritmética en su casa y le pagarían con huevos, pan y coles.

—¿Cómo está, señorita? —preguntó Hetty alegremente, con el saludo de costumbre.

Prudence se limpió las lágrimas.

—¿Qué haces aquí, Hetty?

Hetty retrocedió ante ese tono seco.

—Acabo de recibir unas verduras extras que me envió mi padre.

Le enseñó una enorme col de primavera.

Prudence estuvo a punto de ladrar algo sobre una col de caridad, pero sus modales la frenaron y luego el sentido común. Necesitaba caridad.

—Perdona, Hetty. Lo que pasa es que estaba... algo dolida. Gracias, eres muy amable.

—No es gran cosa, señorita. Las verduras se están dando bien esta privavera. —Ladeó la cabeza—. No quiero entrometerme, señorita, pero ¿hay algo que yo pueda hacer para ayudarla?

—¿Dónde están los niños? —preguntó Prudence, evadiéndose.

—Mi madre trajo las verduras. Está feliz cuidando de ellos. ¿Ha recibido una mala noticia?

Prudence deseó decir no y sonreír, para proteger su orgullo, pero la verdad salió a borbotones:

—No he recibido ninguna noticia. Mi hermano se desentiende de mí.

—¿Su hermano? ¿El que vive en Darlington?

—Es abogado.

Eso lo dijo para defender su orgullo, pero al instante comprendió su error.

Hetty la miró boquiabierta.

—¿Por qué vive aquí, entonces?

Prudence deseó contarle todos sus motivos de queja, pero su orgullo, su antipático orgullo, la impulsó a decir:

—No tiene habitación por el momento. Se va a casar y entonces tendrá una casa proporcionada por su suegro.

—Aun así, usted debería vivir mejor de lo que vive aquí.

—Es caro establecerse como abogado.

—Eso me lo imagino, señorita. Pero se va a casar, ha dicho. Todo irá bien entonces. Él y su esposa la acogerán bien ahí, sobre todo cuando haya niños pequeños.

—Quieres decir que van a desear una niñera sin sueldo.

—La familia está para ayudar y acompañar —explicó Hetty.

—¿Tú lo harías?

—¿Tener a una de mis hermanas viviendo con nosotros? ¿O a una hermana de Will? Me haría compañía, ¿verdad?, mientras Will está en el trabajo, y sería una ayuda en los quehaceres. Pero todas están establecidas, todas menos la pequeña Jessie, que es criada en la casa señorial.

A Prudence le resultó imposible explicar que para ella la vida en la casa de su hermano no sería una combinación tan feliz. Estaría encantada de servir de compañía a su esposa, una tal señorita Susan Tallbridge, pero no de ser una parienta pobre destinada a ser agradecida y demostrarlo haciendo cualquier trabajo que le dieran.

—¿Cuándo es la boda, pues? —preguntó Hetty.

Otra pregunta inesperada. No tenía ni idea.

—Pronto —dijo, pero sintiendo un burbujeo de entusiasmo.

¡La boda! ¿Por qué no había pensado en eso? Aaron tendría que enviarle dinero para viajar a la boda y comprarle ropa nueva para que no lo dejara en vergüenza. La boda lo arreglaría todo. Alternaría con la mejor sociedad de Darlington, porque la novia de Aaron era la hija de un comerciante acomodado.

Al sentirse más animada lamentó haberse mostrado tan seca antes.

—¿Me llamarías Prudence, Hetty? ¿Y preferirías que yo te llamara Hesther?

La joven se rió.

—No haga eso, señorita, o sea, Prudence. No sabe lo que dice.

Prudence se ruborizó. ¿Era un error sugerir esa intimidad?

—Sí prefieres que no...

—No, estoy feliz de ser Hetty. —Se echó a reír—. Feliz de ser Hetty.

Esposa, madre de dos hijos, y aun así cuatro años menor que ella, que tenía veintiséis; y era capaz de reír como una niña.

Hetty ladeó la cabeza.

—Lo siento si no te gusta que lo diga, Prudence, pero tienes las manos ásperas para ser una dama. ¿Me permites que te dé un poco de mi crema?

—¿Crema?

—Mi madre la hace. Con lanolina y hierbas principalmente. Huele un poco, pero suaviza muy bien la piel áspera.

—Ya me has dado mucho por lo poco que hago yo.

—Esto es sólo por amistad. Si eso no es presumir demasiado.

Expresado así, Prudence no podía negarse, y observó que las manos de Hetty estaban en mucho mejor estado que las suyas. Y Hetty hacía muchísimo más trabajo duro.

—No, claro que no.

Hetty sonrió de oreja a oreja.

—Iré a buscarla para darte un poco ahora mismo.

Cuando se marchó, Prudence sonrió con una nueva esperanza.

La boda. Su puerta a una vida mejor. Cuando fuera a Darlington para la boda no tendría ningún sentido que volviera a seguir viviendo ahí. Su vida cambiaría de la noche a la mañana.

Tan pronto como Hetty le trajo el bote con crema y volvió a marcharse, subió a sacar su único vestido bueno del arcón de madera donde lo tenía muy bien doblado, envuelto en muselina y con hierbas. Todos los otros vestidos los había teñido de negro para tener ropa de luto, pero había reservado ese azul.

Era su único vestido bueno, aunque ya tenía cuatro años.

Lo extendió sobre la cama y lo examinó. Sólo se lo había puesto para ir a la iglesia y para las excepcionales visitas de Aaron, así que estaba bastante bien conservado. La orilla estaba desgastada, pero si subía un poquito el dobladillo eso quedaría oculto. Lo llevó hasta la pequeña ventana para mirarlo a la luz. La tela estaba algo desteñida, ya no era el azul vivo de antes, pero tal vez eso no se notaría, y el color apagado era más apropiado para el luto. Habrían pasado menos de seis meses desde la muerte de su madre.

Debería continuar vistiendo de negro, pensó, pero el vestido azul era sencillo, y estaba claro que Aaron pensaba que su periodo de luto ya había pasado. ¿Podría añadirle algún adorno bonito? Las trencillas, abalorios y cintas eran caros, pero si compraba hilo podría añadirle algunos bordados; en negro y algún otro matiz de azul.

De todos modos, el hilo y las agujas buenas costaban dinero.

Sacó los chelines y los contempló como si fueran talismanes. Asintiendo, se puso su chal y salió en dirección a las tiendas.

Tres semanas después Prudence salió echando pestes por su puerta de atrás y entró por la puerta abierta de la casa de al lado. Era la primera vez que entraba en la casa de Hetty, y no se habría imaginado nunca entrando sin haber sido invitada, pero necesitaba hablar con alguien.

Hetty estaba arrodillada junto a una artesa lavando algo. Al verla pestañeó y comenzó a levantarse.

—No, no te... —alcanzó a decir Prudence y se interrumpió al comprender que sería incorrecto hablar con ella estando arrodillada—. Es decir, sí, si quieres. Lo siento, no debería haber venido así.

Hetty ya estaba de pie, secándose las manos en el delantal.

—Pues sí que debías. Las mantas se pueden remojar.

—Mantas.

—El día está ventoso y hace calor. Va bien para el lavado anual de las mantas. ¿Pasa algo, cariño?

Eso seguía siendo nuevo para Prudence, ese informal trato de «cariño». Le parecía que eso la hundía más aún en White Rose Yard, pero había estado tan segura de que se marcharía pronto que no le había dado importancia.

Se sentó en uno de los taburetes junto a la sencilla mesa. Sólo había una silla y sabía que esa sería para Will, el hombre de la casa. Los hombres, los amos de todo.

—Mi hermano se ha casado.

Hetty la miró como sin entender y de pronto exclamó:

—¿Sin ti? ¿Cómo ha podido hacer eso?

—¿Y por qué no? —dijo Prudence amargamente.

—Pero tú has trabajado tanto arreglando ese vestido.

Prudence deseó no haber venido, no revelar su pena.

Hetty cogió dos tazas de loza, las puso sobre la mesa, y luego sirvió de un jarro con tapa.

—Eso no es gin, ¿verdad? —dijo Prudence, asaltada por un recuerdo.

Después de esa noche, en sus momentos más bajos, se había ido bebiendo trago a trago el resto del coñac, sintiéndose muy culpable.

—¿Gin? —exclamó Hetty—. ¡Como si yo bebiera eso! Es el cordial de mi madre. —Se sentó frente a ella y le acercó una taza—. Te levantará el ánimo.

Prudence lo olió y notó que olía principalmente a hierbas. Lo probó, sintió el empalagoso sabor dulce y luego tosió.

—¿Que me levantará el ánimo? ¡Si esto es puro licor!

—Sólo es el vino que prepara mi madre. Pero son las hierbas las que hacen bien.

Prudence bebió otro trago.

—No tardaré en estar borracha.

—Anda ya. Ahora dime quesqué. ¿Recibiste una carta?

Prudence bebió otro trago.

—De la esposa de mi hermano, ¿te lo puedes creer? Lamentando que yo no pudiera asistir a la boda, pero deseosa de contarme todos los placeres del día.

—Ha sido amable, entonces.

—¡Amable! Es una burla, pura y simple. Todos los detalles de los refinados invitados, el elegante desayuno de bodas, su vestido, el traje nuevo de Aaron, su casa nueva... Todo eran alfileres apuntados a mi corazón.

—Ah —dijo Hetty, bebiendo otro trago.

—Es cierto. Ella tuvo que ser la que decidió quién podía o no podía estar en su boda. Ella tiene que ser la que no me quiere en Darlington.

—Tu hermano podía haberse negado si hubiera querido.

—Tal vez no. Ella aporta una buena suma de dinero y su padre es influyente en Darlington.

—De todos modos, tu hermano es el hombre de la casa.

Prudence exhaló un suspiro.

—¿Y sigo buscándole disculpas? He sido una tonta siempre, ¿verdad? Había puesto mis esperanzas en la boda, ¿sabes? Ahí habría sido una dama y conocido su refinado círculo de amistades. Incluso podría haber... —Interrumpió sus revelaciones, menos mal, antes de desvelar su sueño de conocer a un caballero que la admirara. Ceñuda miró el dulce contenido de su taza—. Esta es una bebida muy potente.

—Cura muy bien el catarro y el reuma.

¿Y un corazón roto? Pero no tenía roto el corazón, sólo aporreado y lastimado. Eran sus sueños los que estaban aplastados sin remedio, y con ellos se habían aplastado también sus esperanzas.

Rodeó la taza con las dos manos y bebió otro poco.

—No deseo vivir así, Hetty. —Cayó en la cuenta de que eso podía considerarse insultante—. Quiero decir..., no se trata del lugar ni de las personas, pero deseo algo más. Deseo...

—Un marido. Toda mujer desea un marido y todo hombre desea una esposa. Pero sé que eso no es fácil para una dama como tú. No puedes casarte con un hombre sencillo, pero para casarte con un caballero necesitas dinero.

—¿Tú aportaste dinero al matrimonio?

—Traje un poco de ropa blanca y mi ropa nueva. Y soy sana y buena para trabajar, como Will. Él sabe su oficio y yo sé llevar una casa y ocuparme de todo.

—Yo sé llevar una casa.

—Con criados —dijo Hetty, al parecer sin ninguna intención de insultar.

—Llevo esta casa —protestó Prudence.

Entonces pensó en el pan que no horneaba, las mantas que no lavaba nunca y en los muchos agujeros de polillas que tenían. Sí, barría y quitaba el polvo, pero no hacía crema para las manos, no tostaba las hojas de diente de león para prepararse una infusión caliente ni criaba pollos.

—Sé llevar una casa con criados —concedió—. Cuando vivíamos en Blytheby Manor, ayudaba en la parte que nos correspondía. Me ocupaba de cuidar de las cosas más finas, como los mejores manteles, el cristal y la porcelana.

Nada de eso existía ya, aparte del jarrón favorito de su madre y las dos copas de cristal en que bebió coñac con un granuja libertino.

Hetty la estaba mirando con los ojos como platos. Volvió a llenar las tazas.

—¿Vivías en una casa «solariega»?

—¿Qué? Ah, Blytheby Manor. Sí, pero no como crees. Mi padre era el bibliotecario ahí.

—¿Cómo diablos acabaste viviendo aquí? Una casa solariega. ¡Imagínate!

Y Prudence se lo imaginaba, lo pensaba con frecuencia. Pensaba en el conjunto de aposentos en que vivían, en los terrenos de la propiedad donde podía vagar libremente. Recordaba la sensación de que esa era su casa, casi como si formara parte de la familia de sir Joshua Jenkins, y en la agradable amistad con las hijas de las familias vecinas. Se había considerado parte de su sociedad.

Al fin y al cabo, si bien no había nacido en Blytheby, no había conocido otro hogar. Sus padres se fueron a vivir ahí cuando ella tenía dos años. Cuando sir Joshua perdió todo su dinero en el juego y se mató de un disparo, y su familia tuvo que marcharse casi inmediatamente, fue como si los hubieran expulsado del paraíso.

Pero no soportaba revivir todo eso.

—¿Que cómo llegué a vivir aquí? —dijo—. Por una serie de desgracias.

—¿Qué edad tenías cuando ocurrió todo eso?

El desastre total no ocurrió de una sola vez, pero dijo:

—Quince años.

Lo bastante mayor para vislumbrar un futuro feliz, pero no tan mayor para haberse embarcado en el camino. Sir Joshua le había prometido que cuando cumpliera los dieciséis años lo celebraría con una fiesta. No con un baile, lógicamente, aunque habría baile en la fiesta. Le había programado clases de baile.

Bebió otro poco del cordial y con él se tragó las lágrimas.

—Debe de ser difícil que te lo quiten todo cuando has vivido con tanta grandiosidad. Es más fácil estar donde has nacido.

Prudence no estaba convencida de que haber nacido en White Rose Yard fuera un destino envidiable, pero veía que Hetty tenía su punto de razón. Ella no envidiaba a los grandes del país, los duques y condes con sus mansiones e inmensas propiedades. Eso no era para ella, como Blytheby Manor no era para Hetty. Simplemente deseaba ocupar su lugar legítimo en la sociedad, una posición desahogada de clase media, como la tenían sus padres. Si fuera un hombre, como Aaron, eso lo conseguiría con un buen empleo, pero siendo mujer, tenía que ser a través del matrimonio. El único empleo posible para ella sería la refinada servidumbre de una institutriz o una dama de compañía, sin tiempo para ella ni una casa que pudiera llamar suya.

—Esto no es vida para ti —dijo Hetty—. ¿Qué vas a hacer, pues?

Prudence exhaló un suspiro y se levantó.

—Tal vez lavar mis mantas.

—¡No es eso lo que quiero decir! No deseas vivir tu vida aquí y no es correcto que lo hagas. Así pues, ¿qué vas a hacer al respecto?

—No hay nada que yo pueda hacer.

—Siempre hay algo. ¿Por qué no vas a Darlington y hablas con tu hermano cara a cara? Hay muchos hombres que se desentienden de lo que es correcto hasta que se les presenta delante.

Prudence recordó que había pensado eso mismo.

—Está a dieciséis millas. No tengo dinero para pagar el pasaje en diligencia.

Hetty arrugó la frente, pensándolo.

—El tío de Will, Frank, lleva una carreta de ida y vuelta tres veces a la semana. Te llevaría por un par de peniques.

—No podría...

¿Y si Aaron la rechazaba? No sabía si podría sobrevivir a esa crueldad, a ese final de todas sus esperanzas.

De pronto recordó a ese tal Burgoyne corriendo hacia sus asaltantes. Y después su rapidez para abrir la puerta y empujarla para que entrara, evitando así que los sorprendieran hablando en susurros en la calle.

Audacia.

Acción rápida.

Ataque.

Se le revolvieron las entrañas, y tal vez por causa del cordial, pero se armó de valor y dijo:

—Lo haré, entonces. Iré a Darlington. Tendré lo que es mío.

Hetty sonrió de oreja a oreja y bebió brindando por ella.

—Esa es la manera, Pru. Vas ahí y le dices quesqué.

Capítulo 3

Darlington

Cuando Prudence iba de camino a Darlington comenzó a llover; no fuerte, pero sí lo bastante para mojarle la ropa y el ánimo. Frank Jobson le pasó unos sacos para que se cubriera, pero la lluvia le mojó la falda del vestido azul.

Tras madura reflexión, había decidido la manera de enfrentar a su hermano. No en su casa, donde estaría vigilado por su mujer. Tampoco en su oficina. Le encantaría avergonzarlo delante de otras personas, pero eso no serviría a sus fines.

Por lo tanto, lo esperaría en la calle a la hora que salía para ir a pie a su casa a comer. En la carta, su cuñada le había hecho el favor de informarla de que el querido Aaron iba a casa cada día a la una para comer con ella.

Si él se negaba, no se daría por vencida. Averiguaría dónde vivía su suegro, el señor Tallbridge, e intentaría hablar con él. Si Tallbridge estaba ausente, le dejaría la carta que había escrito con sumo esmero exponiendo la injusticia de su situación. Había procurado redactarla sin expresar quejas ni hacer acusaciones contra su hermano, pero dejando clara la posibilidad de vergüenza para la hija de Tallbridge si no se solucionaba la situación de la hermana de su marido.

Se había preparado concienzudamente, e incluso llevaba puesto el alfiler de plata que le diera Catesby Burgoyne, para que le infundiera valor, pero le habría gustado no llegar a Darlington mojada.

Se despidió del carretero y echó a andar, dispuesta a conocer la ciudad, disfrutando de la caminata por las calles como cualquier otra persona. Ahí nadie sabía que vivía en White Rose Yard, y su ropa era de calidad decente. A los ojos de los desconocidos era una mujer respetable ocupada en sus actividades del día.

Llegó al alto bloque de casas adosadas y allí encontró la casa donde estaba el bufete en que trabajaba su hermano; entonces, dado que tenía tiempo de sobra, continuó su camino en busca de la casa nueva.

Era una casa pequeña, similar a una casita de campo, y la puerta daba directamente a la acera, sin un pórtico con escalinata y barandas, pero se veía bien construida y conveniente para una pareja joven que comienza su vida juntos.

También le iría bien a ella, y seguro que no habiendo hijos todavía habría espacio. En una casa como esa habría comida abundante y podría recuperar su apariencia. Viviendo en esa casa podría entrar en la sociedad de Darlington y encontrar marido, sobre todo si Aaron le fijaba una dote.

Era evidente que Aaron no estaba escaso de dinero. En realidad, ahora tendría el control del dinero de su esposa.

Desechó la rabia que le produjo eso y se concentró en su futuro.

Volviendo a las calles más transitadas se dedicó a mirar los artículos expuestos en los escaparates y a hacer compras imaginarias para su futura casa. Ese precioso juego de porcelana floreada; esa tela a rayas para cortinas; esa hermosa alfombra para el salón.

Mentalmente también compró cosas más triviales: un alfiletero, un libro de poemas, un ramo de flores, imaginándose el día en que podría permitirse hacer esas sencillas compras sin siquiera pensarlo.

Recordaba ocasiones en que podía hacer eso, cuando acompañaba a su madre a York y su padre le daba unas monedas diciéndole que se comprara bonitos perifollos.

Bonitos perifollos.

Qué idea más encantadora.

Estuvo un rato rondando ante una mercería, tentada por una cinta azul que haría juego con el hilo de los ribetes bordados en su vestido. Mejoraría muchísimo su sencillo sombrero de paja. Se alejó, aunque sólo por el momento. Recuperaría el lugar que le correspondía en la vida, y pronto. Incluso las nubes se iban alejando, llevándose la amenaza de más lluvia. Cuando apareció el sol, lo consideró una señal de que todo sería como dijo Hetty: cuando enfrentara a Aaron, él haría lo correcto.

Cuando faltaba un cuarto para la hora, fue a situarse fuera de la casa donde trabajaba su hermano, tratando de no llamar la atención.

Salió un caballero gordo acompañado por otro de su misma edad, y se alejaron. Luego salieron dos muchachos riendo y se alejaron a toda prisa.

Entonces entró un muchacho con delantal llevando una inmensa cesta cubierta por un paño. Alguien de la estrecha casa había pedido comida. ¿Aaron? No, el destino no podía ser tan cruel.

Pero cuando el reloj de la iglesia dio el cuarto pasada la hora, tuvo que contener las lágrimas. Se había armado de valor para hacer eso y ahora tendría que volver a White Rose Yard derrotada.

No. Tocó el alfiler de plata prendido en el corpiño. Se lo había puesto para que le infundiera valor, y como recordatorio de Catesby Burgoyne.

No vaciles. Ataca con el arma y lanza el grito de batalla.

No tenía armas, pero no iba a renunciar tan fácilmente.

Si Aaron no estaba en casa, hablaría con su esposa. Sí. Caminando a paso enérgico, llegó a la conclusión de que Susan Youlgrave tenía que entrar en razón una vez que ella se le plantara delante.

La casa estaba igual que antes, pero ella la encontró más amedrentadora. Nuevamente tocó el alfiler para darse valor, cruzó la calle y golpeó la puerta con la aldaba de bronce. Pasado un momento, una criada joven abrió la puerta, cautelosa.

—¿Sí, señora?

—¿Está en casa la señora Youlgrave?

La chica pestañeó; era evidente que no tenía experiencia.

—Sí, señora. ¿Quién le digo que es?

¿Por qué no se había preparado para ese momento?

—La señorita Youlgrave, hermana del señor Youlgrave.

La chica la miró boquiabierta, pero enseguida se inclinó en una reverencia y entró a toda prisa en una habitación cercana. Prudence entró en el estrecho vestíbulo y cerró la puerta, sintiéndose muy satisfecha, con ese momento al menos. Estaba dentro, y todo lo que veía reforzaba su resolución. Estaba claro que su hermano y su esposa gozaban de comodidad y elegancia, y ella también gozaría de eso.

De la habitación salió una joven con los ojos agrandados, seguida por la criada.

—¿Prudence? ¿Qué haces aquí?

La esposa de Aaron era fea, absoluta e irremediablemente fea, de piel cetrina y llena de manchas, los rasgos redondeados y los dientes frontales demasiado grandes. Tal vez por eso tanto ella como su familia favorecieron un matrimonio con un hombre de humilde condición.

Prudence podría haber sentido compasión, pero la chica se veía muy segura de sí misma y de su importancia. Su vestido crema a rayas era lo bastante sencillo para una respetable joven casada en su casa, pero seguro que le costó mucho más que la asignación anual que le daba Aarón. Además, no había en ella nada que indicara bienvenida o amabilidad.

—Tenía un motivo para venir a Darlington —dijo, quitándose los guantes y agradeciendo la crema para las manos de Hetty—, así que lógicamente he venido a hacer una visita. ¿No me vas a ofrecer té, hermana?

Una expresión terca dio a entender que no había nada que Susan deseara menos, pero debió comprender que no podía echarla. El método Burgoyne comenzaba a dar resultado.

—Estoy comiendo —dijo.

—Qué amable. Será un placer para mí acompañarte.

Susan entrecerró los ojos, pero con una expresión calculadora, no de fastidio. No era en absoluto estúpida y lo demostró.

—Qué amable, hermana —dijo, arreglándoselas incluso para sonreír, enseñando los grandes dientes—. Anne, trae otro cubierto.

Saboreando su primera victoria, Prudence la siguió hasta el comedor. Era pequeño, lo que era lógico en esa casa pequeña, pero estaba bien amueblado, y a la mesa, si se alargaba, podían sentarse ocho personas, justito. Iba bien para que un joven abogado en alza agasajara a sus colegas y a otras personalidades de la ciudad.

—Qué bonito —comentó—. ¿Elegisteis juntos los muebles tú y Aaron?

—Mi padre y yo. Aaron está demasiado ocupado para esas cosas.

—¿Mi hermano no está en casa? —preguntó Prudence después de sentarse—. Esperaba verle.

—Hoy está fuera de la ciudad —dijo Susan, con un brillo de satisfacción en los ojos—. Fue a Durham, por un asunto relacionado con un contrato de matrimonio.

Una hora antes Prudence lo habría considerado una tragedia, pero ya presentía que eso podría ir a favor de ella. Probablemente su cuñada era tan egoísta como la suponía y sin duda deseaba que ella volviera a Northallerton, pero era lo bastante inteligente para entender la situación. Y para entender una sutil amenaza, esperaba.

—Qué lástima —dijo, en el momento en que la criada entraba con el plato y los cubiertos—. Espero tener más suerte la próxima vez que venga a Darlington.

«Presta atención, hermana, ya no estoy escondida en la oscuridad», pensó, pero no lo dijo.

—¿Te apetece la sopa? —dijo entonces Susan—. Yo ya la tomé y se la llevaron.

Sin duda la sopa había sido excelente, si podía juzgar por las fuentes que tenía delante, y que a punto estaban de hacer rugir a su estómago. Pero dijo:

—Te acompañaré en los platos principales, hermana.

Susan curvó los labios en una sonrisa, sus ojos todavía entrecerrados en actitud calculadora.

Procurando ocultar su impaciencia, Prudence se sirvió de la fuente de pescado. Eran anguilas, y el primer bocado fue tan delicioso que le reforzó su ya firme resolución. Esa comida excelente, bien preparada, era parte del lugar que le correspondía legítimamente en el mundo.

—Tienes una buena cocinera.

—Eres muy amable, hermana. Sólo es una cocinera ama de casa corriente. Pronto necesitaremos una persona más experta, cuando Aaron se eleve en su profesión. Así pues, ¿qué te ha traído a Darlington?

—Unas pocas compras sin importancia —mintió Prudence—. Gracias por tu carta explicándome la boda. Ojalá yo hubiera podido asistir.

Susan volvió a entrecerrar los ojos. Aceptaba lo esencial de la situación y la tácita amenaza, pero astutamente iba a esperar que ella hiciera las jugadas.

Que espere.

Susan destapó otras tres fuentes. Chuletas en salsa, espinacas hervidas y, maravilla de las maravillas, guisantes. ¿Cuánto tiempo hacía que no comía guisantes frescos?

Las dos se sirvieron y entonces Susan preguntó:

—¿Qué deseas?

Prudence decidió decir la verdad. Era muy improbable que ella y su cuñada se llevaran bien alguna vez, pero tal vez podrían entenderse si hablaban con franqueza. Susan no la deseaba en su vida ni en su casa, y ella estaría feliz de complacerla, siempre que eso significara mudarse a una casa propia.

—Deseo casarme.

—¿Tienes pretendiente?

—He descubierto que Northallerton es deficiente en eso.

—Qué extraño. Sírvete vino, hermana, por favor.

Prudence vaciló, porque nunca había bebido vino de verdad. En los mejores tiempos era muy niña, y desde la muerte de su padre no había habido ningún lujo. Sólo había bebido un poco del vino dulce de la madre de Hetty y, claro, coñac.

Con Cate, se dijo, pues a veces, cuando se sentía débil, se permitía pensar en él. Sintió una ya conocida punzada de tonto deseo, pero la desechó y sirvió un poco de vino blanco en su copa. Catesby Burgoyne ya estaría en el otro extremo de la Tierra. Su único papel en el asunto era como un estímulo, para ser osada, audaz. Para ganar.

Bebió un trago de vino. Era menos dulce que el que preparaba la madre de Hetty, y menos mágico que el coñac.

—Está el asunto de una dote para aportar al matrimonio.

—¿No tienes?

—Tienes que saber que no.

Susan se concentró en la comida. Pasado un momento dijo:

—No es el deber de mi marido darte lo que descuidó darte tu padre.

—¿No?

—Aaron no se lo puede permitir —dijo Susan, y se puso comida en la boca como dando por resuelto el asunto.

—Ay, Dios, esperaba enterarme de que su suerte ahora era mejor —dijo Prudence, y se interrumpió para saborear un bocado de la tierna chuleta y luego otro de guisantes—. Sin embargo, si se está esforzando en establecerse, seguro que es aún más importante que su reputación y la de su familia sea indiscutible.

Susan levantó bruscamente la cabeza y la miró con los ojos entrecerrados.

—¿Está manchada tu reputación?

—Todavía no, pero la gente podría sorprenderse de saber que debo llevar una escuela de niñas para sobrevivir.

—Aaron te envía una asignación y parece que te va bastante bien con ella.

—Este es mi único vestido decente, hermana. Es difícil mantenerse decente con tres guineas al mes.

—¿Tres guineas al mes? —repitió Susan.

Se apresuró a disimular su sorpresa, pero quedó claro que antes no sabía la cantidad. Parecía estar reflexionando con más intensidad. Sin duda no le haría ningún bien a la reputación de su marido que la gente supiera que su hermana vivía en esa pobreza.

Tomó otro bocado y después de tragarlo preguntó:

—¿Qué tipo de marido quieres?

Prudence se las arregló para no sonreír, pero en silencio brindó por Cate Burgoyne bebiendo otro trago de vino.

—No aspiro a algo muy elevado, hermana. Simplemente un caballero próspero de buena posición social que me dé un hogar para llevar e hijos para criar y amar.

—Eso es bastante elevado para una dama sin dote —dijo Susan, irónica—. Y aunque a Aaron le va bien en su profesión, aun no está en situación para ser generoso.

Prudence continuó comiendo y esperó.

—Es posible que logre convencer a mi padre de proporcionar una suma modesta —dijo Susan finalmente—. Al ver que ahora estás, en cierto modo, emparentada con él. Mi padre es un hombre muy rico.

Prudence sonrió, justo lo suficiente, esperaba.

—Eso sería muy amable de su parte.

Bebió otro poco de vino y concluyó que le gustaba muchísimo. Muy pronto el vino formaría parte de su vida diaria. Además de hermosos juegos de porcelana, exquisitas alfombras y todas las cintas que pudiera desear.

Ella y su cuñada se entenderían bien, cada una concentrada totalmente en sus propios intereses egoístas. Lo único que necesitaba ahora era valor y resolución para llegar al final del viaje.

Al poner la copa en la mesa mentalmente acarició el alfiler de plata.

Lo único que necesitaba era recordar el osado valor de Cate Burgoyne.

Y olvidar casi todo lo demás de él.

Capítulo 4

Londres
Junio

Córcholis, Cate, creo que tendré que poner definitivamente fin a mi amistad contigo.

Cate se giró sorprendido.

—¿Perry? ¿Qué diablos haces aquí?

—Buscarte —contestó el honorable Peregrine Perriam, paseando la mirada por el salón con las cejas arqueadas—. ¿Bagnigge Wells? Mi pobre, pobre amigo.

Cate sabía lo que veía su amigo, personas de clase media y unos cuantos pobretones marginados de la nobleza, bebiendo té o las aguas medicinales o caminando de aquí allá intercambiando saludos y chismes.

Él era uno de esos marginados pobretones, aunque había invertido en ropa nueva fina. Su traje azul adornado con galones color bronce podía parecer más fino que el verde sin adornos de Perry, pero aquellos que sabían verían la grandeza de la corte en cada detalle del traje verde.

Infierno y condenación, ¿venía ahí a divertirse o a entrometerse?

—Estoy seguro de que las aguas son deliciosamente saludables —dijo fríamente.

—¿Te sientes bilioso?

No había manera de ocultarlo.

—Me siento amoroso. Mira ahí, Georgiana Rumford, la del vestido rosa con encajes de blonda, dieciocho años, hija única del muy rico señor Samuel Rumford, comerciante en aceite.

Georgiana estaba conversando con su madre y un grupo de mujeres, pero miró hacia él y se ruborizó. Aunque rolliza y sonrosada, era bastante guapa. Por desgracia, la chica eligió ese momento para agitar los dedos hacia él, en un coqueto saludo, y más por desgracia aún, luego se giró hacia sus acompañantes para reírse.

—Mi querido amigo... —musitó Perry.

—Su dote es considerable, y se ha insinuado que podrían aumentársela por el heredero de un condado.

—Tu hermano podría engendrar un hijo en cualquier momento de los próximos diez años o más. Ya tiene hijas.

—Supongo que Rumford lo considera una apuesta digna por la posibilidad de ver a su hija convertida en condesa. En cuanto a mí, debo casarme por dinero, eso lo sabes.

—¿Te he aconsejado en contra?

—¿A qué has venido aquí entonces, a entrometerte?

—Ni siquiera mi interés por tu bienestar me traería a Bagnigge Wells. Llegó un mensajero de Keynings. No quiso decir el asunto que lo traía, pero insistió en que era urgente. Había tenido ciertas dificultades para localizarte —añadió Perry, como moderado reproche.

—No he encontrado el momento para comunicar a la familia que me fui a vivir a tu casa.

No se había comunicado con Keynings desde su precipitada y explosiva marcha. Sin duda, ellos estaban mejor así. ¿Para qué, entonces enviarle un mensajero?

—Una noticia trágica, supongo, así que debe de ser mi madre. ¿Estará enferma o muerta?

Debería sentirlo más, pero nunca había habido mucho cariño

entre ellos, aun cuando él llevaba por nombre el apellido de la familia de ella. Tal vez debido a que llevaba ese nombre. A él no le gustaba y ella opinaba que él no vivía a la altura de los valores Catesby.

—Podrías haberle dado la dirección de aquí al mensajero —señaló.

—Se me ocurrió evitarle a un muchacho de Yorkshire que se perdiera en el laberinto de Islington, así que hice yo el sacrificio. Bagnigge Wells —repitió, estremeciéndose.

El estremecimiento era más de traviesa afectación, pero Cate tuvo la seguridad de que su amigo no había estado en esa zona antes; era un ser de Mayfair y Saint James.

—¿Dije que era urgente? —preguntó Perry.

—Iré a despedirme.

Mientras atravesaba el salón en dirección a Georgiana y su madre no pudo dejar de agradecer el tener un pretexto para marcharse. Si por lo menos a los Rumford les gustara la música, el arte o las antigüedades en lugar de esas reuniones con gente de su clase para cotillear.

No tardó en estar instalado con Perry en el coche de alquiler, en dirección al distante humo que señalaba Londres. Zeus, cuánto echaba de menos el campo.

Perry se miró sus muy bien cuidadas uñas.

—Sabes que no quiero entrometerme, amigo mío, pero, ¿estás seguro respecto a la chica de los Rumford?

—Sí.

Perry exhaló un suspiro.

—¿Dónde vas a comprar tu propiedad?

Cate le había explicado sus planes a su amigo, así que no tenía ningún motivo para sentirse irritado.

—Rumford está a favor de algún lugar cerca de Londres, pero las propiedades más grandes son más baratas más al norte.

—¿Tan al norte como Yorkshire tal vez?

—¿Por qué no?

—Podría ser posible que le tengas demasiado cariño a la casa de tu familia —sugirió Perry delicadamente.

—¿Tú no añoras Herne?

—Nunca le he encontrado ningún sentido. Soy el cuarto hijo, y ahora Pranks tiene un par de hijos.

Pranks era el hermano mayor de Perry, nacido con el título del heredero, vizconde Pranksworth, y destinado a ser algún día el conde de Hernescroft.

—En todo caso —continuó Perry— el campo me aburre, mientras que Londres y la corte no.

—Tú puedes permitirte Londres y la corte.

—El encanto de las sinecuras. Tal vez tu hermano podría comprarte un par.

—Mi hermano y yo nos separamos de un modo nada amable.

—¿Te será difícil volver? Tuvisteis, me explicaste, una riña acalorada.

Cate no había pensado en eso.

—Pestes. Si madre está gravemente enferma tendré que ir al norte, ¿verdad?

Su deber filial le exigía ir al norte.

Tenía un pretexto para volver a Keynings, donde tal vez podría hacer las paces con Roe.

A su hermano Sebastian, lord Malzard, lo llamaban Roe en la familia, por el título del heredero con que nació, vizconde Roecliff. Roe era seis años mayor que él, así que nunca habían estado unidos, pero Cate lamentaba que estuvieran reñidos y, en particular, estar exiliado del hogar que tanto quería.

Había estado años alejado, en el ejército, y sólo una vez pudo volver, cuando recibió un permiso, pero siempre sabía que Keynings estaba ahí, esperando con los brazos tolerablemente abiertos.

—No me has dicho por qué reñisteis —dijo Perry.

Ya habían dejado atrás los pequeños campos e iban por una carretera entre casitas de campo.

—Se debió principalmente a mi orgullo —dijo Cate—. Después del desastre me permitieron vender la comisión de manera normal, pero la historia que había detrás se propagó. Había sido constantemente insubordinado, había estado cerca de armar un motín, y fui causa de una alborotada reyerta en la que murieron tres hombres.

—Eso no es exactamente cierto.

—Murieron tres hombres —dijo Cate rotundamente—, pero aún sin eso, me fue difícil defenderme de la interpretación, sobre todo porque nadie hablaba francamente de eso.

—Unos cuantos hablaron francamente conmigo.

—Ah, por eso retaste a duelo a Willoughby.

—El maldito cobarde se retractó.

—Pero eso silenció los comentarios en público, gracias.

—¿Cómo llevó todo eso a que te alejaran de la familia? No es posible que hayan creído...

Cate se rió.

—Sí que lo creyeron. Lo demostraron mostrándose insoportablemente comprensivos. Roe me aseguró que Keynings era mi hogar, y me quedó muy claro que no lo decía en serio. Somos como el pedernal y el acero en el mejor de los momentos. Él es condenadamente recto, y piensa que por ser el cabeza de familia ocupa el lugar de padre en nuestra relación.

Se obligó a interrumpir la letanía de quejas. Si Roe se impacientaba con él tenía motivos. Incluso mientras cortejaba a Georgiana, sabía que al casarse fastidiaría a su familia. No encontrarían agradable tener que alternar con los Rumford. ¿Sería capaz su madre de obligarse a abrazar a Georgiana y llamarla hija?

Prosiguió su relato:

—Artemis, mi cuñada, planteó la posibilidad de futuras profesiones o empresas de negocios, inquieta, como si dudara de que yo lograra encontrar algo. Madre..., ah, madre estaba visiblemente irritada porque yo había vuelto para molestarla otra vez.

—¡Cáspita!

—Nunca hemos intimado. En el ejército me habían ofrecido una opción, un regimiento que estaba a punto de embarcarse para India. Ella no logró entender por qué yo no había aprovechado esa oportunidad, puesto que luchar parecía ser la única situación en que yo podía dar honor al apellido de su familia.

—¿Eso dijo?

—Enérgica y claramente.

—¿Por qué no la aprovechaste? —preguntó Perry—. Te ganaste muchísima admiración en la guerra.

—Mi querido amigo —dijo Cate, imitando la voz arrastrada de Perry—. India es mi Islington, lejos, muy lejos de todo lo que yo valoro y disfruto.

—De todos modos, no es sorprendente que tu familia no lo entendiera.

Cate apretó los dientes. Por «comprensión» de su familia entendía la convicción de toda la vida de que él convertiría en un desastre cualquier cosa que tocara. Tenían cierta razón, eso lo sabía.

Estuvo su breve intento de estudiar para la Iglesia, al que puso fin su potente gusto por las mujeres bonitas, bebidas fuertes y la acción. Había tomado ese camino solamente por el sueño de ser algún día el párroco de Saint Wilfred, la iglesia parroquial más cercana a Keynings.

Después de eso, su padre le encontró un puesto en la Compañía de las Indias Orientales, que comenzaba a crecer en poder y riqueza. Lo atrajo la posibilidad de aventuras, pero cuando se enfrentó al hecho de que lo enviarían al otro lado del mundo, encontró una manera de que lo expulsaran. Había verdaderos motivos para protestar contra la codicia de la compañía, pero él optó por esa pelea para librarse del exilio.

Sólo después se enteró de que la intención de su padre había sido exiliarlo.

Tenía veintiún años entonces, y al reencontrarse con Perry en Londres se dedicó a disfrutar de la vida, sin tener los medios para hacerlo. Cuando las deudas amenazaron con ahogarlo, quedó a merced de su padre.

Entonces fue cuando su padre le habló francamente; no era partidario de que los hijos segundones se quedaran en la casa de la familia como si tuvieran derecho a eso. No era sano para ellos y llevaba a discordias. El hijo mayor y heredero ya estaba casado y era padre de una hija sana, una niña sí, pero después nacería un hijo. Él tenía que forjarse una vida por su cuenta, no relacionada con Keynings de ninguna manera.

Y le ordenó que entrara en el ejército.

Su padre esperaba que a su regimiento lo enviaran a las Américas, pero un giro del destino y un cambio en la política del ejército lo llevó solamente hasta Hanover para empezar y lo mantuvo en Europa todo el resto de la guerra. En ese tiempo le parecía bastante lejos, aunque una vez que se acostumbró al ejército descubrió que tenía dotes de mando y para luchar.

Y, lamentablemente, una fuerte renuencia a acatar las normas.

Tal vez le habría ido mejor al otro lado del Atlántico, donde el ejército había tenido que adoptar procedimientos irregulares para luchar en una tierra no domada; había demostrado tener un talento natural para los procedimientos irregulares. Y más importante aún, el fin de la guerra no puso fin a la acción. Los colonos descontentos parecían dispuestos a crear problemas pronto, y las tribus indígenas ponían objeciones a la invasión de sus tierras. Aun en el caso de que no hubiera otra guerra, las Américas ofrecían una tierra para conquistar y la posibilidad de conseguirse propiedades.

Pero no sería Inglaterra, y ninguna propiedad, por grande que fuera, sería Keynings. Tal vez era una locura casarse por dinero con el fin de crear una pálida imitación del paraíso, pero era lo mejor que podía hacer.

El coche de alquiler los dejó ante la puerta del edificio donde Perry tenía sus habitaciones, justo a un lado de Saint James Square. Estaba admirablemente situado para la corte, los clubes, los parques y todos los placeres de Londres, y «habitaciones» no hacía justicia a la envergadura de su residencia. En su casa vivía su ayuda de cámara, un lacayo, un cocinero y un muchacho para todo servicio, y estaba amueblada con la mayor elegancia.

Como había dicho, la maravilla de las sinecuras; tres sinecuras le daban unos buenos ingresos.

El mensajero de Keynings estaba sentado con la espalda muy derecha en la pequeña sala de recibo, con su sombrero tricornio en sus grandes manos. Se levantó al instante.

—Jeb —dijo Cate, procurando no manifestar un placer inapropiado, porque estaba claro que la noticia no era buena.

Jeb Littlefair era lo más cercano a un amigo que puede ser un mozo de establo de un hijo de la casa. Eran de la misma edad; habían jugado juntos de niños y cabalgado juntos de jóvenes. Dos meses atrás, durante esa fatídica visita, Jeb siempre lo había acompañado en sus cabalgadas matutinas, y habían vuelto a tutearse y a tratarse con la informalidad de antes.

—¡Señor! —exclamó Jeb, y tragó saliva; sí la noticia era mala; y entonces dijo—: Milord...

Cate lo miró fijamente, deseando decir todo tipo de idioteces, sobre errores tontos, que no era cierto o incluso que Jeb mentía por malicia, pero ya lo sabía. Que Jeb lo llamara «milord» significaba que su hermano había muerto.

Roe muerto, con sólo treinta y dos años; dejaba tres hijas y ningún hijo.

Lo cual significaba que él era el conde de Malzard, dueño de todo lo que contenía el condado.

Incluido Keynings.

—Siéntate.

Una dura mano le cogió el brazo y lo llevó a sentarse en un sillón. Entonces oyó a Perry dar la orden de que trajeran coñac.

Logró decir una palabra:

—¿Cómo?

—No lo sé exactamente, señor, milord. Me hicieron partir inmediatamente a toda velocidad. Pero por lo que oí, el conde simplemente se desplomó y murió.

Sintió una copa en la mano. Bebió y el licor lo sacó algo de la conmoción.

—¿Cuándo? —preguntó con la voz ronca, y bebió otro trago.

Jeb se frotó la cabeza, como si necesitara pensar.

—Fue el domingo, así que...

—Hace cuatro días, y yo no lo sabía.

—Cabalgué lo más rápido que pude, señor.

—No me cabe duda. Los caballos no vuelan. —Apuró la copa, tratando de pensar. Una cosa estaba clara—. Debo partir inmediatamente. Llegaré demasiado tarde para el funeral, pero debo darme prisa.

—Ordenaré que traigan un coche de viaje —dijo Perry, y después de llenarle la copa, salió.

Cate volvió la atención a Jeb.

—¿Simplemente se desplomó? ¿Cómo pudo simplemente caer desplomado?

—No lo sé, señor. Su señoría decía que tenía dolores de cabeza. Cuando fue al establo esa misma mañana dijo algo sobre unos malditos dolores de cabeza, y que tal vez cabalgar se los curaría.

Cate se levantó.

—¡Nadie se muere por unos dolores de cabeza! —Se controló—. Lo siento, no me voy a desquitar con el mensajero. ¿Cuánto has dormido?

—Tuve que parar cada noche para dormir unas horas, señor.

—No me cabe duda. Ahora ve a tomarte un buen descanso.

Sacó unas monedas del bolsillo; eran la mayor parte de lo que tenía a mano. Aunque claro, ahora era rico. Muy, muy rico. A no ser que Artemis estuviera embarazada... Detestable que ese pensamiento le produjera una sensación de pérdida.

—Ve a la Star —le dijo a Jeb, pasándole el dinero—. Está a la vuelta de la esquina y es una posada decente. Descansa bien; después coge una diligencia para volver a casa.

—Preferiría viajar con usted, señor. Es decir, con su perdón, señor, pero no debe viajar solo.

—¿Me crees incapaz? —preguntó Cate, enfadado.

—No, milord, pero...

—No me trates con ese título. Aún no está asignado.

Jeb lo miró sorprendido.

—Es posible que la esposa de mi hermano esté embarazada.

Perry acababa de volver.

—Yo lo acompañaré al norte —dijo—. Tú tómate un buen descanso, hombre. Te lo has ganado.

Jeb se marchó y entonces Cate se volvió hacia Perry.

—¿Viajar conmigo a Yorkshire? No seas tonto.

—No me disuadirás, así que ni lo intentes.

Cate deseó intentarlo, pero sentía obnubilada la mente.

—Come.

Cate miró lo que le ofrecía.

—¿Un pastel de mermelada?

—Mi cocinero insiste en que los dulces son mejores para la conmoción que el coñac. Come.

Cate obedeció y le pareció que la niebla se le disipaba un poco.

Volvió a sentarse, bajó la cabeza y apoyó la cara entre las manos.

—No me lo puedo creer. ¿No estoy soñando? —Se encogió por su elección de las palabras y levantó la cabeza—. Yo no deseaba esto. Lo sabes, ¿verdad?

—Por supuesto que lo sé. Es una condenada pena. Pero...

—Artemis podría estar embarazada.

—Sí, eso es posible. Sea cual sea la situación, tu familia te necesita.

—Lo dudo.

—No seas un condenado idiota.

No era algo que podía decir, ni siquiera a Perry, pero estaba seguro de que a su familia, en particular a su madre y a su cuñada, las horrorizaba la idea de que él estuviera al mando del condado. Y tal vez tenían razón al temerlo. ¿Qué sabía él del asunto?

Siempre había sido despreocupado, o descuidado, según de quien fuera el punto de vista. Impulsivo. Estaba más hecho para la acción que para la reacción comedida. Siempre había sabido que Keynings estaba mejor en las manos firmes y prudentes de su hermano.

—Mejor que el primo Fred, por lo menos.

No había sido su intención decir eso en voz alta.

—¿El primo Fred?

—El primo de mi padre, el siguiente en la línea de sucesión.

—¿Mala persona?

—No, no, nada de eso. Es un hombre sensato, bueno, casero. Pero se mudaría a Keynings con toda su prole y esperaría que madre y Artemis se marcharan. Mi madre en particular detestaría eso. Es su casa.

—Entonces es bueno que estés tú para asumir el puesto. Si es necesario.

Ese «si es necesario» le dolió a Cate. De verdad, nunca había deseado que muriera su hermano, pero ahora temía sentir resentimiento contra un pobre bebé.

No, haría lo que fuera para no cometer ese pecado.

E incluso en ese caso... Si había un conde de Malzard en camino, él sería su tutor natural, y tendría el pretexto, casi la obligación, de vivir en Keynings para supervisar su administración.

—¿Y la señorita Rumford? —preguntó Perry.

Cate estuvo a punto de preguntar «¿Quién?» Lo avergonzó el alivio que sintió porque Georgiana y su familia ya no formarían parte de su vida, pero lo sintió. La había cortejado porque ella podía darle lo que deseaba, una propiedad en el campo a modo de sustituto de Keynings. Ya no necesitaba eso y por lo tanto tampoco la necesitaba a ella.

Estaba seguro de que ella no lo amaba todavía, aunque sí estaba decididamente enamorada de la idea de ser la esposa del hermano de un conde. Seguramente lloraría y se lamentaría por haberse perdido por poco convertirse en condesa.

Y aun en el caso de que ella lo amara, sabía que él haría lo mismo.

Si era el conde de Malzard, lo único correcto que podía hacer sería casarse con una condesa perfecta. Una mujer de su misma clase, entrenada en todos los deberes y responsabilidades de su rango, una mujer preparada para ser la señora de casas elegantes. Tendría dignidad y elegancia, y se sentiría cómodamente parte de la red de familias nobles. Mejor aún, sería capaz de ayudarlo a ocupar su lugar en esa maraña de complejidades sociales y compartir la carga de sus nuevas responsabilidades.

Y, lógicamente, según lo bien que se podría juzgar, debía tener la capacidad de engendrar hijos.

Capítulo 5

*N*ecesitas comer —dijo Perry, bajando del coche.

Acababan de parar en otra posada más para hacer otro cambio de caballos. Quisiera Dios que los que tenían ahí fueran mejores que el último lote de jacos con los corvejones endurecidos, y el camino que los esperaba fuera mejor que el que dejaban atrás.

—Ya no puede estar muy lejos —dijo Cate—. Continuemos.

—¿Y te vas a sentar a comer tan pronto como llegues? Sé sensato. Es mejor que cuando te encuentres con tu familia tengas comida en el estómago.

Aun con cuatro caballos y un coche de viaje liviano, llevaban cinco días en el camino. Deberían haber viajado a caballo, pero él pensó que en el coche podría dormir. Pero eso no resultó, así que tuvieron que parar cada noche para dormir unas pocas horas. Tal vez no había sido juicioso dormir poco y comer de prisa, pero no había podido hacer otra cosa.

Demasiado tarde, demasiado tarde.

Pero ya era demasiado tarde cuando Jeb emprendió la marcha a Londres.

Sí, decididamente estaba algo mareado, así que Perry, maldito él, tenía razón.

Bajó, observando de paso que la apariencia de Perry continuaba en perfecto orden. Su traje gris oscuro no estaba arrugado, su camisa de lino seguía blanquísima, y su pelo no se había salido de su cinta ni de su bolsa. Incluso tenía las uñas tan lustrosas que brillaban. Él siempre había supuesto que su elegancia era obra de su ayuda de cámara, pero Perry, haciendo un gran sacrificio, había dejado a Auguste en Londres para que después los siguiera con Jeb y trajera el equipaje extra. Así los dos podrían viajar a la mayor velocidad.

Además, la ropa de Perry era apropiada para el luto, en cambio, la suya, no. Para buscar esposa había gastado buena parte de sus limitados fondos en ropa fina y elegante. Perry le prestaría cualquier prenda de su guardarropa, pero, por desgracia era media cabeza más bajo que él y de constitución más delgada.

Se había puesto la ropa más sobria que tenía, su traje de montar, calzas de cuero, chaqueta marrón, chaleco color ante, sin adornos, y las botas eran calzado de campo aceptable; pero no iba de luto, aun cuando llevaba el brazalete y guantes negros. Tal vez debería tratar de comprar ropa apropiada en esa ciudad, fuera la que fuera. Miró el letrero de la posada. La Golden Lion.

Estaban en Northallerton.

El recuerdo lo paró en seco. Se giró a mirar y ahí estaba el estrecho callejón donde vivía Hera. O había vivido. Si todo le había resultado bien, ya estaría en Darlington con su hermano.

¿Cuánto tiempo hacía? Seis semanas... No, más.

—¿Cate? —dijo Perry.

—Pide la comida. He recordado un asunto que tengo que atender.

Tenía que saberlo. Cruzó la ancha calle sorteando las diligencias y coches que iban pasando. Tenía dinero. Aparte de la riqueza del condado llevaba con él unas veinte guineas, todo lo que le quedaba de lo que tenía antes. Si ella continuaba viviendo ahí y seguía en dificultades, tal vez aceptaría una parte de eso.

El estrecho callejón se veía mejor y peor a la luz del día. Había niños jugando, vigilados por mujeres que estaban en las puertas abiertas de sus casas trabajando y conversando, pero la luz del día revelaba la pobreza de esas viviendas.

¿Qué casa era la de ella? No tenía claro el recuerdo y estaba llamando la atención. Las mujeres habían dejado de hablar y lo miraban recelosas.

La casa estaba a la derecha, a unas pocas puertas de la calle principal. Eligió una puerta y golpeó.

—No hay nadie ahí, señor.

Se giró a mirar a la joven delgada, poco atractiva, que se había asomado a la puerta de la casa de al lado.

—¿Se ha marchado de la casa, señora?

La vecina ya estaba interesada, pero seguía sin decir nada. Comprendió por qué. Un caballero que pregunta por cualquier persona de ahí, sobre todo por una mujer que vive sola, no podía tener buenas intenciones. Deseó saber el nombre de Hera.

—¿Sería posible que habláramos en privado, señora?

Ella agrandó los ojos, pero enseguida sonrió.

—Pase, entonces, pero dejaremos la puerta abierta, para que toda la gente me oiga si hay algún problema.

—Aceptado el aviso; no es mi intención hacer daño.

Por la puerta se entraba directamente a una sala, tal como en la de Hera, y de igual manera, la cocina estaba hacia la parte de atrás, pero en todo lo demás la casa se veía mejor.

Esa primera sala estaba amueblada, en estilo sencillo pero cómodo. Incluso el suelo estaba cubierto, por una tosca alfombra hecha de tiras de tela, pero mejor que nada. La sala estaba muy limpia e incluso había un vaso con flores en el alféizar de la pequeña ventana. Lo que fuera que se estaba cociendo en la cocina olía bien.

La casa de Hera la había encontrado deprimente, pero las personas que vivían en esta tenían esperanza.

Ya sabía, desde hacía mucho tiempo, que algunas personas pobres son tan inteligentes y agudas de mente como cualquier otra. Esta joven esposa no era en absoluto tonta.

—Mi apellido es Burgoyne, señora, y quería saber noticias de la dama que vive en la casa de al lado.

Tenía la esperanza de que ella la nombrara, pero la joven se cruzó de brazos y preguntó:

—¿Por qué?

—La última vez que supe de ella estaba en circunstancias algo difíciles.

—¿Es amigo de ella, señor?

—Hasta cierto punto.

—Parecía que no tenía ningún amigo, señor.

Eso podía ser una sutil acusación de abandono o desatención, pero había captado el tiempo verbal en pasado.

—¿Le ha ocurrido algo?

—Siempre ocurre algo, ¿no, señor? Pero sí, se marchó. Se fue a vivir con su hermano en Darlington.

—Ah, todo está bien, entonces.

Tuvo que reconocer que sentía cierta desilusión. Hera había enviado su carta, su hermano se había arrepentido de su negligencia, y ahora ya estaba cómodamente situada. Él había deseado ser su benefactor, deseado su aprecio y gratitud. Ahora ya no lo necesitaba y no tenía ninguna disculpa para continuar ahí. Perry ya estaría comenzando a preocuparse.

Pero vio un algo en la cara de la mujer que le impidió moverse.

—Espero que su hermano esté bien —dijo.

—¿Es usted amigo de «él»?

El énfasis fue una clara orientación.

—¡Cáspitas, no! No tengo una gran opinión de Aaron.

Haber dicho el nombre lo cambió todo.

Ella descruzó los brazos.

—Con su perdón, señor, pero ¿quién es usted? Prudence nunca me habló de ningún caballero.

Prudence. Ese nombre no le sentaba bien. No era de extrañar que Prudence-Hera hubiera ocultado su encuentro con él, pero lo sorprendió la sugerencia de conversaciones, incluso de amistad, entre ella y esa joven.

—He estado en el ejército hasta hace poco —explicó.

Eso pareció satisfacerla, pero continuó observándolo un momento y finalmente dijo:

—Me escribió una carta, señor, desde Darlington. El señor cura me la leyó.

—¿Me permitiría verla?

Nuevamente ella lo observó detenidamente, evaluándolo, sopesándolo, analizándolo, hasta que al fin se giró a abrir una bonita caja de madera de la que sacó la carta, preciadísima sin duda, bien doblada, tal como la recibió. Se la pasó con cierto recelo, así que él la cogió con sumo cuidado.

El papel era de buena calidad. Otra excelente señal. Miró la dirección: Hesther Larn, White Rose Yard, Northallerton. La letra era pulcra y sin florituras, pero daba una impresión distinta de la fuerza que él recordaba. Desdobló el papel y reprimió una sonrisa de satisfacción. Tal como había esperado, en el margen de arriba estaba su dirección: Prospect Place, Darlington.

Auspiciosa dirección.

Mi querida Hetty:
Te gustará saber de mi satisfacción por estar ahora cómodamente instalada en la casa de mi hermano y, gracias a su amabilidad, ya me he comprado un guardarropa nuevo, todo lo fino que podía ser. Con mi hermano y mi cuñada he asistido a una velada musical, y con mi cuñada he ido a las tiendas y a pasear por los parques.
Te agradezco tus muchos y amables favores.

Tu amiga
Prudence Youlgrave

Prudence Youlgrave.

Tenía todos los detalles que necesitaba, pero ya no tenían importancia. Ella estaba a millas de distancia y contenta, y él tenía asuntos urgentes en otra parte.

Dobló la carta y la devolvió.

—Parece que está bien establecida. Me alegro mucho.

—Pasó un tiempo de apuros, señor —observó Hetty Larn.

—Yo estaba en el ejército —le recordó él.

—¡Ma! ¡Ma!

Dos niños pequeños entraron corriendo, entusiasmados por algo que tenía el niño en la mano, y un perro pequeño entró tras ellos pisándoles los talones.

Los niños y el perro se detuvieron a mirar al desconocido, pero entonces *Toby* se le acercó moviendo la cola.

—Parece que le conoce, señor —comentó la señora Larn.

—Nos vimos una vez. No tiene capacidad de discriminar. —Vio que ella no entendía—. No sabe distinguir entre un amigo y un enemigo.

Ella se rió.

—Es verdad. Pero ¿significa eso que usted es un enemigo?

—No, por mi honor. Pero *Toby* no tiene ningún motivo para saber eso. Gracias por su información, señora Larn. —Sacó unas monedas del bolsillo y adrede eligió dos chelines—. ¿Me permite darle esto para sus hijos?

Ella lo observó un momento y luego cogió las monedas.

—Gracias, señor. ¿Va, por una casualidad, viajando a Darlington, señor?

—No, pero si ve a la señorita Youlgrave, tenga, por favor, la amabilidad de darle mis recuerdos. Soy Burgoyne —le recordó.

—Muy bien, señor, se los daré.

Cate desanduvo el camino por el callejón, cruzó la ancha calle principal y entró en la Golden Lion, haciendo a un lado su irracional desilusión.

Sólo faltaban diez millas para llegar a Keynings, su cielo y su infierno.

Prudence se miró las manos, sus manos tersas y suaves, manos de dama, y mantuvo la cara impasible.

—¿El señor Draydale, Susan? Es algo viejo.

Además gordo y robusto, rasgos que en sí no eran defectos, pero no eran de su gusto. Cate Burgoyne era de su gusto. Delgado, musculoso y fuerte, y tierno a veces. Henry Draydale no le daba la impresión de ser tierno.

—Sólo es cuarentón, Prudence, y satisface bastante más que bien tus requisitos. Rivaliza con mi padre en riqueza y es de mejor cuna. Su hermano es baronet.

Pero era el hermano el que tenía la casa solariega, no el señor Draydale, que era un comerciante de Darlington.

Estaban tomando el té en el salón pequeño, al que Susan llamaba su salita de estar. Prudence llevaba ya seis semanas viviendo ahí, y tenía que reconocer que Susan había cumplido su parte del acuerdo tácito. Su posición en la casa era la de hermana, no la de una parienta indigente. Tenía vestidos, sombreros, zapatos nuevos y todo lo necesario para presentarse como dama.

En cuanto a las tiendas, Aaron pagaba las facturas, pero el dinero lo ponía Susan. En un matrimonio todo debería ser de él, pero por cierto recurso legal, su hermano sólo recibía una asignación; el resto del dinero de la dote de Susan estaba asegurado para ella y los hijos que tuvieran. Abogados fideicomisarios lo supervisaban, pero la última palabra la tenía su padre.

Ella lo sentía por su hermano, pero comprendía a Susan. En el mundo injusto en que vivían, una mujer tenía que aprovechar todas las oportunidades de controlar su destino. Tal como había hecho ella.

Pero Henry Draydale no era exactamente lo que tenía pensado.

—Es dos veces viudo —dijo—, y tiene cuatro hijos.

—Es una bendición tener una familia desde el principio, y una prueba de que pronto añadirás tus propios bebés a la sala de los niños. ¿Más té?

Prudence cayó en la cuenta de que se había olvidado de su taza y bebió. Estaba frío. Cierto, deseaba tener hijos, pero Draydale...

—Creo que podría ser un marido difícil, Susan.

—¿Difícil? No si tú eres una buena esposa.

Seguro que «buena» significaba obediente. Sabía que no era una mujer sumisa.

—¿De qué murieron sus dos esposas?

—¡Buen Dios, hermana, te has imaginado un Barba Azul! La primera murió en el parto, y eso es un peligro por el que todas debemos pasar. La segunda de una enfermedad debilitante. Era una mujer rara, nerviosa, recuerdo, aunque procedía de buena familia y tenía una muy buena dote. No me extraña que él esté dispuesto a renunciar a una buena dote en favor de una salud robusta.

A lo mejor debería haberse resistido a comer la excelente comida que le daban ahí, pensó Prudence.

—¡No me digas que piensas rechazar una proposición tan halagüeña! —exclamó Susan—. La verdad, hermana, Draydale es mejor de lo que yo esperaba para ti. Buena cuna y conexiones, intereses de un próspero negocio, y considerable riqueza. —Ante el silencio de Prudence, añadió—: Actualmente vive en la ciudad, pero tal vez, si tú lo desearas, compraría una propiedad de campo en las cercanías.

Era evidente que se le habían escapado melancólicos recuerdos de Blytheby Manor, pensó Prudence. Era posible que Susan ya hubiera soltado indirectas al pretendiente, porque recordaba que la última vez que hablaron Draydale dijo algo sobre un vago plan de comprar una propiedad en el campo.

Eso había que tomarlo en cuenta, seriamente. Le gustaba la vida de ciudad, pero sus mejores recuerdos seguían siendo de Blytheby Manor. Tal vez si ella y los niños se instalaban en el campo, vería rara vez a su marido, que al parecer estaba metido en todos los negocios de la ciudad.

—No te entiendo, Prudence —dijo Susan—. ¿No te ofrece el respetable estado de una mujer bien casada?

—Sí.

—¿Una posición prominente en la sociedad local?

—Sí.

—¿Una casa para que la gobiernes y una familia para querer?

—Sí.

—¿La probabilidad de una propiedad en el campo?

—Sí.

—Entonces, ¿por qué vacilas?

Prudence sabía por qué. Porque Cate Burgoyne brillaba en su mente, cegándola a la realidad y al buen sentido común.

¡Qué tonta! Aun en el caso de que se volvieran a encontrar, él no tendría ningún interés en ella. Y si lo tuviera, ella no deseaba casarse con él, un borracho alocado y sin un penique. Henry Draydale era un hombre sobrio, rico y serio.

Además, debía aceptarlo, porque no se había presentado ningún otro pretendiente.

Había asistido a tés, fiestas y bailes y al teatro. Había conocido a un buen número de hombres cotizables, y al parecer algunos disfrutaban de su compañía, pero ninguno había abordado a Aaron con una proposición de matrimonio. Entendía por qué. Aunque bien comida y acicalada, no era una beldad, y su altura desalentaba a hombres más bajos. Draydale la sobrepasaba en altura por uno o dos dedos.

Cate Burgoyne por...

No, no pensaría en él, aunque sí deseaba que hubiera otro pretendiente.

La dote que le había asignado Aaron, o más bien el señor Tallbridge, era pequeña. Ella había pensando que tal vez su conexión con Tallbridge atraería a algunos comerciantes, pero por lo visto no era así. Tal vez no tenía valor la hermana de un yerno, un yerno falto de dinero y dependiente.

La habían hecho desfilar por el mercado del matrimonio de Darlington y sólo hubo una oferta. Si la rechazaba, sus opciones no

eran nada atractivas. Susan y Aaron tendrían que continuar alber-
gándola en su casa, pero no tendrían ninguna obligación de ser generosos. Quedaría reducida a ser el tipo de parienta pobre que había
resuelto no ser.

Al parecer el señor Draydale se sentía atraído por ella, y eso
tenía que pesar en la balanza. Se notaba en su manera de mirarla e
incluso en las cosas que decía. Sus atenciones y palabras a veces la
azoraban, pero en eso era simplemente gazmoña. Sabía qué entraña-
ba el matrimonio y haría su parte.

Sí, como decía Susan, Henry Draydale, señor don, de una respetable familia de Yorkshire y rico por sus propios esfuerzos, era
exactamente el tipo de marido que había esperado.

—Muy bien —dijo—, si el señor Draydale me propone matrimonio, aceptaré.

«Y nunca más permitiré que Cate Burgoyne invada mis pensamientos.»

Capítulo 6

La vieja cruz de piedra —dijo Cate—. Cuando volvía del colegio esa era siempre el indicador. Pronto estará Keynings a la vista.

—Y encontraremos la dicha —dijo Perry—. Civilización, una cama decente y el fin de este incesante zarandeo.

—Tú insististe en venir.

—No me imaginé que los caminos pudieran ser tan atroces, ni siquiera en el norte.

Cate seguía mirando por la ventanilla.

Al llegar por el sur, Keynings aparecía en todo su esplendor, sin quedar tapada por los árboles. Pero si llegabas por el norte, aparecía lentamente, como si los árboles se fueran apartando poco a poco.

—Magnífica casa —dijo Perry—, aunque sencilla. Una mano moderna le añadiría pilares y galerías palladianas.

Roe había hablado de esas cosas. Cate detestaba la sola idea.

Bajó el cristal de la ventanilla para ver con más claridad. Se veía bien con el lago visible y las flores silvestres alrededor. La complejidad de los trinos de los pájaros lo hizo sonreír, porque era la música de Keynings.

Entonces se acordó. ¿Cómo se atrevía a sonreír? ¿Cómo se atrevía la naturaleza a celebrar la vida en medio de la muerte?

Las lágrimas le escocieron los ojos, y no por primera vez. Las obligó a desaparecer. Las lágrimas podrían irle bien; convencerían a todos de que se sentía afligido, no ufano y relamiéndose, pero antes lo colgarían que llorar para satisfacer expectativas. En todo caso, las lágrimas llegarían con más de una semana de retraso. La tierra ya debía de estar asentándose sobre la tumba de Roe.

Tal vez había sido un error precipitarse tanto en venir; dado que de ninguna manera habría llegado a tiempo para asistir al funeral, podría haberse quedado uno o dos días en Londres y buscado ropa de luto. Podría haber dormido más horas durante el viaje para tener la cabeza menos obnubilada y los pensamientos menos confusos. Podría haber comido con más calma para no tener revueltas las entrañas.

Y todo ¿para qué?

Para compensar una falta que no era culpa suya.

—Simpático parque —comentó Perry—, aunque me cae mal ese gusto por los árboles oscuros.

Cate comprendió que se refería al haya oscura, con sus hojas negras-moradas, uno de los preciados añadidos de Roe. Él también encontraba que desentonaba con el follaje natural, pero no podía decir eso en ese momento.

—Adecuadamente fúnebre —dijo—. Roe tiene, tenía, un gran interés por los árboles exóticos. Vamos a pasar cerca de algunos de sus árboles importados de más éxito. Gingkos, de Japón.

—Encantadores —dijo Perry, aunque sin entusiasmo.

¿Tal vez, igual que él, encontraba que las hojas de los árboles traídos de fuera eran de color demasiado vivo? Mientras personas como su hermano importaban y mimaban los gingkos, había escasez de robles ingleses, necesarios para la construcción de barcos.

Antipatriótico. Recordó que le dijo eso a Roe esa última vez que estuvo en la casa, y en ese momento le pareció una traición.

Pero no le gustaba la oscuridad antinatural de esa condenada y lúgubre haya.

Miró por la otra ventanilla y por ella se veía el lago y el sauce llorón. *Salix babylonica*. Recordaba ese nombre porque Roe citó un pasaje de un salmo: «Junto a los ríos de Babilonia nos sentábamos y llorábamos».

Condenación. Tuvo que cerrar los ojos para contener las lágrimas.

El sauce tenía problemas para sobrevivir, pues no se adaptaba bien al clima del norte.

«Yo lo mantendré vivo, Roe.»

De alguna manera.

Eso era su responsabilidad ahora, ya fuera como propietario o como tutor, cuidar de todo, del lago, de los árboles, tanto de los autóctonos como de los importados, del terreno de pasto para los ciervos, de los jardines tan esmeradamente diseñados, y de cada maldita hoja de hierba.

Y de Keynings, la casa de piedra marrón pardo toda simplicidad y dignidad sita en medio de los jardines en pleno encanto de la primavera. Sólo entonces se dio cuenta de que el sol brillaba en un cielo azul despejado. La naturaleza nunca hace luto, cosa que la guerra deja brutalmente claro, pero deseó que lloviera.

—¿De qué época es? —preguntó Perry.

Sí, necesitaba hablar de cosas normales y corrientes.

—La mayor parte se construyó hace setenta años. La fuente del jardín se construyó para celebrar el nacimiento de Roe.

Tal vez por eso no brotaba agua de ella. ¿No sería más apropiado que Neptuno y sus peces enroscados lloraran?

La fuente estaba rodeada por un jardín circular y el camino de entrada daba la vuelta por alrededor. El coche tomó esa ruta y se detuvo al pie de la ancha escalinata que subía hasta la alta puerta principal de dos hojas, cada una con el escudo de armas del conde de Malzard fijado en la parte superior, cubierto por un paño negro.

Esos no los había visto antes. Cuando murió su padre estaba demasiado lejos y ocupado como para venir.

En ese preciso momento se abrió de par en par la puerta y salieron cuatro lacayos, vestidos con la librea verde Malzard, brazaletes, medias y guantes negros. Demasiados lacayos para la sencilla tarea de abrir la potezuela del coche, recibir las maletas de dos personas y sacar los pequeños baúles del maletero.

¿Eso significaba que lo consideraban el conde? ¿O todo estaba en suspenso esperando que Artemis dijera algo? Mientras él hacía rápidamente su equipaje en Londres, el lacayo de Perry llevó una carta a la Cámara de los Lores, informando de la muerte a los funcionarios de ahí y pidiendo aclaración respecto a la ley de herencia. La respuesta fue que la viuda del par del reino debe decir si está o podría estar embarazada. En caso contrario, el título y todo lo relacionado con él, pasa al heredero.

¿Qué habría dicho o no dicho Artemis, pues?

Un lacayo abrió la portezuela y otro bajó los peldaños. Cate sintió la vergonzosa tentación de quedarse acurrucado dentro del coche, más o menos como si se encontrara ante la horca. Pero nobleza obliga, con la implacable fuerza de un hito arrastrado por un río crecido. Bajó del coche.

Al instante se le acercó un caballero sobriamente vestido y se inclinó en una venia.

—Bienvenido a casa, señor.

O sea, que el asunto seguía incierto.

El hombre era el administrador de la casa, el gobernador del dominio, pero ¿cómo diablos se llamaba? No era Coates, al que conoció cuando era niño y que ahora vivía en cómodo retiro en aposentos del ala norte. Este hombre dinámico, de unos cuarenta años, estaba ahí dos meses atrás cuando él estuvo de visita, pero no lograba recordar su nombre.

La aflicción disculparía el olvido.

—Gracias —dijo—. Me ha acompañado mi amigo el señor Perrian.

Se obligó a subir la escalinata sin mirar atrás. No había necesidad de pagarles a los postillones; el administrador se encargaría de eso. Tampoco tenía que llevar su equipaje; había lacayos bien dispuestos más que suficientes.

Y no necesitaba preocuparse por Perry, que siempre sabía cuidar de sí mismo.

Aligerado de todas las cargas, a excepción de la más pesada, sólo tenía que caminar, hablar y ser... ¿qué? ¿Cómo sopesar las posibilidades de que él fuera el conde o el tutor de un futuro conde?

Pasó por entre las puertas enlutadas por los escudos y entró en el vestíbulo. Podría haber sido consolador si le recordara su infancia; había sido feliz ahí. Pero durante el reinado de Roe, este había remodelado el vestíbulo en un estilo moderno; habían quitado los paneles de roble de las paredes, reemplazándolos por pintura gris claro, pilares de mármol falso y reproducciones de estatuas griegas en hornacinas azules.

Ese y otros cambios le habían chocado dos meses atrás, aunque esperaba haberlo disimulado. Había logrado decir sinceramente que todo era elegante y estaba a la altura de otras mansiones, pero sintió añoranza de la antigua Keynings. Durante sus años de ausencia, el recuerdo de la acogedora y anticuada casa con paneles de roble oscuro y con los ladridos de los perros de su padre había sido un consuelo para él en un mundo caótico.

Su madre no estaba ahí para recibirlo, pero no había esperado que estuviera: nada de indecorosas demostraciones de emoción delante del personal. Estaría en el salón de arriba. Se giró hacia Perry y el administrador, cuyo nombre seguía sin recordar. Eso se le antojó un ominoso comienzo.

—Te dejo en buenas manos, Perry. Tenga la amabilidad de ocuparse de todo —dijo evasivo dirigiéndose al administrador.

Acto seguido subió la maciza escalera en ángulo recto, tremendamente complacido de que Roe no hubiera tenido tiempo para reemplazarla por la más ligera y en diseño curvo de que había hablado.

Nada había cambiado en los dos meses transcurridos desde la última vez que estuvo ahí.

Aunque, en realidad, había cambiado todo.

Cuánto lamentaba haberse marchado furioso.

La puerta del salón estaba cerrada, pero el lacayo que estaba cerca se apresuró a ir a abrirla. Entró y sintió el ruido que hizo al cerrarse.

Ese salón también lo habían remodelado en un estilo moderno, pero en él el resultado era más feliz. El color claro de las paredes y el vivo color de la tapicería captaban la luz que entraba por las tres ventanas largas con cortinas color marfil. La madera clara de los muebles era apropiada para el nuevo diseño.

Su madre estaba sentada en un sofá tapizado en amarillo cerca de la ventana del medio, con un libro en las manos. La viuda de Roe, Artemis, estaba sentada en el otro sofá en ángulo recto; estaba bordando, y el trozo de tela blanca hacía un fuerte contraste con el negro de su vestido. Las dos vestían de luto riguroso y en sus caras estaba grabado el sufrimiento por la reciente pérdida.

En él también estaba grabado el sufrimiento; ¿se le notaba con tanta claridad?

Durante el viaje había reflexionado muchísimo buscando las palabras apropiadas para esa insostenible situación. Ofrecer sus condolencias daría a entender que él no sentía el mismo grado de aflicción. Decir que lamentaba la posibilidad de heredar el condado las pondría a ellas en una situación incómoda; ¿qué podían contestar? Preguntar si Artemis estaba o podría estar embarazada era imposible.

Se inclinó en una venia.

—Madre, Artemis, esto es un asunto lamentable.

Su rolliza madre respondió con una triste sonrisa y tal vez un mal gesto por su atuendo, y le tendió la mano.

—Lo es, Catesby, sin duda, pero los dos sabemos que harás todo lo posible.

Ojalá no hubiera dicho eso como si todo lo posible de él de ninguna manera podía ser suficiente.

Le cogió la mano.

—He venido a toda velocidad, madre.

Maldita sea, ¿ya se estaba disculpando?

—Ocurrió sin aviso —dijo Artemis en voz baja—. Yo también podría haber estado ausente. Llevé a las niñas a Galgarth Hall el mes pasado.

Él la miró agradecido.

—¿De veras no hubo ningún aviso? —Demonios, a ella se le llenaron los ojos de lágrimas—. Mis disculpas. Seguro que no deseas hablar de eso.

—No, no, no pasa nada —dijo ella, sonándose con un pañuelo con bordes negros—. Pero siéntate, Catesby, por favor. Eres tan alto. Igual que...

«Malzard» quedó flotando en el aire. Artemis siempre había llamado Malzard a su marido en público. Él y Roe eran más o menos de la misma altura, aunque Roe siempre había sido menos ancho. En realidad, siempre fue delgado, a pesar de su saludable apetito.

Acercó una silla y se sentó entre ellas, tal vez más conmovido por la profunda y callada aflicción de Artemis. Fueran cuales fueren las pruebas que podría haber esperado en la vida, la muerte de su marido tan joven no habría estado entre ellas.

Roe había elegido la esposa perfecta, no una beldad pero sí una mujer de apariencia agradable y buen corazón que poseía la elegancia y porte necesarios para su posición. Era una Howard, de esa poderosa familia de Yorkshire, aunque muy lejos en el árbol genealógico del conde de Carlisle.

También era, o había sido, una mujer de buen humor, el contraste perfecto para el lado serio de Roe; esa aureola se había apagado; aunque se veía tranquila, se le había agotado la alegría, y a pesar de lo que dijo para tranquilizarlo, daba la impresión de que no era capaz de hablar de la muerte.

—Algo en su cabeza —dijo su madre en tono áspero—. Deberíamos haber hecho venir al médico antes, pero sólo eran dolores de cabeza.

—No se podía hacer nada —dijo Artemis, mirándolo a él—.

Sólo los últimos días se quejó de dolor de cabeza, aunque yo creo que los sufrió en silencio un buen tiempo. Fueron aumentando en intensidad, desafiando incluso al opio, y entonces fue cuando nos alarmamos. Pero cuando llegó el doctor Selby ya... —Hizo una inspiración y se dominó—. Se le rompió un vaso sanguíneo del cerebro. No había nada que se pudiera hacer.

—Ojalá hubiera sido yo —dijo Cate.

Al instante lamentó sus palabras. Ellas debían de estar de acuerdo, pero no podían decirlo.

—Fue la voluntad de Dios —dijo Artemis, dando otra puntada—, y Él te ayudará a llevar tus nuevas cargas. Te enviamos mensaje inmediatamente.

¿Es que le pedía disculpas?

—Vine a la mayor velocidad posible, pero somos prisioneros de la realidad. Ninguna voluntad del mundo puede acortar las distancias ni allanar los caminos.

Mientras hablaba pensaba si las palabras de su cuñada se podían interpretar como una declaración de que no había posibilidades de tener un hijo. ¿Cómo preguntarlo?

Como si le hubiera leído el pensamiento, ella dijo:

—No estoy embarazada. —Mirando hacia un punto más allá de él, incómoda por hablar de esos asuntos, añadió—: Me vino la regla la semana pasada y... No estoy embarazada —repitió con firmeza—. Deberías asumir el título y las responsabilidades de conde inmediatamente.

Cate no tenía ni idea de si una mujer puede equivocarse en esos asuntos, pero si Artemis no quería que el asunto quedara suspendido en la incertidumbre, lo entendía. A ella le disgustaría muchísimo que todo el mundo estuviera atento a sus cosas íntimas.

—Muy bien —dijo—. Hay que hacer algún anuncio, para el personal de la casa y para los vecinos.

—Yo me encargaré de eso —dijo su madre. Metió la mano en su bolsillo derecho y sacó algo—. Vas a necesitar esto.

Él se levantó a coger los anillos, el de sello del condado y uno negro con un dibujo grabado sobre plata. El anillo de luto por Roe. Todos los caballeros que asistieron al funeral habrían recibido uno.

No deseaba ponérselos, pero se los puso, notando que Artemis en particular se tensaba más aún. Qué difícil tenía que ser para ella; incluso dejó de dar puntadas en su bordado. Su madre tenía los labios apretados.

Se le ocurrió que eso se debía a la tristeza, porque dudaba de su capacidad, pero entonces cayó en la cuenta de que podría deberse a que el destino le había dado el poder sobre la vida de esas dos mujeres. En teoría, podía ordenarles que se marcharan de la casa y se fueran a vivir a la casa para la viuda, que llevaba muchísimo tiempo cerrada. O incluso enviarlas lejos de Keynings.

—Todo será tal como lo deseéis —dijo.

Su madre pareció apenada. Dios lo amparara.

—Quiero decir que no es necesario cambiar nada más, a menos que lo deseéis.

—Gracias —dijo Artemis—. Todavía me siento como en mi casa aquí y, claro, es el único hogar que han conocido mis hijas.

—Es tu hogar, y el de ellas. Siempre.

—Eres muy amable, pero hay que tomar en cuenta los sentimientos de tu esposa.

Eso lo dijo como quien le explica algo a un tonto.

—No estoy casado.

—Pero lo estarás —dijo su madre.

—Sí, pero..., te aseguro que no me casaré con nadie que cause aflicción a mi familia.

Esa conversación era peor que arrastrarse por una ciénaga bajo fuego enemigo.

—Y después, con el tiempo —añadió Artemis, enterrando finalmente la aguja en su bordado— podría desear vivir en otra parte.

Volverse a casar. Por supuesto que se volvería a casar; aún no tenía treinta años.

—¿Te casarás, Catesby? —preguntó su madre, en un tono que era más bien una orden.

—Eso no es...

—¿No eres capaz de decidirte ni siquiera a hacer eso? —interrumpió ella, irguiendo la espalda.

—¿Puedo por lo menos dormir una noche solo?

—¡No seas grosero! —ladró ella—. Todo el mundo comprenderá la necesidad de la prisa teniendo tan terriblemente clara la prueba de la crueldad del destino.

—Todo el mundo esperará que pase un intervalo decente, maldita sea. —Dominó la ira—. Mis disculpas, madre, pero, de verdad...

Ella lo miró furiosa y luego exhaló un suspiro.

—Tienes razón en eso, querido. Te pido disculpas también. Lo que pasa es que...

Le temblaron los labios y se los cubrió con su pañuelo.

Estaba haciendo un gran esfuerzo por intentarlo. Él también. Y también Artemis. Los tres se esforzaban en encontrar un modo de vivir esa insoportable situación. La mejor táctica era retirarse.

Se levantó.

—¿Hay alguna cosa que necesite mi atención inmediata?

Su madre logró esbozar una sonrisa.

—No, mi querido niño. Aquí todo el mundo conoce sus deberes. Ve a dormir si quieres. Debes de estar agotado.

Lo estaba, más aún que cuando llegó.

—Me ha acompañado un amigo. El honorable Peregrine Perriam. No molestará.

—¿Perriam? —repitió su madre, su tono animado por una chispa de interés—. ¿De los Perriam de Worstershire?

—Su padre es lord Hernescroft, sí.

—Ah.

A Cate no le gustó eso de encontrar aprobación sólo para su acompañante. Estuvo tentado de decir «Nos conocimos en una casa de putas», lo cual, en cierto modo, era cierto.

Se contentó con hacer su venia y salir. El impasible lacayo continuaba ahí cerca de la puerta, así que no se permitió ni un solo gesto de nerviosismo. Echó a caminar a paso enérgico en dirección a su habitación.

De pronto se detuvo.

¿Qué habitación?

Se había encaminado hacia la habitación que ocupaba en su juventud, la que todavía estaba preparada para él cuando volvió meses atrás. Sería un refugio, pero si él era el conde, ¿debía ocupar el dormitorio del conde?

Sólo le llevó un segundo saberlo.

Sí.

Lo importante era hacer el gran cambio de una vez. Estaba seguro de que Artemis ya había desocupado los aposentos contiguos, los de la condesa.

Sintiendo una fuerte renuencia, cambió de rumbo y se dirigió a los aposentos que para él seguían siendo los de su padre. Empujó la puerta del dormitorio sintiéndose como si fuera a sonar una fuerte alarma para avisar «¡Un intruso, un intruso!». La puerta se abrió sin hacer ni el más mínimo chirrido, y se encontró ante un criado, uno de clase muy superior, vestido sobriamente elegante.

El ayuda de cámara de Roe.

Entrañas del infierno. ¿Había juzgado mal? Pero si era el conde no toleraría ninguna mezquina excepción; no permitiría que conservaran esos aposentos como un mausoleo.

Entró y cerró la puerta.

—¿Tu nombre?

El hombre se inclinó en una venia.

—Ransom, milord. El ayuda de cámara de su hermano.

O sea, que a este criado ya lo habían informado. Lástima. Le habría gustado una pelea, una pelea violenta por una noble causa. Como aquella venganza abortada en Northallerton, cuando se sentía herido en carne viva por lo ocurrido con su hermano. Por lo menos Hera había triunfado.

Prudence Youlgrave.

Le vagaban los pensamientos en su cansada cabeza, y el ayuda de cámara estaba con la cara impasible esperando que dijera algo. No sabía si lograría soportar mucho tiempo al ayuda de cámara de su hermano, pero en ese momento necesitaba a alguien. Alguien que supiera vestirlo en un estilo decente; cuando tuviera ropa apropiada.

—Agua para lavarme, por favor —dijo.

Haciéndole una venia el hombre salió, y entonces se permitió desplomarse.

Se pasó las manos por la cara y descubrió que ya tenía el pelo medio suelto. Bonita apariencia debía tener, tan desaliñado. Quitándose del todo la cinta caminó hasta la ventana y se quedó ahí contemplando el verde y ondulado paisaje. Todo muy verde cerca y, más allá, un mosaico de colores, que indicaban los diferentes usos de la tierra y los diferentes cultivos.

Roe sabría exactamente qué cultivos eran y cuándo sería el momento de cosechar. Sabría qué campos formaban parte de la granja de la casa y cuáles eran trabajados por granjeros inquilinos. Sabría los nombres de los inquilinos y todos los detalles. Lo habían formado para ese trabajo desde que estaba en la sala cuna, y pasó muchísimos años ayudando a su padre en la tarea.

Desde ahí se veía el techo de la alquería de la granja de la casa, y la aguja de la iglesia Saint Wilfred, de la que en otro tiempo deseó tontamente ser el párroco. Se veían los techos del pueblo Holmewell y más allá desperdigadas casas de granjas. Todos pagaban alquiler al conde. A él. ¿Algunas personas sentirían dicha por poseer todo eso? Él no podía. Aun en el caso de que hubiera odiado a su hermano, no podría, y no lo había odiado. Jamás deseó esto.

¡Mentiroso!

No, nunca, nunca deseó que muriera su hermano. Eso, gracias a Dios, era cierto.

Se giró a mirar la habitación. Había estado en ella muy rara vez, y sólo cuando vivía su padre. Era increíble la cantidad de habitaciones de esa casa en las que no había entrado nunca. Las oficinas de administración, por ejemplo, que acechaban en la planta baja, como madrigueras de animales esperándolo. *Terra incognita.*

«Concéntrate en el momento presente.»

Las cortinas eran nuevas, de damasco azul, en lugar de las viejas y raídas con bordados dorados del tiempo de antes. A su padre le importaba muy poco la elegancia, y probablemente la casa había continuado bastante igual a como la heredó en 1731. La maciza cama de roble parecía ser del siglo XVII, tal vez incluso de antes de la guerra civil, como también el arcón de madera tallada situado a los pies.

Esos muebles antiguos lo afirmaban, lo sostenían. Jamás los cambiaría.

Se dirigió a la puerta que daba a la biblioteca del conde, como la llamaban, con sus paneles y muebles de roble a juego y su anticuada grandeza. El «refugio del conde» deberían llamarla, porque nadie entraba ahí sin invitación. Recordaba que cuando era invitado a entrar él lo consideraba una «audiencia» con su padre.

Abrió la puerta y se detuvo, soprendido.

—Ah, estás ahí. ¿Sobreviviste a la familia?

Cate se quedó inmóvil un momento, para dominar la furia por la intrusión de Perry.

—Tan bien como se puede esperar —dijo, girándose a mirar la otra puerta, la que daba al corredor, por la que había entrado este—. Al parecer debo asumir los honores, pues mi cuñada está segura de que no llegará ningún hijo a cambiar las cosas.

Perry se inclinó en una rebuscada reverencia.

—Milord conde, entonces. —Hizo un mal gesto—. Mis disculpas; el tono no ha sido el correcto.

—No. Me estoy acostumbrando a cambios de muchos tipos. En mi recuerdo esta sala era más pequeña. En el tiempo de mi padre los paneles no estaban pintados y cubrían el cielo raso también.

Perry lo observó todo.

—Bonito ese enlucido con yeso y el color verde claro a la moda de las paredes. Pero a mí personalmente no me gusta que pinten la buena madera fina.

—Me gustaría saber si esos cambios se pueden deshacer.

Al instante lamentó haber dicho eso. Era como si deseara borrar el tiempo de Roe ahí. Como también quitar las pinturas que había traído su hermano a la vuelta de su gran *tour*. Se veían particularmente bien contra el verde claro mate.

—Da la impresión de que mi hermano de verdad estudió arte y cultura en Italia.

—En lugar de frivolidad y putas como hice yo.

—Lo que sin duda habría hecho yo, pero en esta familia no se les permitían esos lujos a los hijos menores.

Distraídamente cogió uno de los dos libros que estaban en el escritorio, pero al instante lo dejó donde estaba. Esos libros debían ser los que estaba leyendo Roe los días anteriores a su muerte, con el fin, tal vez, de distraerse del dolor, aunque sin sospechar que el dolor anunciaba su muerte.

—¿Te han atendido bien? —preguntó a Perry entrando delante de él en el dormitorio.

—Excelente. ¿Y a ti?

—Este es mi dominio, donde todo está a mis órdenes.

—¿Y qué has ordenado, pues?

—No te metas en mis asuntos —dijo Cate, bruscamente.

—Esta no es una madriguera para explorar solo.

—Es mi casa.

—¿Qué hay aquí entonces? —dijo Perry, abriendo otra puerta—. Ah, el vestidor de tu señoría, y excelente, por cierto.

Entró y Cate lo siguió. No recordaba haber entrado en ese cuarto privado, pero era imposible reprimir o disuadir a Perry, y, sí, si quería ser sincero, lo alegraba no hacer solo esa exploración.

Se detuvo a mirarlo todo con verdadero aprecio.

—Todo esto debe de ser obra de Roe. Mi padre no se habría permitido jamás esa inmensa bañera, ni habría pintado escenas de dioses y diosas en las paredes. A Roe le gustaba tener sus comodidades.

—No hay nada malo en eso —dijo Perry, rodeando la bañera, que estaba situada sobre una tarima en el centro del cuarto—. Y te ha dejado una bañera adecuada a tu altura. ¿Adónde va eso? —Se agachó a examinar algo—. Un tubo para vaciarla fácilmente, y lleva el agua a un cuarto de abajo. ¡Excelente diseño! ¿Me permites usarla durante mi estancia?

—Si no te importa que te coman —dijo Cate—. El interior está decorado con pinturas de una especie de monstruo marino.

Observó los demás muebles. Una cómoda, un lavabo para afeitarse y lavarse, un magnífico ropero con las puertas decoradas con escenas de caza en madera bellamente taraceada.

Abrió las puertas y se quedó inmóvil. El ropero estaba lleno de ropa; ropa de Roe. A saber qué da un olor distintivo a cada persona, aparte de la colonia o el perfume que use, pero era así, y allí estaba el olor de Roe.

—Su agua para lavarse, señor.

Se giró y vio a Ransom haciendo entrar a un lacayo con un enorme jarro de agua humeante. Los dos se detuvieron en seco al ver a Perry.

—Mi amigo, el señor Perriam, va a necesitar tomar un refrigerio —dijo—. Perry, podrías pedir lo que deseas y me esperas en la biblioteca del conde.

Perry arqueó las cejas ante el tono, pero salió. El lacayo dejó en el suelo el jarro con agua y salió tras él. Ransom vertió agua en la jofaina de porcelana.

—¿Por qué siguen aquí las ropas de mi hermano? —preguntó Cate.

El ayuda de cámara dejó el jarro en el suelo.

—La condesa viuda pensó que podrían servirle a usted, señor, ya que es de altura similar a la de su hermano.

—Pero no de constitución similar. Mis hombros romperían las costuras.

—Creo que su madre no pensó en eso, milord.

—Ordena que lo saquen todo y consulta a mi cuñada respecto a qué desea hacer con la ropa. Ahora puedes dejarme solo.

Ransom estaría acostumbrado a atender a Roe ahí en todo, pero él necesitaba estar solo y estaba acostumbrado a cuidar de sí mismo, incluso a zurcir sus medias y coser sus botones.

Cuando se quedó solo se quitó la chaqueta, el chaleco y la camisa y se lavó, y sólo después pensó por qué estaba siendo tan concienzudo en lavarse. ¿No había algo en el servicio de entrada en una nueva vida? Los bebés generalmente lloran ante la pila bautismal.

Sin esperanza, hurgó en su maleta y baúl en busca de una camisa limpia, pero sólo encontró las tres que ya había usado en el viaje. Al día siguiente ya estarían lavadas y planchadas a la perfección y cualquier defecto tan bien reparado que desaparecería.

Pronto tendría camisas nuevas. Y calzado también, que reemplazaría sus zapatos y botas de suela desgastada y llenos de marcas de rozaduras. Tendría todo tipo de ropa nueva, de color sobrio pero a la última moda y confeccionada con las telas más finas.

Como todas las prendas de Roe guardadas en ese maldito ropero.

Se giró hacia el ropero. Ahí había camisas blanquísimas y de hechura holgada. Era posible que hubiera zapatos sin rozaduras.

No.

Bien podía tener que meterse en la piel de su hermano, pero no metería los pies en sus zapatos. En todo caso los zapatos de su hermano le apretarían. Hizo un mal gesto por la metáfora no intencionada y se puso la camisa y la corbata que estaban más limpias.

Se vistió ante el espejo, con el fin de quedar con la apariencia más respetable posible. Mojó una esquina de la toalla y con ella se limpió una mancha de la chaqueta y otra de las calzas, pero en la piel de las calzas quedó peor la mancha de humedad.

Debería ponerse zapatos, así que se quitó las botas lodosas, y entonces vio el aspecto de las medias, con manchas oscuras causadas por las botas, y se veían los zurcidos. ¿Por qué no se le ocurrió traer sus medias más finas para la corte? Estas, por desgracia, venían en el equipaje que traían Jeb y Auguste.

Tenía que haber medias en el ropero, y las de punto de Roe le quedarían bien. Contemplando el dibujo de las puertas del ropero, en que unos perros estaban derribando a un ciervo, sopesó la situación.

No era su hermano y jamás lo sería.

Pero era el conde de Malzard, propietario de todo lo de la casa, incluidas todas las medias limpias. ¿Qué sentido tenía negar el destino?

Abrió las puertas y exploró los cajones hasta que encontró las medias, desde finas a prácticas, ordenaditas por pares, limpitísimas como una fila de almas santas. Se quitó las sucias y se puso un par de las de diario de su hermano, y tuvo dificultad para estirarlas sobre sus pantorrillas más fuertes.

Un primer paso, pero si era hacia la derrota o hacia la victoria no lo sabía.

Capítulo 7

*F*ue a abrir la puerta de la biblioteca del conde y no encontró a nadie. Perry, hombre discreto, de mucho tacto, se había ido a otra parte. Aunque pidió comida, eso sí, pero sólo para él, pues era exactamente lo que él habría elegido: pan fresco, lonchas de jamón, queso local y una jarra de cerveza.

Pero no tenía apetito.

El cuarto de Roe, los libros de Roe, las pinturas esmeradamente elegidas de Roe, todo, todo, le gritaba «intruso». No le cabía duda de que si su hermano lo estaba mirando desde el cielo, o estaría llorando o haciendo rechinar los dientes. Podría no haber sido así antes de la pelea, antes de que los dos se dijeran cosas que luego lamentarían, tal vez sobre todo porque contenían verdad.

Roe lo buscó para aconsejarlo sobre sus perspectivas y conducta futuras.

Eso le fastidió, le fastidió que su hermano supusiera que tenía el deber, el derecho incluso, de aconsejarlo y que él necesitara sus consejos. No fue su intención reñir, pero todo se descontroló.

Salió la verdadera opinión que Roe tenía de él: irresponsable, egoísta, despreocupado, desconsiderado, insubordinado. Ah, sí, las habladurías del ejército habían hecho su trabajo.

Entonces él contraatacó diciéndole que era débil, mezquino e incapaz de conseguir nada que no le pasaran en bandeja por ser el primogénito.

«¿Crees que tú lo harías mejor? —ladró Roe—. Entonces debes de estar encantado de que aún no haya tenido un hijo.»

Él protestó negando eso, pero Roe, sin siquiera oírlo, continuó: «Supongo que lo celebraste con un festín cuando el único que engendré murió».

Eso lo dejó estupefacto, porque no había recibido la carta en que le comunicaba la muerte de un niño recién nacido. Se lo dijo, lamentando la muerte, ofreciéndole sus condolencias, pero Roe no le creyó. Su silencio ante la carta lo interpretó como satisfacción, y esa herida se había enconado hasta el punto de que estaba sordo a todo argumento. Si se hubiera esforzado más en persuadir a su hermano de la verdad, ¿se habría evitado la gran explosión?

Pero no, sus palabras fueron aumentando en amargura, y finalmente salió de la casa hecho una furia. Cogió un caballo en el establo y cabalgó hasta Northallerton, con sólo las monedas que llevaba en el bolsillo; y nunca más volvió a hablar con su hermano.

Se abrió la puerta y entró su madre.

Lo inundó una tremenda oleada de furia. Pestes, ese era el sanctasanctórum del conde, el lugar donde nadie entraba sin ser invitado. Si tenía que ser el maldito conde, haría que se respetara eso, por lo menos.

De repente su madre agrandó los ojos y eso lo refrenó; era como si ella viera el peligro. Taponó la furia impidiéndole salir, pero consciente de que si hablaba sólo saldrían palabras mordaces.

Ella se mojó los labios, y tal vez también le resultó difícil hablar:

—Tus esposas —dijo, pasándole unos papeles.

Él los cogió, salvado por la rareza del momento. En la primera hoja estaban escritos seis nombres, en la segunda doce y en la tercera cuatro.

—¿Un harén?

—No seas ridículo —ladró ella, tal vez tan aliviada como él por llegar al conocido terreno de combate—. Opciones, Catesby, opciones. Has estado años fuera del país, y dudo que tus últimas aventuras te hayan llevado a círculos en que pudieras conocer a damitas deseables para esposa.

«Pues, te sorprenderías, madre, siempre que en "deseables" entren las viudas e hijas de ciudadanos ricos».

—Por lo tanto, te he hecho una lista de las candidatas —continuó ella. Aunque era rolliza y de baja estatura, su porte siempre sugería más altura; y en ese momento igual podía tener la columna sujeta por una vara—. En la primera página encontrarás damitas convenientes de esta zona. Las conozco a todas, a sus familias, sus cualidades, su carácter e incluso tengo...

—Informes de sus linajes —terminó Cate.

Ella hizo una inspiración.

—¿Por qué no hablar claro? —dijo él—. El asunto es la sucesión.

—Muy bien, sí. Y espero que cumplas con tu deber.

—Te aseguro, madre, que es mi intención cumplir mi deber como conde de Malzard de todas las maneras «concebibles», pero si trajera a Keynings una condesa que no fuera la adecuada te afligiría a ti más de lo que me afligiría a mí.

—De ahí las listas. No hay ninguna en ellas que yo no podría tolerar.

«Así que pretendes vivir tu vida aquí. Nada de casa de la viuda para ti», pensó él. Le había prometido eso, pero su intención lo desalentaba. Siempre había habido fricciones entre ellos.

—En la segunda hoja están las grandes herederas de todo el país —continuó ella—. La propiedad no está en necesidad, pero nunca viene mal otra fortuna. Sin embargo, pocas de ellas me son conocidas. Es una lástima que no estuvieras en casa antes de que cazaran a Diana Arradale.

—¿La condesa de Arradale? —dijo él, mirando las listas, reconociendo los apellidos pero no a las personas—. No le habría interesado un hijo menor. ¿Quién la cazó y con ella una buena tajada de Yorkshire?

—Un sureño. El marqués de Rothgar. —Sorbió por la nariz, indicando la opinión que le merecía eso—. He hecho hacer discretas averiguaciones sobre las demás. La tercera lista es de damas de familias de gran influencia política. Lógicamente, algunas se solapan. Supongo que piensas asumir tu papel en la Cámara de los Lores.

—Supongo que debo, aunque estaría feliz de no ver Londres nunca más.

Ella frunció el ceño.

—Siempre fuiste un misterio para mí, Catesby.

—Tú eres un misterio para mí, madre. Seguro que comenzaste a hacer este trabajo a las pocas horas de morir Roe.

A ella se le crispó la cara.

—No a las pocas horas, pero sí pronto. Veo la urgencia, aunque tú no la veas.

Cate recordó la forma como su padre le dejó clara su situación como hijo segundo. En esa habitación. Franco, práctico y despiadado.

—Tú y padre debíais formar muy buena pareja.

—Sí. Y fue un matrimonio arreglado por nuestros padres, tal como lo fue el de Sebastian con Artemis. Si quieres...

—¡No! Yo elegiré a mi esposa, madre, pero gracias por la ayuda. Leeré las listas con mucho detenimiento y decidiré la mejor forma de proceder.

A ella se le arrugó la cara de exasperación.

—Prométeme que elegirás bien, Catesby.

—¿Qué quieres decir con «bien»?

—Una condesa de Malzard adecuada.

—Pues tengo toda la intención de hacer eso.

—Estupendo —dijo ella, aunque todavía dudosa.

Exhalando un último suspiro, salió del cuarto.

Cate miró las hojas pulcramente escritas y cayó en la cuenta de que no sabía si la letra era de su madre o de un escribiente. Nunca había habido ocasión para que ella le escribiera. La carta que llevaba la noticia de la muerte de Roe estaba escrita por el secretario de Roe, Mount.

¿Habría heredado también a Mount? Sería como el hombre callado, de edad madura, que se refrena hasta que lo llaman.

Si la pulcra y firme letra era de su madre, lo encontraba repelente, pues esas listas las había escrito cuando el cadáver de su amado hijo mayor aún no estaba frío.

Se obligó a mirar el otro lado. Además de la conmoción y la aflicción por la inesperada muerte, su madre debió verse agarrada a un borde quebradizo al quedarle solamente él (el Cate impulsivo, temerario, despreocupado que veía ella) entre ella y el exilio de la casa en que había vivido cuarenta años.

Si el matrimonio adecuado volvía a hacer seguro el mundo de su madre, era poco pedir, pero descubrió que se sentía curiosamente renuente a elegir una esposa de una de esas listas tan bien pensadas.

A la mañana siguiente Cate despertó en la enorme y muy cómoda cama del conde. Se puso de espaldas y contempló la compleja representación de un sol en tela plisada bajo el dosel: un bollo dorado del que salían rayos. No logró imaginarse que su hermano se hubiera molestado en una decoración que no veía nadie más que él.

Y tal vez Artemis. Eso le trajo el deprimente recuerdo de las listas de su madre. Si hubiera una manera de hacer retroceder el reloj para restablecer la realidad, lo haría sin vacilar. No la había.

Había visitado la tumba de Roe y leído la inscripción añadida en la enorme lápida de piedra del mausoleo, con el fin de asimilar el cambio. Pero seguía imaginándose que aparecería su hermano furioso por la usurpación de su puesto.

Se bajó de la cama y fue a abrir las cortinas de la ventana. Sólo comenzaba a clarear el día. En Londres, la vida de los elegantes seguía hasta bien avanzada la noche y a veces hasta el alba, y el día comenzaba pasado el medio día. Pero esa noche acostarse temprano fue su única manera de escapar, escapada por la cual también optó Perry. Estaba tan agotado que había dormido, aunque sólo pudiera dormir un número determinado de horas.

Era una tontería perderse tantas salidas del sol.

El sol aún no asomaba por el horizonte, pero el cielo estaba iluminado por los colores perlados de la aurora. Una fina neblina suavizaba el suelo y ocultaba los árboles más distantes, creando un paisaje digno de un sueño de cuento de hadas.

Al diablo con las hadas. Necesitaba una cabalgada.

Se vistió, pero bajó llevando las botas en la mano, para no despertar a nadie.

Claro que había personas levantadas: los criados y criadas de menor categoría limpiando a toda prisa la casa para tenerla lista antes que se despertara la familia. Estaba acostumbrado a verlos, pues en su última visita solía encontrarse con ellos cuando salía temprano a cabalgar. Entonces le daban los buenos días, e incluso le sonreían descaradamente, pero esa mañana los criados le hicieron la venia y las criadas su reverencia, sin mirarlo a los ojos y musitando «su señoría», y alejándose rápidamente.

Todo era suyo, pero estaba excluido de la casa Keynings de la que había disfrutado recientemente. Sólo entonces cayó en la cuenta de que eso valía para el mundo exterior también. Lo tratarían de forma diferente dondequiera que fuera. Nunca entraría en una sala sin que se fijaran en él. Y tal vez siempre sospecharía que la gente le sonreía con la esperanza de conseguir algún favor.

Menos mal que el establo estaba como siempre, acogiéndolo con los olores a caballo y heno. Un bayo lo saludó con un relincho y él se le acercó a acariciarle la nariz; era el caballo en el que había cabalgado cada día en su última visita. *Oakapple* era tranquilo, resistente, de paso uniforme, un caballo destinado principalmente a los huéspedes. Podría haber cabalgado en cualquiera de los caballos de primera clase de su hermano, pero había elegido a *Oakapple*.

Apareció un mozo, que desgraciadamente no era Jeb, pues este seguía viajando desde Londres. Le hizo una venia, nervioso, repitiendo muchas veces el «su señoría». Habría preferido ensillar él a *Oakapple*, pero dejó que el criado hiciera su trabajo y finalmente pudo escapar hacia la neblinosa belleza del día, solo.

Durante un rato simplemente cabalgó, limitándose a disfrutar de ese placer. Cabalgar por un parque no es lo mismo que cabalgar por el campo. Conocía muy bien la propiedad, porque había sido su mundo cuando era niño, e invitaba a infinitas exploraciones. Ya a cierta distancia de la casa no había muchos cambios. El lago seguía igual, el agua lamiendo las orillas bordeadas por carrizos y cañaverales, y todavía encontraría un mundo secreto en la pequeña isla boscosa si sacaba un bote del cobertizo y remaba hasta allí. El viejo roble en lo alto de la colina seguía ofreciendo las mismas ramas para trepar. La larga pendiente que bajaba a la alquería de la granja de la casa sería espléndida para deslizarse si hubiera nieve.

Un «¡Hoola!» lo sacó de sus recuerdos. Se giró a mirar y vio a Perry acercándose a medio galope sobre un magnífico caballo árabe negro.

—Veo que has elegido el mejor caballo del establo —comentó cuando su amigo llegó a su lado.

—Si tú no ves la calidad... —contestó Perry sin ofenderse, porque no había habido intención de ofender.

—La veo muy bien, pero *Oakapple* es mejor para mi peso. Nos sentimos a gusto en mutua compañía, como buenos amigos.

—¿*Othello* y tú sois enemigos?

—Tiene una opinión de sí mismo demasiado elevada.

Como para demostrarlo, el caballo dio unos pasos hacia el lado, pavoneándose.

—¿Está a la venta?

—Tendré que... —Se interrumpió. Había estado a punto de decir «Tendré que preguntarlo a Artemis», pero eso sería ridículo. Ella tendría su pensión de viudedad, pero ningún interés en nada más de la propiedad, a excepción de sus pertenencias y las de sus hijas—. No veo por qué no. Era el caballo que Roe llevaba a Londres, para lucirlo en los parques y cosas de esas, así que se sentirá más a gusto ahí.

—Sabía que estábamos hechos el uno para el otro —dijo Perry, dándole una palmadita en el cuello al caballo—. Una propiedad excelente.

—Principalmente obra de mi padre. Él se ocupó de la mayor parte del diseño: él y un ejército de jardineros.

—¿Esa es la alquería de la granja de la casa? —preguntó Perry.

—Sí. Solíamos bajar en trineo por esa pendiente cuando había nieve.

—Lástima que estemos en junio.

—Ahí hay un roble para trepar.

—Paso de eso. Regocíjate, tus hijos van a disfrutar del roble y de la pendiente tanto como disfrutasteis tu hermano y tú.

—Nos llevábamos seis años. No jugábamos juntos.

—Ah, eso no lo sabía. Tal vez tú planifiques mejor las cosas.

—Nadie puede planificar el sexo de sus hijos; si se pudiera, yo no sería conde. Tú y tus hermanos estáis más cerca en edad, ¿verdad?

—Menos de dos años entre cada uno, lo que significa que en nuestra infancia y juventud formábamos una pequeña tribu.

Cate se permitió imaginarse a unos muchachos jugando ahí, más cercanos en edad y naturaleza que Roe y él, buenos amigos y una dicha para su padre.

Para él.

No se había dado cuenta de lo mucho que lo atraía eso. Pero para tener hijos necesitaba a su condesa.

—Mi madre me preparó una lista de esposas.

—¿Un harén?

—Ese fue mi comentario. No le hizo ninguna gracia. No, simplemente candidatas. En la primera hoja está la lista con las seis damas de la localidad. Niñas, en realidad; una de ellas sólo tiene dieciséis años.

—Demasiado joven.

—Sí, pero estoy seguro de que a los ojos de mi madre eso significa más años para concebir.

Perry hizo un gesto de compasión.

—¿Conoces a alguna?

—Hasta mi última visita había estado años fuera, y antes de la gran discordia no hubo tiempo para organizar fiesta o reunión alguna. Conozco un poco a las familias, pero a ninguna de las candidatas.

—Delicado, ¿no? En circunstancias normales tu madre organizaría un baile y tú tendrías la oportunidad de evaluarlas a todas sin demostrar una atención especial.

—Un baile a semanas de la muerte de mi hermano no sería decoroso.

—Necesitas volver a la ciudad. En este momento están ahí todos los que importan, junto con sus hijas núbiles. Y tienes una disculpa para hacer vida social; debes ser presentado como el nuevo conde y ocupar tu escaño en la Cámara y todo eso.

Tenía lógica, pero él tenía Keynings. ¿Por qué iba a desear estar en otra parte?

—No podría ir inmediatamente. Necesito ropa nueva.

—Te la mandas hacer en Londres. Sastres provincianos —añadió, estremeciéndose.

—Prometo ponerme en tus manos, pero ahora tengo la urgente necesidad de hacerme con ropa sobria.

—Ah, muy bien. Llama a la birria de sastre local y yo le aconsejaré y supervisaré.

Cate se rió y eso lo horrorizó, pero enseguida comprendió que reír era saludable. La vida debe continuar.

Pero hablar de Londres le recordó otra cosa.

—¿Otro problema? —preguntó Perry.

—Georgiana. No hubo ninguna promesa, pero la noticia de que ahora soy conde va a causar furor entre los Rumford.

—Que exploten.

—De preferencia con todo el largo de Inglaterra entre nosotros.

—Tal vez deberías darte prisa en elegir esposa. Eso frustrará sus planes.

—Sí que tendré que tenerlo en cuenta —dijo Cate y reanudaron la marcha.

Capítulo 8

Cate llevaba una semana en Keynings y se esforzaba al máximo.

Se había puesto en las manos de Flamborough (ese era el apellido del administrador de la casa, había averiguado) y familiarizado con toda la casa y su gobierno, agradeciendo que pronto este sería responsabilidad de su condesa. Es decir, si su condesa conseguía arrebatar el mando de las manos de su madre y Artemis, que continuaban gobernando la casa como un equipo bien avenido.

Había conocido a sus tres sobrinas vestidas de negro, de edades comprendidas entre los ocho y los tres años, y recibido de ellas solamente solemnes reverencias. A saber dónde jugaban, porque jamás oía el menor sonido procedente de ellas.

También había recurrido a otros diversos funcionarios del condado, y comenzaba a comprender las complejidades de sus posesiones, entre las que había minas de plomo y carbón, barcos y propiedades urbanas. A veces se sentía como si le fuera a explotar la cabeza.

Sabía que todos se sentirían felices si se limitara a firmar los documentos que le presentaban, pero ese no era su estilo. Por mal preparado que estuviera, necesitaba comprender el funcionamiento de todo y saber lo que ocurría.

Lo que realmente le faltaba era un secretario, un hombre que tuviera conocimiento de la correspondencia más personal y de los asuntos políticos y de negocios de Roe. Muy pronto se enteró de que Mount se había marchado después del funeral. Flamborough no deseaba hacer ningun comentario al respecto, pero él insistió.

«El señor Mount era muy fiel a su hermano, señor.»

«Me parece que Ransom también le era muy fiel, pero continúa aquí.»

«Al señor Mount le ofrecieron un puesto en otra parte, señor.»

«¿Quiere decir que Ransom continúa aquí solamente porque nadie más desea tenerlo? Eso lo dudo. Mount no deseaba ser mi secretario.»

Ransom miró hacia la distancia.

«Al parecer opinaba que usted es tan distinto a su hermano, señor, que no se adaptaría bien.»

En otras palabras, pensó Cate, él le caía mal al secretario. La relación entre secretario y empleador es íntima, porque muchas veces el secretario acompaña a su empleador incluso a eventos sociales. También tiene que estar al tanto de sus asuntos íntimos.

¿Acaso Mount compartía la creencia de Roe de que se alegró de la muerte de su único hijo?

Le dolía no haber podido corregir eso, pero no tenía ningún sentido darle vueltas. Al menos Artemis parecía ignorarlo; había pensado sacar el tema y manifestarle su compasión, pero no se le había ocurrido ninguna manera apropiada de hacerlo.

En cuanto al secretario, Perry había llenado el vacío y lo disfrutaba como un juego. Era de particular utilidad cuando era necesario conocer bien la corte y Londres, pero también tenía nociones generales de la política y los asuntos internacionales.

Estaban revisando la correspondencia relativa al sistema tributario en las colonias cuando se presentó un lacayo a solicitar la presencia de Cate en el salón.

—Y ahora ¿qué? —masculló.

En general su madre y su cuñada no buscaban su compañía, lo que les iba bien a los tres.

Cuando llegó a la puerta del salón se detuvo. Estaba lleno de mujeres.

Impaciente después de sólo una semana, su madre había invitado a algunas de sus posibles esposas, y cuando se las presentó se veía tan engreída como una gallina que ha puesto huevos de oro.

Tal vez le vino la idea porque él tenía su primer conjunto de prendas respetables: un sobrio traje negro con botones de azabache y sólo un fino bordado en hilos de plata para dar vida al chaleco.

Disimulando la irritación, se inclinó ante la señora Wycliffe y su hija Julia. Al lado de su nombre en la lista su madre había escrito: «buen comportamiento». La única palabra que se le ocurrió a él para describirla fue «sosa»: soso vestido pardo claro, soso pelo castaño y sonrisa sosa, casi vacua.

Las siguientes fueron lady Moregate y su hija lady Corinna Shafto, «vivaz». Aterradoramente no sosa, sobre todo porque era la que tenía dieciséis años. Lustrosos rizos de pelo moreno, brillantes ojos oscuros y una boca que formaba el arco perfecto de Cupido, junto con un aura de energía. No chisporroteaba, pero tal vez solamente por respeto al luto.

Antes que se la presentaran comprendió que la tercera damita tenía que ser la señorita Armstrong, de veintidós años, porque su madre había escrito al lado de su nombre: «torpe pero amable». Incluso sentada en un sofá era torpe; ninguna parte de ella encajaba bien con las demás. Llevaba la cabeza ligeramente torcida y sus ojos se movían nerviosos, mirando hacia todas partes menos a él. Debía venir con una de las otras señoras, porque no le presentaron a su madre.

Si se veía obligado a elegir entre las tres, sería a la señorita Wycliffe, porque sería fácil olvidar totalmente su presencia.

Se vio obligado a aceptar un té y a tomar parte en la trivial conversación. Muy pronto se soltó la verdadera naturaleza de lady Corinna e inició una serie de sugerencias de eventos muy deliciosos que debían organizarse para darle la bienvenida a él a su regreso a la zona.

—El luto, cariño —musitó su madre, pero sonriéndole amorosa.

Pero eso no desalentó a la joven beldad y lo obsequió con una deslumbrante sonrisa.

—Ah, sí —dijo—. Tan pronto como se pueda, lord Malzard.

Cate se sintió divertido, pero no atraído en absoluto; con ella no tendría ni un solo momento de paz.

—Tan pronto como se pueda —concedió, y adrede se dirigió a la torpe—: ¿Qué forma de entretenimiento le gusta más, señorita Armstrong?

Ella pestañeó; se le movieron los ojos.

—Algo musical —musitó.

—¿Usted toca?

—¿Yo? Oh, no, milord. Fue una sugerencia tonta; la de una velada musical, quiero decir.

—Por el contrario. Es una sugerencia excelente. Una velada musical es muy diferente de un baile, ¿verdad, madre?

—Muy diferente, Malzard.

—Entonces tendremos una pronto.

—¡Qué maravilloso! —exclamó lady Corinna, batiendo palmas.

Y nuevamente se lanzó; que si cuándo sería, que si cómo se organizaría y quién tocaría. Ella, por supuesto, era hábil con el arpa.

Cate aprovechó una interrupción en el torrente para dirigirse a la tercera aspirante a condesa.

—¿Le gustaría una velada musical, señorita Wycliffe?

—Seguro que será muy agradable, milord.

—¿Usted toca?

—No tengo la habilidad, milord.

—Pero canta bellamente —dijo la madre.

—Entonces esperaré eso con ilusión —dijo él.

Pero la sola idea de un encuentro con las demás candidatas lo hizo pensar en volarse la tapa de los sesos de un disparo.

Una vez que las invitadas se marcharon, su madre dijo:

—¿Bien?

—Esta reunión no fue apropiada, madre.

—¡Si no hago nada no ocurrirá nada!

—¿Vas a rondar también junto a la cama de matrimonio dando consejos y pinchando?

—¡Catesby!

—Mis disculpas. Pero, por favor, deja pasar más tiempo antes de idear más reuniones.

Ella apretó los labios, frustrada.

—Muy bien, pero esto no ha hecho ningún daño. Has conocido a tres de las damas de la zona, y las tres serían convenientes.

—¿Te sentirías cómoda viviendo bajo el mismo techo con cualquiera de ellas?

Ella desvió la mirada, pero contestó:

—Me sentiré cómoda una vez que haya un hijo tuyo en la sala cuna aquí.

—Entonces pasarás un año o más bastante incómoda, señora, por asiduo que sea yo para aplicarme.

Salió del salón lamentando las palabras y esa salida, pero estaba en el límite de su paciencia. Tenía que salir de la casa.

Fue a su habitación y sin llamar a Ransom se quitó el traje y se puso su vieja ropa de montar. Reemplazar esas prendas no había sido una prioridad, y ponérselas le aflojó parte de la tensión. Se sentiría mejor después de una cabalgada. Sería más capaz de volver al yugo.

Salió de la habitación sigiloso, como un niño que va a hacer novillos. Pensó en invitar a Perry para cabalgar con él, pero necesitaba estar solo un rato. Esos días no estaba nunca solo, aparte del tiempo que pasaba en la cama.

Ya comprendía totalmente a Hera.

Prudence Youlgrave.

Aquella noche ella salió tontamente porque se sentía sofocada en el interior de la casa. Pero su casa era pequeña, mientras que en

Keynings había bastante espacio y aire, aunque sus habitantes le oprimían el ánimo.

Hera estaba en Darlington, con su hermano, ese que antes había descuidado su bienestar.

¿Cómo le iría por ahí? ¿Estaría bien alimentada y bien vestida? ¿Habría hecho ese matrimonio que era su mayor deseo? ¿Sería feliz?

Le gustaría verlo.

Entró en el establo y uno de los perros corrió a saludarlo. Se habían hecho amigos y estaba pensando en llevar a un par al interior de la casa. A Roe no le gustaba tener perros en la casa, y tal vez a Artemis y a su madre tampoco, pero le gustaba la idea, y él era el conde.

De pronto recordó al perro de Prudence.

¿Por qué no llevó a *Toby* con ella a Darlington?

Había muchísimos motivos, pero el más importante es que no quisiera parecer un caso de caridad. Aun así, el pensamiento le quedó tintineando en la cabeza.

Darlington sólo estaba a diez millas. Podría cabalgar hasta ahí, y tranquilizarse respecto a su bienestar. No llevaba ni una sola moneda en el bolsillo, así que volvió a entrar en la casa. Esta vez estaba Ransom en el dormitorio, pero no podía hacer preguntas acerca de los actos de su amo.

Lo envió con un recado y entonces abrió la caja fuerte oculta. Cogió unas cuantas guineas, por si *Oakapple* quedaba cojo o le ocurría algo similar, y otras monedas más pequeñas para pagar refrigerios. Antes de salir recordó otra cosa. Abrió la caja donde guardaba sus papeles privados y algunos objetos valiosos y sacó una botella.

Era una bonita petaca que compró en Londres, hecha de cristal azul envuelto en una ingeniosa malla de filigrana de plata. Era demasiado grande para ser un frasco de perfume, así que le preguntó al tendero cuál era su utilidad.

«Es una petaca para una dama que le guste llevar con ella un coñac medicinal, señor. Cabe en el bolsillo de una dama, como ve, y es plana, así que no se nota.»

«¿Qué capacidad tiene? ¿Un octavo de pinta?»

«Más o menos, señor. Una dama no desearía más.»

«Algunas podrían», dijo él y la compró.

La compró pensando en Hera, aunque sin ninguna expectativa de regalársela. Después estuvo pensando qué podía hacer con la petaca. A Georgiana le habría escandalizado un regalo como ese, por muy medicinal que fuera el contenido.

¿El destino sabría que llegaría este momento?

Ese pensamiento lo hizo vacilar, pero se la guardó en el bolsillo y volvió al establo, reprimiendo la sonrisa de alegría ante la aventura.

Jeb tenía listo a *Oakapple*.

—¿Quiere que le acompañe, señor?

—No, pero podría tardar un poco.

Diablos, era el conde; no podía desaparecer sin decir nada.

Sí, podía. Por un rato corto.

—Voy a cabalgar hasta Darlington —dijo al montar—. Un asunto de negocios. Un negocio particular.

—Ah —dijo Jeb, reprimiendo una sonrisa, suponiendo que se trataba de una mujer.

Y sí que era una mujer, pero no en ese sentido.

—Que tenga un buen viaje, señor.

—Eso espero.

Emprendió la marcha, y cuando salió de la propiedad no pudo evitar una sonrisa de puro placer. Seguía queriendo estar en Keynings, pero también necesitaba escapar.

Se quitó el anillo de sello y al instante se sintió libre.

Estaba libre. Por un corto y bendito periodo de tiempo volvía a ser simplemente Cate Burgoyne, y libre.

Capítulo 9

*L*legó a Darlington a última hora de la tarde, pero con el largo día de junio tenía tiempo de sobras para informarse acerca de Prudence Youlgrave y volver a su prisión. La cabalgada, principalmente a campo través, había sido maravillosa; había gozado en el mundo normal y corriente que lo rodeaba.

Ahí no era el conde de Malzard, sino simplemente Cate Burgoyne, y con su desgastada ropa de montar llamaba aun menos la atención. Lo divirtió que cuando desmontó en la posada Talbot de High Row, el mozo lo miró como si dudara de que pudiera pagar.

—No me voy a quedar a pasar la noche —le dijo—, pero dejaré aquí mi caballo.

Endulzó el humor del hombre con una moneda de seis peniques, y echó a andar hacia Prospect Place.

Tal vez antiguamente en esa calle hubiera habido casitas toscas, pero ahora estaba bordeada por casas nuevas recién pintadas y con brillantes ventanas. Todas las casas daban directamente a la calle, pero en cada una había una corta escalinata para subir hasta la puerta, y algunas estaban embellecidas con pilares y un pórtico.

Encontró la casa, y esta igualaba a las otras en respetabilidad. Pensó en golpear y pedir hablar con la señorita Youlgrave, pero una visita a esa hora sólo plantearía preguntas en la cabeza de su hermano. Era evidente que no estaba en dificultades y no tenía necesidad de él.

Volvió a la posada, sonriendo irónico por sentirse desilusionado otra vez. Había esperado verla triunfante, pero no podría ser.

Podría quedarse a pasar la noche y volver a intentar verla al día siguiente. Eso sería distinto de hacer una visita tan tarde. Podría presentar sus respetos y decir que la había conocido ligeramente en Northallerton, lo cual se acercaba bastante a la verdad. Era posible que Prudence Youlgrave, felizmente restablecida a su estado natural, como la remilgada hermana del señor Aaron Youlgrave, abogado, pondría fin a cualquier fascinación que le quedara.

El reloj de la ciudad dio las seis.

Tenía tiempo para comer, y *Oakapple* se merecía un descanso. Cuando volviera habría recriminaciones, y peores serían cuanto más se retrasara, pero no mejoraría nada con sentirse cansado y con hambre. Se sentó a comer en el comedor a una mesa común, y disfrutó de la sabrosa sopa y de la compañía de personas corrientes. Al ver que tardaban mucho en llevar los siguientes platos masculló una queja.

—No tardarán en llegar —dijo alegremente un caballero gordo que se presentó como Stimpson, comerciante en velas—. Van a celebrar una fiesta a lo grande aquí mañana, y en la cocina están todos alborotados.

—No es motivo para no atendernos a nosotros —dijo un joven de cara cuadrada y rubicunda que de mala gana soltó que su apellido era Brough y trabajaba en las minas—. Nuestro dinero es tan bueno como el de cualquiera.

La única otra persona en la mesa era una señora mayor que guardaba silencio, como si temiera que estar en la misma mesa con hombres la fuera a deshonrar.

—No tan bueno como el de Tallbridge —dijo Stimpson—. Es su hija la que se casa.

—¿Tallbridge? —dijo Brough—. Ojalá fuera yo el que se casa con su hija.

—No es su hija, señores —dijo el camarero, poniendo por fin las fuentes sobre la mesa—. Es la hermana de su yerno.

Cate consiguió captar su atención antes que se alejara y pidió dos botellas de vino. Le resultó agradable poder permitirse tanta generosidad.

Los dos caballeros le aceptaron encantados una copa, pero la dama silenciosa declinó, negando con la cabeza. Pero le gustaba la comida, como a él.

—Así que van a tener un desayuno de bodas mañana —comentó, para que continuara la conversación.

—Así es, señor —dijo Stimpson—. Tallbridge tiene una hermosa casa en Houndgate, pero es un hombre muy reservado este Tallbridge. Sólo invita a su casa a unos pocos muy excepcionales.

—Nació en una casa de granja —masculló Brough—, con todos sus aires y elegancias.

—Es digno de elogio por haberse elevado por sus propios esfuerzos, entonces —dijo Cate—. Y ofrece la fiesta para la pareja. Eso habla muy bien de él.

—Busca el favor de Draydale —dijo el desagradable joven Brough—. Verá, señor, Draydale viene de buena familia. Su hermano es un sir.

—O sea, que la dama se casa con un caballero. ¡Un brindis por la novia!

Los dos hombres alzaron sus copas, pero Brough dijo:

—Draydale es sólo un comerciante, y actúa sólo cuando todo está dicho y hecho. Y ese Youlgrave no sería nada si no hubiera hechizado a la hija cara de pudín de Tallbridge.

Cate disimuló su repentino e intenso interés.

—Señor, considero irrespetuoso su comentario para cualquier dama.

El joven lo miró furioso, con la cara roja, echó atrás la silla y se levantó.

—Buscaré mejor compañía en otra parte.

Cuando se alejaba, Cate movió la cabeza.

—¿Es un pretendiente sin suerte?

—Lo dudo —dijo Stimpson—. Es más bien uno que no soporta ver subir a alguien en el mundo mientras él sigue clavado en su puesto.

—Y clavado por su naturaleza desagradable —añadió Cate, llenándole la copa.

Así que Prudence había triunfado. Por la mañana se casaría con un excelente marido, un hombre nacido en una buena familia y ya próspero por sus propios esfuerzos. Después de la boda le celebrarían una fiesta con elegancia en la mejor posada de la ciudad.

—Por la novia —dijo otra vez, y Stimpson se le unió en el brindis.

La conversación pasó a los colonos americanos que ponían irracionales objeciones a pagar lo que les correspondía de la reciente guerra, pero mentalmente Cate estaba jugando con la tentación.

Le gustaría ver a Hera triunfante. Le gustaría darle la petaca con coñac, pero claro, no sería un regalo de bodas apropiado. Pero podría ir a verla cuando llegara a la iglesia, una novia feliz. Sí, sería como hacer novillos, pero no podía resistirse.

Averiguando se enteró de que la boda se celebraría a las once, la hora elegante, y preguntó cuál era la mejor manera de enviar un mensaje a Richmond, la ciudad más cercana a Keynings. Una diligencia salía hacia allá dentro de una hora, así que escribió una carta explicando que se quedaría a pasar la noche en Darlington y volvería al día siguiente; después lo dispuso todo para que el posadero la enviara.

—Keynings —dijo el posadero, cuando le pasó la carta y el dinero—. Vamos, estará emparentado con la familia, señor, siendo un Burgoyne.

—Sí.

—Triste asunto ese, la muerte tan repentina del conde, y tan joven.

—Sí.

El posadero se calló ante su tono y se alejó.

No debía sorprenderlo que la noticia hubiera llegado a toda la zona y alrededores, pero ¿conocería alguien los detalles de la sucesión? Esperaba que no. Deseaba continuar en ese agradable anonimato.

Reservó habitación para pasar la noche y se instaló a jugar al whist con Stimpson y un par de hombres de la localidad. Dado que las apuestas eran bajas y la compañía agradable, se fue a acostar muy complacido.

A la mañana siguiente, después del desayuno, pagó su estancia, pero dejó a *Oakapple* en el establo de la posada y salió a vagar por la ciudad hasta que llegó la hora de la boda.

Saint Cuthberth era una iglesia antigua bien rodeada por árboles, así que pudo mezclarse con la gente reunida ahí para ver llegar a la novia, y sin llamar la atención. Se situó cerca de un grupo de mujeres, simulando que se encontraba ahí por casualidad.

—¿Una boda? —preguntó.

—Sí, señor —contestó una mujer—. La novia viene de la casa del señor Tallbridge.

Evidentemente eso le daba caché al acontecimiento.

—¿La novia es su hija?

—No, señor. Es hermana de su yerno.

—¿Y el novio?

—El señor Draydale.

¿Fue su imaginación o la mujer dijo eso en un tono raro?

—¿Joven?

—No, señor, pasa de los cuarenta y ha enterrado a dos esposas.

—Pobre hombre.

Las mujeres lo miraron de forma rara y, sí, tal vez en las miradas había compasión por las esposas. Pero había advertido algo más en ellas. ¿Tenían dudas respecto al señor Draydale, caballero, que había prosperado por sus propios esfuerzos? Sí que era bastante mayor de lo que habría esperado él.

—¿Qué tipo de hombre es este Draydale?

—Un caballero, señor. Su hermano es sir William Draydale, de Draydale Manor.

Así que por la vicisitud de la muerte Prudence podría incluso ser lady Draydale algún día. Pero las dudas lo inquietaban.

«Cate, esta mujer no es tonta. Habrá tomado su decisión con los ojos bien abiertos. Aun en el caso de que este Draydale no sea un marido ideal, ella tendrá todas las cosas que deseaba, y su vida será muy preferible a apretarse el cinturón en la casa de White Rose Yard.»

De la calle entró un coche tintineante en dirección a la puerta de la iglesia, los dos caballos adornados con campanillas, cintas y flores. Cuando se detuvo, bajó un lacayo de la parte de atrás a abrir la portezuela, y acto seguido, un distinguido caballero mayor que se giró a ayudar a bajar a alguien.

La novia.

Cate pestañeó y necesitó un momento para ajustar su imagen de Hera.

El vestido era magnífico, elegantísimo, holgado y sin cinturón, en color amarillo ranúnculo y adornado con flores de primavera bordadas. Llevaba el pelo claro recogido sobre la cabeza, bajo un frívolo y bonito sombrero de paja también adornado con flores. Había engordado un poco, y sólo una pañoleta casi transparente le cubría las elevaciones de sus generosos pechos por encima del escotado peto bordado. Su perfil seguía siendo extraordinariamente clásico, y con la carne extra casi se la podía llamar hermosa.

Y parecía una estatua de mármol.

Ella o alguien había intentado corregir su palidez con colorete en las mejillas y pintura en los labios, pero el contraste simplemente la acentuaba. ¿Nervios de novia? Decían que todas las novias los sienten, pero él deseó correr a cogerla por los hombros y preguntarle: «¿Estás segura de que deseas esto?»

¿Y si decía que no?

Pero ¿por qué iba a decir eso? No estaban en la Edad Media.

En todo caso, ¿cómo sería este Draydale? El hombre que había enterrado a dos esposas.

Eso podía ocurrirle a cualquier hombre. No significaba nada.

De todos modos, tenía que actuar.

El novio estaría esperando junto al altar.

Retrocedió y echó a caminar por el lado de la iglesia buscando otra puerta.

La había, y estaba abierta. Por ella entró en la nave lateral, que estaba separada de la principal por una hilera de columnas anchas y antiguas. En los bancos de la nave central había unas treinta personas, todas elegantemente vestidas. Todos los personajes ilustres de Darlington. Otra señal de lo bien que le había ido a Hera.

Pero por su cara parecía que la llevaban a la horca.

Por esa nave lateral caminó en dirección al altar en busca de un lugar desde el que pudiera ver al novio. Lo primero que vio de él fue la espalda; un hombre corpulento de moderada altura, ataviado con un elegante traje de terciopelo marrón. El traje estaba confeccionado a la última moda y su osada postura concordaba con él. Declaraba a todo el mundo que era un hombre próspero, seguro de su lugar y de su poder.

Avanzó otro poco y entonces vio el brillo de galones color bronce en la delantera, y también su perfil. Tenía la cara gorda y fuerte, la nariz grande y unos labios algo gruesos. Nada malo en eso. Se veía en buena forma, próspero e imponente.

En el banco más cercano estaban sentados cuatro niños muy quietos, de edades comprendidas entre los doce y los dos años más o menos; al pequeño lo tenía en brazos una criada. Así que Draydale había andado buscando una madre para sus hijos. Nada malo en eso tampoco.

Su acompañante, el padrino, se parecía en algo a él, aunque de aspecto más blando y tal vez más débil. Probablemente era sir William Draydale, armado caballero o baronet, ese que vivía cómodamente en una casa solariega.

De pronto sir William le dio un codazo a Draydale, musitando:

—Qué suerte tienes, Harry.

Nada malo en eso tampoco, porque Prudence Youlgrave acababa de entrar en la nave cogida del brazo de un joven que debía ser su hermano. Había un parecido entre ellos, aunque Aaron Youlgrave tenía el pelo castaño. En él, los rasgos clásicos eran indudablemente bellos.

Volvió a mirar al novio, y captó una inquietante sonrisa; no era de amor, ni siquiera de admiración, se acercaba más a una sonrisa lasciva. Incluso parecía estar salivando, como un perro al ver un trozo de carne que ha quedado descuidada.

«No, Cate.»

Pero los ojos de la novia miraban firmemente hacia el suelo.

Pudor de doncella.

O miedo.

Antes dependía totalmente de la miserable asignación que le daba su hermano. ¿Acaso ahora estaba dominada por él debido a su pobreza? ¿Se beneficiaría él del matrimonio? ¿Él o su suegro, Tallbridge, nacido en una granja pero encumbrado y poderoso? No era desconocido ese tráfico de esclavas, en que una familia convencía u obligaba a la mujer a casarse para su propio provecho y beneficio.

¿Al venir a Darlington Hera se había metido en la madriguera de un león? No, «león» sería demasiado noble. ¿Había caído en un reñidero de perros?

Cuando ella casi había llegado al altar, Draydale le hizo una venia a su hermano tal vez incluyendo también a Tallbridge, que estaba cerca. Para él la venia fue el grito: «Gracias, señores. Negocio hecho».

Comenzó la ceremonia. Cate supuso que era la misma de hacía un siglo, pero había asistido a pocas bodas. Aparte de unas sencillas en el ejército, sólo recordaba la de su hermana Arabella y la de Roe, y en las dos él era un adolescente aburrido.

—... si algún hombre sabe...

Ah.

Se le aceleró el corazón, tal como se le aceleraba en la batalla cuando veía una oportunidad de atacar, una oportunidad que no estaba en las órdenes recibidas.

«No, no.»

Pero debía hacer algo para parar esa farsa.

Estaba observando a Hera, tratando de resistir el impulso de correr hacia ella, cuando ella miró hacia el altar con los ojos suplicantes.

—... de algún impedimento...

Era lo correcto. Nunca había podido negar ese conocimiento. Avanzó hasta quedar a la vista del grupo reunido cerca del altar.

—... o calle para siempre.

—Sí —dijo, y casi se echó a reír por usar la palabra de las promesas del matrimono.

Él párroco lo miró sorprendido.

—¿Qué ha dicho, señor?

—¿Quién diablos es usted? —preguntó Draydale, con las mejillas ya rojas de furia.

—Catesby Burgoyne, señor. —Le hizo una venia, ya tranquilo, pues había llegado el momento de la verdad. E irónico añadió—: No totalmente a su servicio.

—Bueno, ¡fuera de aquí! No tiene nada que hacer aquí.

—Señor Draydale, señor Draydale —dijo el párroco, tranquilizador—, el caballero ha puesto una objeción y debe ser oído. ¿Cuál es la causa de su inquietud, señor? Estoy seguro de que se resolverá.

Cate miró a la novia. Antes estaba blanca como un papel, pero en ese momento tenía color en las mejillas, y sus ojos habían cobrado vida por alguna emoción.

Él deseó saber si la emoción sería esperanza o furia.

Mirándola dijo:

—Pido disculpas por la molestia, reverendo, pero debo recordarle a la dama que ya está comprometida conmigo.

Capítulo 10

Se elevaron exclamaciones en la iglesia, como el pasar de una bandada de estorninos. A Prudence se le encendieron las mejillas.

—Señorita Youlgrave —dijo el párroco—, ¿es cierto eso?

Ella abrió la boca y la cerró.

Y otra vez.

Maldita sea, ¿es que lo había interpretado todo mal?

«Sólo tienes que negarlo —le dijo con el pensamiento—. Niégalo, por favor, y yo no estaré metido en un tremendo lío.»

Entonces ella recuperó la voz:

—Sí —dijo, y luego lo repitió claramente—. Sí, es cierto.

Volaron murmullos por la iglesia.

—¿Qué? —rugió Draydale—. ¡Te comprometiste conmigo! Te «entregaste» a mí. Eso triunfa sobre cualquier promesa modosa hecha en el pasado.

Ella lo miró boquiabierta y luego exclamó:

—¡Mientes! ¡Mientes!

Draydale le dio una bofetada con el dorso de la mano, arrojándola sobre el banco más cercano.

Cate ya había arrojado al hombre al suelo de un puñetazo cuando se dio cuenta de lo que hacía, y estaba intentando destrozarle el cráneo golpeándole la cabeza contra un peldaño del altar cuando lo cogieron unos hombres por detrás, tratando de apartarlo. Alguien le golpeó la cabeza con algo. Esto sólo le causó dolor, pero bastó para disipar la roja niebla de furia. Soltó al hombre y se dejó apartar por esas manos duras. Pero gruñó:

—Levántate y lucha, canalla.

Por desgracia, el canalla sólo gimió, medio consciente.

Y Hera...

Se liberó de las manos y se giró hacia el banco en que ella estaba desplomada llorando, atendida por varias mujeres.

Una mujer estaba separada del resto.

—De verdad, Prudence —dijo la mujer con voz estridente—. ¿Cómo has podido arrojar esta vergüenza sobre nuestra familia?

Esa mujer con cara de pudín tenía que ser la cuñada. Y, además, era despiadada.

—Desde luego, Prudence —dijo su marido, el hermano—. Esto es algo terrible.

—Lo es, sin duda —dijo Cate, deseando darle una paliza también.

Pero los invitados a la boda estaban mirando y escuchando con mucho interés, y Prudence Youlgrave acabaría deshonrada después de todo.

—Es probable que Prudence creyera que yo había muerto en la guerra —dijo, yendo a arrodillarse ante ella—. Mi amor, lamento no haber vuelto antes.

Ella lo miró, con los ojos muy agrandados, conmocionada, y asustada igual que aquella noche en que se conocieron. Se dejó coger la mano fría, pero un observador atento habría tenido dificultades para ver en su cara una expresión que indicara que esa era una reunión de enamorados. Todavía más después de la conmoción y el horror de los últimos minutos; ella no lo conocía. Él acababa de golpear a un hombre dejándolo ensangrentado. Y, pestes, tenía sangre en los nudillos.

«Te has zambullido otra vez, Cate.»

Pero no podría haber permitido que continuara la ceremonia de la boda sin protestar, y la brutalidad de Draydale había demostrado que sus instintos eran correctos. Se incorporó, poniéndola de pie, y la abrazó, para consolarla, pero también para ocultar su expresión asombrada y aterrada.

—¡Señor! —protestó el hermano.

Sin hacerle caso, le susurró a Prudence al oído:

—Confía en mí.

Sólo el diablo sabía qué quiso decir con eso, pero a ella se le aflojó un poco la tensión, aun cuando tenía la respiración agitada. Recordó aquella noche y el abrazo, que fue extrañamente dulce y que no había olvidado nunca del todo.

—Señor —repitió el hermano con voz firme—, debo preguntarle cómo llegó a comprometerse con mi hermana sin mi conocimiento ni consentimiento, sobre todo después de que ella haya vivido muy discretamente durante años.

Cate lo miró por encima del frívolo sombrero de ella.

—¿No está interesado en la calumniosa mentira que le ha arrojado ese canalla?

Youlgrave se ruborizó.

—Estoy seguro de que el señor Draydale no quiso decir... Pero la afirmación de usted fue clara.

Y debía remacharla con detalles, comprendió Cate. ¿Qué detalles podrían ser suficientemente lógicos? Además, ¿los apoyaría Prudence? Ella intentó liberarse de sus brazos, así que la soltó, pero ¿qué diablos ocurriría?

Ella se giró a mirar a su hermano, con el mentón levantado y firme.

—Madre lo sabía y lo consintió, Aaron.

—¿Qué? —exclamó el hermano—. Nunca me dijo nada.

—Ibas tan rara vez a visitarnos —dijo ella, una daga en cada palabra.

Caramba, qué valor el suyo, qué magnífico y resuelto valor, pero él veía la tensión que le causaba la situación. La rodeó con un brazo para sostenerla.

—Prudence temió que usted lo desaprobara, señor —dijo.

—¿Habría tenido algún motivo para desaprobarlo? —preguntó la fea esposa con los ojos entrecerrados.

—Tal vez sí, señora. Yo era soldado y no tenía gran fortuna.

Ella le miró la ropa.

—Y eso no ha mejorado con el tiempo. Acaba de impedir un matrimonio muy ventajoso. Padre, ¡haz algo!

La expresión de su padre era indescifrable.

—Creo que deberíamos retirarnos a algún lugar donde podamos hablar de esto en privado, querida.

Un hombre sereno, ecuánime, Tallbridge, comprendió Cate. ¿Eso actuaría a favor o en contra de Prudence?

El párroco se apresuró a hacerlos pasar a la sacristía. Cate continuó rodeando con el brazo a Prudence, tanto para tranquilizarla como para ayudarla a caminar; ella había intervenido para apoyar su mentira, pero seguía temblando por la conmoción; podría desmoronarse en cualquier momento, aunque si juzgaba por aquel primer encuentro, ella era tan temeraria e impulsiva como él.

Un solo paso en falso y ella quedaría deshonrada para toda la vida.

La sentó en una silla y le acarició suavemente la mejilla.

—Lamento que haya ocurrido esto por mi causa, pero tu decepcionado novio está mucho peor.

—De eso me alegro —dijo ella, enérgicamente.

—A tu servicio, como siempre.

El párroco musitó algo y salió, dejándolos solos con su guapo y débil hermano, la mordaz esposa de éste y el sereno y observador señor Tallbridge.

Tallbridge era comerciante, pero de tipo diferente a Draydale y Rumford. Tal vez nació en una granja, pero ya fuera por buena suerte o por esfuerzo, tenía la esbeltez admirada en la corte y los rasgos elegantes en conformidad con eso, todo realzado por su ropa impecablemente elegante. Incluso tenía la pronunciación, o casi. El efecto debía impresionar muchísimo a los personajes ilustres de Darlington, pero a él no.

—Usted debe de ser el señor Tallbridge —le dijo—. Debo considerarlo responsable en parte de esta situación.

—¡Cómo se atreve!

—Calla, Susan —dijo el señor Tallbridge, y miró a Cate a los ojos, serio—. Deseaba hacer lo mejor por la hermana de mi yerno, señor Burgoyne. Y sigo deseándolo. Ha reconocido que era deficiente como pretendiente. ¿Ahora está en mejor situación?

Cate sintió un tremendo deseo de declarar que ahora era el conde de Malzard, pero no se lo creerían. Aun en el caso de que supieran que el conde de Malzard había muerto recientemente y lo había sucedido su bribón hermano menor, ¿por qué creer que el hombre que tenían delante, vestido con ropa vieja y esas desgastadas botas de montar era ese hermano?

Si declaraba eso, Tallbridge lo aprovecharía como pretexto para arrojarlo a la cárcel por hacerse pasar por un par del reino. Entonces tendría que hacer venir a alguien de Keynings para que garantizara que decía la verdad y con eso revelaría a todos que había vuelto a armar un desastre. Antes se entregaría al demonio.

Aunque igual ya se había entregado.

Había prometido casarse con la condesa perfecta. Le había prometido a su madre que no se casaría con una mujer que la fastidiara. Y ahora, si no encontraba una salida, tendría que casarse con Prudence Youlgrave, la condesa más inimaginable posible.

Su silencio no causaba buena impresión.

—Hace poco entré en posesión de una propiedad y ahora puedo mantener bien a una esposa. Busqué a Prudence tan pronto como me fue posible, pero casi llego demasiado tarde. Ojalá hubiera llegado antes y ahorrado a todos este desastre.

—Eso desearíamos todos, señor. ¿Es esto lo que verdaderamente deseas, Prudence?

Ella se limitó a mirar. Cate entendió por qué. En la iglesia había apoyado su mentira, pero ya había tenido tiempo para reflexionar, para ver todas las trampas que tenía delante.

—¿Prudence? —repitió Tallbridge—. Debo recordarte que Draydale hizo cierta afirmación. Si eso es cierto, tiene peso.

Ella pestañeó y de pronto le brillaron los ojos.

—No es cierto, señor Tallbridge. No es cierto. —Miró a Cate y al instante desvió la mirada—. Por supuesto que deseo casarme con el señor Burgoyne. Yo también lamento los perjuicios causados por nuestra situación y pido disculpas.

—¡Eso creería yo! —exclamó la hija estridente—. ¿No acudiste a mí pidiéndome, exigiéndome incluso, que te encontrara un marido? Un hombre de buena posición en la sociedad, capaz de darte casa e hijos. Con considerable trabajo y gastos, te encontré ese marido, y en agradecimiento me has convertido en el hazmerreír de todo el mundo.

Llorando se giró a arrojarse en los brazos de su marido.

Tallbridge exhaló un suspiro.

—Será mejor que te la lleves, Aaron. Tiene que haber una salida por atrás.

—Pero, señor, ¿y mi hermana? Después de este espectáculo debe casarse con este hombre, pero lo cierto es que no sabemos nada de él.

Tal vez el joven tenía sentimientos decentes después de todo.

—Si me lo permites, yo me encargaré de esto. Investigaré sus credenciales y te informaré después. ¡Susan! —dijo en tono cortante, y ante eso su hija giró hacia él su cara enrojecida por el llanto—. Piensa en esto. Te será más ventajoso presentar esta situación al mundo como un romance, enamorados reunidos, etcétera, que como un golpe a tus planes y a tu orgullo.

—Pero el señor Draydale...

—Draydale ha demostrado que es indigno. Tenemos la palabra de Prudence de que lo que afirmó es mentira, y su grosera brutalidad habla en su contra. Aaron, me llevaré a tu hermana de vuelta a mi casa para que pase la noche, y lo dispondré todo para su boda con Burgoyne mañana.

¿Mañana? Cate miró a Prudence y vio la misma alarma en sus ojos. Eso no les dejaba tiempo para maniobrar.

—Sí, señor —dijo Aaron, y se llevó a su resentida esposa.

Tallbridge le ofreció rapé, pero Cate declinó, tratando de encontrar una manera de salir del pantano.

Tallbridge se puso una pulgarada en la nariz, saboreó el efecto y después se sonó.

—¿Tiene algún parentesco con los Burgoyne de Keynings, señor?

¿Había infravalorado el conocimiento de ese hombre acerca de los grandes asuntos?

—Sí.

Entonces Tallbridge se limitó a preguntarle:

—¿Está seguro, con su augusto linaje, de que desea aliarse de esta manera?

—Espero que eso no dé a entender alguna falta en Prudence, señor.

Tallbridge arqueó una ceja, pero dijo:

—No, de ninguna manera, señor, claro que no. Pero no se puede hacer caso omiso de las expectativas de la sociedad.

—La sociedad esperará que yo me lleve a Prudence lejos de aquí inmediatamente.

—La sociedad esperará que se «case» con ella, y pronto, sobre todo a la luz de la insinuación de Draydale.

—Hizo más que insinuar.

—Usted hizo más que protestar.

—Prudence necesita tiempo para recuperarse de la conmoción y la brutalidad.

—Señor Youlgrave, ¿vamos, yo o su hermano, a permitir que se la lleve sin casarse?

Excelente argumento, maldita sea.

—Prudence es la que debe decidir esto. Es mayor de edad.

—A las mujeres se las embauca con facilidad, o se dejan llevar por sus sentimientos. A los hombres nos corresponde guiarlas.

Cate miró a Prudence, con la esperanza de que ella aprobara su sugerencia, pero ella daba la impresión de que ni siquiera había estado escuchando. Estaba mirando hacia el infinito, cubriéndose con una mano la cara amoratada. Asustada o simplemente abrumada.

—Mírela, Tallbridge. No está en condiciones.

—Se restablecerá con el matrimonio, en todos los sentidos. Cualquier retraso, señor, podría llevar a algunos a pensar que usted tiene motivos para creer en la acusación de Draydale. Los cotilleos y el escándalo volarán y aumentarán.

—Me importan un rábano los cotilleos de Darlington.

Tallbridge curvó ligeramente los labios, en una sonrisa sin humor.

—Aquí no estamos en la Edad Media. Cuatro veces a la semana salen diligencias llevando a personas y cartas. Los chismes de Darlington llegan a York en un día, a Londres en menos de una semana, y desde esos lugares se propagan a todo el país.

—Una boda apresurada sólo aumentaría las habladurías.

—Una boda apresurada calza con su historia. A la gente les fascinará un romance digno de trovadores.

—¿Debo intentar componer una balada sobre el tema? —ladró Cate.

Sentía apretarse el dogal alrededor del cuello. Y el dogal no era sólo uno salido de la imaginación de Tallbridge; estaba formado por hechos.

Drama y violencia ante un altar dan justo el tema para una historia que se propaga a toda velocidad por el país, con nombres adjuntos, y no tardaría mucho en saberse que había un aristócrata involucrado. Aun en el caso de que en los diarios sólo aparecieran B__e y Y__e, se añadirían detalles como «recientemente elevado a un importante título por la repentina y sobrecogedora muerte de su hermano».

Él no sufriría a causa de eso, a no ser en el sentido de que aumentaría su fama de tonta temeridad. En cambio, Prudence Youlgrave, si no se casaba, quedaría deshonrada; y si se casaba, sin duda se la describiría como la heroína de un gran romance.

Pero, infierno y condenación, la reacción de su familia, de las jóvenes esperanzadas que quedarían desilusionadas y de sus familias, del condado, del país, del rey, de la corte y de todo.

—¿Está de acuerdo? —preguntó Tallbridge, con el tono de quien tiene todas las cartas en la mano.

Sin duda quería sellar el vínculo con una familia noble, pero ¿tenía idea del detalle más exquisito? ¿Su hija pariente política de un conde? Fuera como fuera, estaba claramente empeñado en eso, pero más aún, tenía razón. Con su intervención él había declarado su intención de casarse con Prudence Youlgrave, así que por el bien de ella y el de él, debía casarse.

—Sí —dijo—. Pero necesitaremos una licencia.

—El obispo de Durham está a poco más de veinte millas de distancia, pero podemos hablar de eso una vez que Prudence esté al cuidado de mi prima.

—¿Su prima?

—La señora Pollock, que me lleva la casa. Es una mujer de buen corazón.

Cate no quería a Prudence bajo el techo de Tallbridge, porque este siempre antepondría sus propios intereses, pero no había ningún otro lugar donde ella pudiera estar a salvo de Draydale, que era el típico hombre que desearía vengarse de haber sido desenmascarado como un canalla.

En la casa de su hermano no estaría tan segura, y además estaría a merced de la vociferante cuñada.

No podía llevarla con él a la posada.

Volvió a mirar a Prudence, pero ella continuaba muy lejos.

Tallbridge tenía razón. Debían ponerle al asunto el barniz más romántico posible, pero, además, todo tenía que ser irreprochable.

A partir de ese momento no debía haber ni el más leve asomo de escándalo. En un futuro no muy lejano, todo el mundo estaría ansioso por conocer los detalles de la vida de la inimaginable nueva condesa de Malzard. Su vida ya sería bastante difícil sin la necesidad de añadir críticas ni deshonra.

Capítulo 11

*T*enemos que irnos.

Prudence levantó la cabeza y miró a Catesby Burgoyne, el hombre que había llegado nuevamente a rescatarla, pero también a armar ese alboroto y sangriento desastre. Tallbridge se había marchado; estaban solos.

Él la levantó suavemente de la silla y miró ceñudo su dolorida mejilla.

—Eso lo pagará bien caro algún día —dijo.

Esas palabras de él la devolvieron a la vida. Él era alocado, precipitado, violento, pero se preocupaba por ella.

—Abrázame —dijo.

Él la abrazó, envolviéndola en sus brazos fuertes y cálidos, igual que aquella vez, cuando la aflicción de ella era menor. Nunca había olvidado eso. Se apoyó en él, descansando, encontrando consuelo en los olores de su ropa; no eran los olores que normalmente cautivan a una mujer (lana y cuero viejos, con trazas de humo y de otras aventuras), pero eran los mismos que quedaron en sus recuerdos de aquella noche.

En la casa de White Rose Yard.

De la conversación animada por el coñac entre dos personas que no tenían nada en común, pero que se entendían muy bien. Él era la única persona con la que había sentido ese lazo. Ese lazo le permitió pedirle un beso, un beso peligroso que había llevado al tierno e inolvidable abrazo.

Como el de ese momento. Pero este venía después de un desastre. Se obligó a apartarse un poco para poder mirarlo.

—¿Qué va a ocurrir ahora?

—Te acompañaré de vuelta a la casa de Tallbridge.

Desde la que había hecho el trayecto a la iglesia, como una prisionera conducida a la horca.

—Tiene rejas en todas las ventanas de la planta baja —dijo.

—Entonces estarás segura ahí. Vamos.

Él no entendió lo que ella quiso decir con ese comentario. Esa noche, esa noche que pasó insomne, había planeado huir, pero no vio manera de salir por la ventana de la primera planta, y las de abajo estaban cerradas por rejas ornamentales pero muy sólidas. Le habían dicho que en las puertas de la calle y en las de atrás había alarmas que sonarían despertando a toda la casa si se abría la puerta, ya fuera por dentro o por fuera. Fuera esa la intención o no, la habían dejado tan prisionera y segura como a cualquier persona en una cárcel.

Y ahora tenía que volver ahí, y seguía sin conocer su destino. Habían hablado de boda, pero eso era una estratagema. Cate Burgoyne no deseaba casarse con ella, y ella no deseaba casarse con él.

No.

Él era un desconocido, y además un desconocido alocado, violento e irresponsable.

Pero ¿qué iba a ser de ella? La acusación de Draydale la había deshonrado, y Aaron se lavaría las manos...

Vio que todavía llevaba el anillo de diamantes de Draydale en el dedo medio. Se lo quitó, con el deseo de arrojarlo lejos, pero lo metió en un bolsillo.

Conducida por Cate Burgoyne salió de la sacristía por una puerta que daba a un cuarto pequeño en el que había otra puerta para salir al exterior. El aire fresco y la vista de la hierba y los árboles la devolvieron a la Tierra, pero eso no fue una mejora. Cerca había grupos de personas deseosas de ver más acción.

—Sonríe —dijo él.

Ella sonrió lo mejor que pudo.

Ante ellos se detuvo el coche de Tallbridge, ya despojado de todos los adornos nupciales. Cate abrió la portezuela y la ayudó a subir. Tallbridge ya estaba ahí, amablemente sentado en el asiento de espaldas al cochero. Cuando el coche viró y entró en la calle, los mirones se acercaron más, con los ojos muy atentos, como pájaros buscando gusanos.

—¿Quieres que baje las persianas? —preguntó Cate Burgoyne.

—No, podría dar a entender que nos sentimos culpables o avergonzados.

Él le cogió la mano y se la besó.

—Bravo —dijo.

Tallbridge los miraba con esos ojos de halcón que tenía. Tal vez era importante que él creyera por el momento esa historia romántica. Intentó hacer su papel, pero se sentía separada, desconectada, de todo, como si eso no le estuviera ocurriendo a ella, o ella no estuviera ahí. Se miró la mano que le tenía cogida Cate, y vio una manchita de sangre en el volante del puño de su camisa.

A pesar de la violencia y la bebida, le gustaban los recuerdos que tenía de Cate Burgoyne. Sin embargo, él no podía tener recuerdos tan conmovedores de ella. Lo que fuera que lo trajo a Darlington, a la iglesia, y lo empujara a esa tonta intervención en sus asuntos, no fueron sentimientos románticos por ella.

¿Qué iba a ser de ella?

Draydale dijo esa vileza, marcándola como una puta.

Sí que la había manoseado e intentado hacer más, pero ella nunca se lo permitió. Pero ¿por qué alguien iba a creer en su castidad, sobre todo cuando su supuesto amado retornado la rechazara?

Nadie de Darlington la recibiría, y pronto se correría la voz por toda la alta burguesía del norte. Si Aaron le permitía continuar bajo su techo, sería como la parienta pobre deshonrada que no podría salir ni de la casa.

Tal vez llevar una escuela de niñas en White Rose Yard sería su única esperanza.

Movió levemente la mano para tocarse la liga, en la que llevaba sujeto un cuchillo; era el cuchillo con que amenazó a Cate no hacía mucho tiempo. Le había hecho una funda para poder llevarlo en su boda.

Se lo imaginó principalmente como un símbolo, pero también representaba su último recurso. Había temido la noche de bodas, y su instinto la había hecho temer también el día. Había averiguado todo lo que pudo acerca de la segunda esposa de Draydale, la débil y enfermiza, que no era débil ni enfermiza cuando se casó con él.

Su plan era suicidarse si las cosas se le hacían demasiado repugnantes.

Tal vez esa era la manera de salir de la situación en que se encontraba.

—Hemos llegado, querida mía.

Pues sí. El coche había llegado a la casa de Tallbridge, una hermosa mansión de tres pisos en Houndgate.

Tallbridge bajó el primero y entró en la casa. Entonces bajó Cate y se giró a ofrecerle la mano para ayudarla a bajar.

Ella bajó y vio que había un grupo de personas en la calle, mirando y susurrando. ¿Sólo estaban asombradas o ya había llegado hasta allí la terrible historia?

Puso la mano en la de él.

Él se la besó, mirándola a los ojos y sonriendo.

Como dos enamorados de una balada de trovadores, reunidos a pesar de haber perdido toda esperanza. Por el momento eso les ofrecía protección. Lo obsequió con la sonrisa más ancha que pudo, entró en la casa a toda prisa y sólo pudo respirar cuando se cerró la puerta.

Al instante la abrazó la señora Pollock.

—¡Uuy, pobrecilla! Qué escena tan terrible, tan violenta.

—Ahora puede ponerse en marcha hacia Durham, Burgoyne. Yo puedo dejarle un caballo.

—¿Durham? —preguntó Prudence, soltándose del abrazo.

¿Él la iba a abandonar tan pronto?

—Voy a ver al obispo, por la licencia —le explicó Cate.

—¿Licencia? —Miró a los dos hombres—. No podemos casarnos.

—Por el contrario, debéis —dijo Tallbridge.

—Estoy deseoso de tenerte bajo mi protección —dijo Cate.

—Pero...

Él volvió a besarle la mano.

—Confía en mí. Todo irá bien. Tengo un caballo, señor —dijo a Tallbridge—. Está en la Talbot.

Donde la estaría esperando el desayuno de bodas. ¿Qué pasaría con eso? ¿No decía algo Shakespeare acerca de los asados? Ah, en *Hamlet*, pero esa alusión era que los asados preparados para el banquete del funeral los sirvieron después como fiambre en el desayuno de bodas. ¿Podría ser a la inversa?

Uy, no, allí, en circunstancias normales otra vez, no lograba imaginarse cortándose el cuello o lo que sea que se hace con un cuchillo pequeño para quitarse la vida.

Cate la miró y frunció ligeramente el ceño.

—Si envío a alguien a buscar mi caballo, tendremos un poco más de tiempo para estar juntos, querida mía. Tenemos mucho que decirnos.

Pues sí que tenían mucho que decirse; ella no entendía nada.

Tallbridge envió a un lacayo a la Talbot y después les indicó una sala de recibo.

—¿Os apetece que ordene que os lleven refrigerios?

Prudence deseaba beber coñac, pero no podía pedir eso, así que declinó el ofrecimiento. Entonces se encontró sola con Cate, sintiéndose algo mareada. Fue a sentarse en el sofá porque le flaqueaban las piernas.

Él se sentó a su lado.

—¿Habrías preferido que continuara la ceremonia de bodas?

Ella lo miró sorprendida.

—¿Con Draydale? ¡Jamás!

—¿Por qué, entonces, te compromestiste con él?

Ella oyó la duda en la pregunta.

—Mintió. No nos anticipamos a la boda.

—¿Por qué, entonces, continuaste con el compromiso?

—Hablas como un inquisidor. ¡Porque no vi otra opción! No entonces, al menos. Antes sí, pero ¿es fácil ver el final del camino cuando ponemos los pies en él?

—No, no es nada fácil —concedió él—. Pero tiene que haber habido otros pretendientes.

—Ninguno.

—Me cuesta creer eso.

Ella miró furiosa sus ojos serenos.

—¿Debo agradecer la lisonja u ofenderme por la insinuación de que miento? Ningún otro hombre me propuso matrimonio. La única otra opción era volver a la pobreza. Debería haber elegido eso.

—¿Tan cruel habría sido tu hermano?

Ella exhaló un suspiro.

—No. Pero tiene poco dinero propio, y Susan no habría visto ningún motivo para mantenerme con comodidad. Habría sido la parienta pobre, dependiente en todo, obligada a mostrarme eternamente agradecida. —Movió la cabeza—. Me lo tengo merecido, pero no quiero que hablemos más de matrimonio. Nada exige que te sacrifiques en el altar de mi orgullo.

—A excepción de mi honor.

—¿Tu honor?

—Soy tu fiel enamorado, no lo olvides, declarado así ante testigos. Si me marcho huyendo, eso me marcaría como el más ruin de los canallas.

—Pero ¿por qué hacer esto? ¿Por qué te lanzaste a rescatarme otra vez?

—¿Quieres decir que lo lamentas? ¿Que preferirías ser ya la señora Draydale?

—Sí. ¡No! —Se levantó cubriéndose la cara con las dos manos—. Pero ojalá estuviera de vuelta en White Rose Yard.

—¿De verdad?

Ella se giró y lo vio de pie y sonriendo.

—Ah, tú, ¡hombres! Seguro que todo es fácil para ti. Has entrado en posesión de una propiedad sin una pizca de trabajo.

—Cierto, pero estoy dispuesto a compartirla contigo.

—No, no, no hay ninguna necesidad de fingir. Apenas nos conocemos.

—Hemos pasado poco tiempo juntos, pero creo que te conozco extraordinariamente bien. Entiendo que no desees casarte conmigo, pero creo que debes hacerlo.

—Eso es una tontería.

Pero una parte de ella gimió una protesta. No era sólo el deseo de protegerse del escándalo y de Draydale, sino que sentía esa conexión otra vez, esa sensación de intimidad que desafiaba la lógica del tiempo pasado en compañía mutua.

Él fue a mirar por la ventana.

—Ha llegado mi caballo. El trayecto a Durham de ida y vuelta me ocupará la mayor parte del día. Tal vez uno de nosotros encuentre una manera de escapar, pero si no, necesito la fecha de tu nacimiento y los nombres completos de tus padres.

De pronto, en medio de sus grandes problemas, ella sintió incomodidad por revelar su edad.

—Nací el día veintiséis de septiembre de mil setecientos treinta y nueve. Mi padre se llamaba Aaron Youlgrave y mi madre Joan Wright.

—Es justo que yo te dé la misma información. Nací el día cuatro de febrero de mil setecientos treinta y nueve. Mi padre se llamaba Sebastian Burgoyne y mi madre Flavia Catesby.

Los nombres ya hablaban de mundos diferentes. Él debería casarse con una Flavia, una Lydia, una Augusta, no con una Prudence.

—¿Estarás segura aquí? —preguntó él.

—Hay rejas en todas las ventanas —le recordó ella.

—Pero el peligro podría entrar por la puerta. Dudo que tu desilusionado novio esté en condiciones de hacer un asalto, pero podría encargar a otros que intenten vengarlo.

Entonces ella vio la cara de Draydale justo antes de que la golpeara, morada de rabia, llena de furia en sus ojos. Le faltó aire y vio entrar oscuridad por las comisuras de los suyos.

Sintió el brazo de él sujetándola.

—¡Prudence!

La levantó en brazos y salió de la sala pidiendo a gritos que le dijeran adónde debía llevarla.

—De verdad, no es necesario —logró protestar ella.

Pero la señora Pollock, muy agitada, se lo explicó, así que él subió la escalera llevándola como a una niña pequeña, y luego entró en el dormitorio que ella había ocupado esa noche, la habitación donde no había hecho otra cosa que pasearse.

Ya estaba instalada en la cama, apoyada en los almohadones que la señora Pollock se apresuró a arreglarle, sin parar de musitar: «Ay, Dios, ay Dios, ay Dios».

—Lo siento —dijo—. Normalmente no soy tan débil.

—Ha sido un día como para poner a prueba a Boadicea —dijo Cate.

—Tú no estás ni medio desmayado.

Al parecer él encontró divertido eso.

—Mis sinceras disculpas, pero mi prueba no fue tan terrible. Prudence, si de verdad deseas que me quede...

—¡Quedarse aquí! —exclamó la señora Pollock—. Señor, no habrá más escándalos.

Y sin más lo hizo salir de la habitación gritando: «¡Carrie!», como pidiendo refuerzos.

Prudence volvió a dejarse caer sobre las almohadas, y un crujido le advirtió que tenía puesto el sombrero. Buscó las horquillas que lo sujetaban, las sacó y arrojó el sombrero con fuerza hacia la pared, golpeándola. Se cayeron las flores.

Que desastre, que desastre, que desastre.

Si Cate Burgoyne tenía la oportunidad de escapar para no volver jamás, lo comprendería. Pero claro, ¿qué sería de ella, entonces?

Volvió la señora Pollock, acompañada por una criada mayor.

—¡Ah, su sombrero! No se preocupe, querida, no llore.

¿Estaba llorando?

—No tardaremos en ponerla cómoda y podrá descansar. Qué día, qué día, y es recién pasado el mediodía.

Cate bajó y pidió hablar con el señor Tallbridge otra vez en la sala de recibo. Cuando este entró, él cerró la puerta.

—No permitirá que Draydale entre en esta casa mientras yo esté ausente.

—Me desagrada su tono, señor, pero estoy seguro de que él no está en condiciones de hacer visitas.

—También está su hija. No quiero que sermonee a Prudence.

—¿Quiere que le prohíba a mi hija venir a casa? Francamente, señor... Pero si insiste, no vendrá aquí hoy.

Cate tuvo que suavizar los modales porque, por desgracia, acababa de caer en la cuenta de que tenía que pedirle un favor.

—Le estoy muy agradecido, señor, y lamento las molestias. Naturalmente, deseo comodidad para mi novia.

—Claro, claro, por supuesto. Es totalmente comprensible.

No tenía otra opción.

—Está el asunto del transporte.

Tallbridge arqueó una ceja y a Cate le pareció ver en sus labios una insinuación de sonrisa satisfecha; tal vez era un talento natural del comerciante saber cuando alguien necesita algo.

—¿Transporte?

—Voy a necesitar un coche para llevar a Prudence con su equipaje a mi casa. No estoy escaso de fondos, pero sí de dinero en efectivo en estos momentos. Inicié mi viaje ayer sin pensar que se presentarían estas complicaciones.

—¿Irá lejos?

Era una pregunta lógica, y él tenía preparada una media verdad.

—He pensado llevar a mi esposa a la casa de mi familia primero.

—¿A Keynings? Una casa famosa por su belleza. A Prudence le va a encantar, no me cabe duda. Permítame que le preste mi coche de viaje y a mis criados, Burgoyne. Será un honor.

Ah, sí, Tallbridge estaba decididamente deseoso de emparentar con un conde. Pero él había esperado dinero. Si usaba el coche de Tallbridge, el cochero y el mozo se enterarían de la verdad cuando llegaran a Keynings.

Pues sea. La verdad no se podía ocultar mucho tiempo.

Pero, cáspita, no se lo había dicho a su novia. ¿Cómo reaccionaría ella al saber que al casarse con él se convertiría en condesa? Algunas lo considerarían un premio, pero él sabía que ella no. Su repentina elevación a conde le estaba resultando un infierno, y eso que estaba acostumbrado a ese mundo.

No había ninguna necesidad de decírselo todavía. Ya se le ocurriría una manera de hacerlo.

Le agradeció a Tallbridge su generosidad y salió al lugar donde le esperaba *Oakapple*. Montó, haciendo un repaso de todo por si había algo que necesitara su atención inmediata. Debería enviar un mensaje a Keynings para preparar a todo el mundo, pero no lo haría. Así nadie tendría tiempo de venir a toda prisa a poner objeciones a la boda. Dos veces en dos días sería francamente excesivo.

Decidiendo que era mejor no dar ningún aviso a su familia, emprendió el trayecto de veinte millas a Durham. Con sus vestidos nuevos y sus excelentes modales, Prudence causaría una buena primera impresión. Mejor que se estableciera en Keynings por sus pro-

pios méritos antes que llegara la inevitable revelación de los incidentes escandalosos y de sus desafortunados antecedentes.

Cayó en la cuenta de que estaba pensando en la boda como en algo
ya hecho y que eso no lo afligía. A pesar de los muchos problemas que
lo acuciaban, prefería casarse con su Hera antes que con Sosa, Torpe o
Chispa.

Prudence dejó que entre la señora Pollock y la criada le quitaran el
magnífico vestido de novia y el corsé cubierto con seda bordada,
pero en ese momento se acordó.

Les apartó las manos e insistió en meterse detrás del biombo
para quitarse la enagua. Una vez ahí, se levantó la camisola y soltó la
liga con la que había amarrado el cuchillo dentro de una funda
hecha especialmente. Había llevado el cuchillo con un propósito
morboso, pero también para que le infundiera valor, tal como se
había puesto el alfiler de plata de Cate Burgoyne en el peto con flores bordadas, donde prácticamente no se veía.

¿Valor para qué?

Reconoció la verdad. Aun cuando fue a la iglesia totalmente aterrada, una parte de ella deseaba tener valor para atenerse a su finalidad, casarse bien, y aceptar a Henry Draydale a cambio.

¿Ser valeroso era siempre una estupidez?

«Bienaventurados los mansos», decía el Evangelio. «Presentad la
otra mejilla.»

—Aquí tiene su camisón, señorita.

La criada le pasó por encima del biombo la fina prenda de linón
y encaje, el camisón que Susan había insistido en que se pusiera para
la noche de bodas.

—Por favor, páseme uno de los míos normales.

Por falta de un escondite mejor, metió el cuchillo con su funda
detrás del lavabo y se quitó el resto de la ropa. Se puso su camisón
sencillo, salió de detrás del biombo y se dejó atender por las muje-

res, que la acomodaron en la cama. Entonces bebió un líquido amargo que le dio la señora Pollock.

Cuando ella masculló «Preferiría coñac», la señora musitó «tututut» y le susurró a la criada que los terribles incidentes le habían enredado la cabeza a la pobre señorita Youlgrave.

Terribles.

Sí, terribles.

Cerraron las cortinas de la ventana y por fin la dejaron sola, sola con los recuerdos.

Recordó la mañana, cuando se preparó para la boda, en esa misma habitación, enferma de nervios y dudas, pero escuchando hasta cierto punto la conversación entre Susan y la señora Pollock, que hablaban muy alegremente de las dichas conyugales, de los placeres de ser la señora de una casa propia, y de hijos.

Susan le prestó su broche, recitando: «Algo viejo, algo nuevo, algo prestado, algo azul. Y una moneda de seis peniques de plata en el zapato».

El broche con una muy trabajada flor le quedaba bien en el adornado peto.

Ella aseguró que el alfiler de plata había sido de su padre y, por lo tanto, era lo viejo. Lo nuevo era casi todo lo que llevaba puesto, y para lo azul se metió en el bolsillo todo el largo de la cinta azul. Era la cinta que deseó tener ese primer día en Darlington. Su sombrero estaba demasiado viejo para adornarlo, pero de todos modos la compró.

La moneda de seis peniques era lo que le quedó de los dos chelines que le diera Cate Burgoyne.

El cuchillo, el alfiler, la moneda. ¿Acaso ella lo había llamado con algún antiguo hechizo?

La bebida somnífera con zumo de adormidera estaba actuando en su imaginación, haciendo brillar a Cate con santo fervor mientras el recuerdo de Henry Draydale se quemaba ardiendo en una luz oscura y diabólica.

Pero cuando Cate le cogió las manos en la iglesia tenía sangre en los nudillos y detrás de él en el suelo estaba Henry Draydale ensangrentado por la paliza. ¿Quién era el demonio, entonces?

Se acurrucó bien bajo las mantas, rogando que de alguna manera todo resultara haber sido un mal sueño.

Que ella pudiera empezar de nuevo otra vez, pero de diferente manera.

Capítulo 12

*E*mpezaba a oscurecer cuando Cate llegó de vuelta a Darlington; y volvía sin haber encontrado solución al problema. Durante el tiempo que le llevaron los largos trayectos de ida y vuelta y las horas que pasó esperando en el palacio del obispo no había hecho otra cosa que pensar, pero finalmente no veía otra opción que la de casarse con Prudence Youlgrave.

Había considerado las reacciones ante ese matrimonio por parte de sus familiares y otras personas, pero finalmente las dejó de lado; no había nada que hacer al respecto. Pero todo resultaría mejor si todos creían en la ficción de los enamorados tanto tiempo separados. Así parecería un matrimonio por amor realizado después de años de espera, y no un caótico lío.

Había inventado una historia que daría resultado. Tres años atrás, durante un permiso, había venido al norte, y entonces se conocieron. En realidad había tenido poco tiempo para dedicarse al galanteo en Northallerton, pero seguro que nadie recordaría eso.

Tendrían que haberse escrito cartas, pero las podría escribir ahora si era necesario. Lógicamente, algunas se habrían perdido, de ahí que Prudence creyera que él había muerto. Eso ocurre, se pierden cartas, especialmente en tiempos de guerra, como ocurrió con la carta de Roe informándolo de la muerte de su hijo. Una carta a un soldado puede viajar meses buscándolo y finalmente perderse de muchas formas.

No se le había ocurrido nada que explicara la falta de comunicación entre ellos durante sus semanas en Keynings en marzo. Tal vez que Prudence se había mudado. No creía que ella hubiera podido vivir en White Rose Yard años y años.

Así pues, tenía una historia.

¿Tenía una boda?

Prudence podría echarse atrás por un montón de motivos, y tenía el temperamento para eso, aun cuando hacerlo la pusiera en un camino muy fragoso. Era una mujer orgullosa, resuelta y valiente, su Hera. Muchas veces en perjuicio de ella, pero él se había causado perjuicios un par de veces por esas mismas cualidades. Seguía deseando casarse con ella.

Su apariencia no agradaría a todos, pero le agradaba a él; le había gustado desde el principio. Era alta y robusta, lo que ciertamente había que tener en cuenta. Siempre sentía la necesidad de ser cuidadoso en las relaciones sexuales con mujeres delicadas. Tenía la impresión de que ella sería lujuriosa una vez que se acostumbrara. Le gustaba muchísimo una amante lujuriosa, y tener una por esposa sería un premio inesperado.

Pero a ella podría llevarle tiempo acostumbrarse, al haberse casado de prisa con un desconocido. A no ser que Draydale ya la hubiera acostumbrado.

Se había roto la cabeza pensando en eso una y otra vez a lo largo del día. Había intentado borrar de su mente la acusación de Draydale, pero sin conseguirlo del todo. ¿Podía un hombre ser tan vil como para arrojarle una mentira como esa a una mujer ante el altar? Posiblemente sí, pero él no podía estar seguro del todo. Las parejas comprometidas a veces se adelantan a la boda.

Draydale podría haber persuadido a Prudence con su insistencia o incluso podría haberla forzado. No sería de extrañar que ella hubiera negado una cosa así, sobre todo en la iglesia, delante de miembros respetables de la comunidad que serían sus vecinos.

Y si había sido así, la comprendía, pero no podía arriesgarse a la posibilidad de que entrara en el matrimonio embarazada de Draydale, pues si tenía un varón, sería su heredero.

Y el asunto tenía otro lado también. Aun en el caso de que él estuviera totalmente seguro, las detestables palabras de Draydale se propagarían, sobre todo cuando el mundo se enterara de que la mujer acusada era ahora la condesa de Malzard. Todos observarían si estaba embarazada y contarían los días. Era mucho mejor que su primer hijo naciera nueve meses bien generosos después de la boda, si no, siempre se cerniría una sombra sobre él.

Cuando desmontó en la Talbot, ya había encontrado la solución. No consumaría el matrimonio inmediatamente. Una vez que Prudence tuviera la regla, estaría totalmente seguro y ya habría pasado bastante tiempo.

Y si estaba embarazada... ya se las arreglaría con eso.

Cuando terminó de ocuparse de *Oakapple* y se sentó a comer una cena tardía, sólo le quedaba un problema: decirle a su novia que se iba a casar con el conde de Malzard. ¿Le creería ella? Podía enseñarle su anillo con el sello, pero un blasón es muy parecido a cualquier otro, y era posible incluso que pensara que él lo había robado.

La falta de credibilidad y de pruebas le permitían dejar para después la acción.

De todos modos, no podía permitir que ella se casara con él en la más absoluta ignorancia.

Bebió clarete y cayó en la cuenta de que se le estaba enfriando la sopa.

Bebió un poco, pensando en los modestos sueños de ella: un marido decente, una casa acogedora, dinero suficiente para mantenerlos a ella y a sus hijos con comodidad y seguridad, un lugar respetable en la sociedad.

En lugar de eso él le ofrecía un marido bribón, casas tan grandiosas que no serían el hogar que ella imaginaba, riquezas inaccesibles para muchas otras personas y un lugar en la capa más alta de la sociedad, para el que ella no estaba preparada. Como condesa de

Malzard sería una de las grandes damas del norte. Incluso en Londres, en las fiestas y reuniones de los grandes, sería importante. Su madre había sido dama de honor de la reina durante un tiempo.

Le habían servido jamón frito junto con la sopa, pero apenas lo probó, aunque sí vació la botella de clarete.

Pues bien, no tenía otra opción. Debía decírselo y que ella decidiera.

Se levantó, salió del comedor, fue a pedir una antorcha para iluminarse el camino, y salió en dirección a la casa de Tallbridge. Ya iba a medio camino cuando recordó que Draydale podría desear hacerle daño.

La peste se los lleve a todos. Que el destino siga su curso.

Llegó a la casa sin ningún incidente, pero vio que no había ninguna luz encendida. Eso le ofrecía un pretexto para renunciar a su misión, pero no lo aprovechó. No creía que Prudence estuviera durmiendo apaciblemente después de ese día, pero si lo estaba, tendría que despertarla. Era necesario que ella supiera la verdad.

Pero la casa de Tallbridge estaba tan protegida como dijera ella. Las cuatro ventanas de la fachada tenían rejas ornamentales pero sólidas, y al parecer en la puerta había una alarma; seguro que sería algún artilugio explosivo que haría un fuerte ruido si se activaba.

En todo caso, él no tenía la menor habilidad para forzar cerraduras. Continuó caminando por la acera de forma despreocupada, como si fuera un hombre que vuelve a su casa, aunque pensando en la posibilidad de que lo sorprendieran y lo llevaran al tribunal por allanamiento de morada. Los pares del reino estaban protegidos de ciertos procesos judiciales, pero no sabía si ese privilegio se extendía a los delitos comunes.

Llegó al final del bloque, entró en el callejón, apagó la antorcha contra el suelo y continuó caminando a oscuras hacia la parte de atrás del edificio. Una lástima que la luna iluminara tan poco, pero así la oscuridad ocultaría su acto delictivo.

Se le adaptaron los ojos a la oscuridad, pero cuando llegó al callejón de atrás tuvo que caminar casi pegado a la pared y pisar con mucho cuidado; había surcos profundos, tal vez hechos por las carretas que iban a entregar mercancías. De pronto un olor le dijo que a la derecha había establos. Tallbridge podría tener un establo ahí; eso significaba mozos, que podrían estar despiertos. No se oían voces, pero continuó con más cuidado aún.

Distinguió la casa de Tallbridge porque tenía la pared más alta y arriba brillaban trozos de vidrio roto. Un hombre concienzudo ese Tallbridge.

¿Tendría también un perro guardián patrullando el jardín de atrás? Deseó haber traído su pistola o su espada.

Sigiloso llegó hasta la puerta, que, lógicamente, estaba cerrada con llave.

Estaba ante un reto, y siempre le habían gustado los retos. ¿Cómo pasar al otro lado estando el muro coronado por vidrios rotos? Llevaba guantes de piel, pero su protección sería mínima.

Estaba barajando posibilidades cuando se le ocurrió una solución más sencilla. Tal vez Tallbridge no protegía tan bien las paredes medianeras. A sus vecinos no les gustaría que hubiera vidrios rotos entre ellos.

Encontró la siguiente puerta y probó: cerrada con llave. La de más allá también estaba cerrada con llave, pero la madera se veía algo podrida. Con la bota desprendió el pestillo de la madera y apenas con un tenue ruido. Esperó un momento, por si sonaba alguna alarma, y después empujó la puerta y entró en el patio.

Notó que eran losas lo que pisaba, y más allá había plantas; tal vez era una huerta. Encontró el camino y llegó a la pared lateral; sólo tenía algo más de dos yardas de altura. No tardó en encaramarse y dejarse caer al otro lado, con cuidado eso sí, por si había algún obstáculo.

Sonrió. Vio la pared lateral del jardín de Tallbridge; era más alta pero no tenía vidrios rotos arriba.

Mejor aún; explorando con las manos encontró diversos objetos. Una pila de ladrillos, tablones, cañas largas. Nada de eso era muy útil, pero indicaba que al dueño de la casa o bien le gustaba acumular cosas o estaba en medio de una obra de construcción.

Podría incluso haber una escalera de mano.

Por desgracia no encontró una escalera, pero un tablón sobre un par de caballetes le sería casi igual de útil. Con el mayor sigilo, llevó un tablón y dos caballetes hasta la pared. Con esa altura extra no le costó nada subir.

Se quedó un momento arriba, con el oído atento por si oía ladrar a un perro. También contempló el jardín. Lo cruzaban varios senderos de piedra blanca. Sin duda el efecto era muy grato durante el día. Y era muy útil en ese momento, porque la tenue luz de la luna hacía brillar la piedra.

Se dejó caer y siguió el sendero que llevaba a la pared de atrás de la casa.

Tal como suponía, las ventanas de la planta baja también tenían rejas, aunque sólo eran simples rectángulos. En realidad no había esperado que hubiera plantas en espaldera o enredadera, y de todos modos habría vacilado en usarlas. Prudence iba a tener que bajar.

Y bueno, no estaba asomada a la ventana declamando: «Catesby, Catesby, ¿dónde estás, Catesby?»

Recordó el camino que siguió cuando la llevó al dormitorio.

Esa ventana, a la izquierda.

Cogió unas cuantas guijas de la gravilla clara, apuntó y las lanzó.

Acertó de pleno.

Pero no hubo respuesta.

Estaba recogiendo otras cuantas para arrojarlas cuando se movió la cortina y apareció la cara de ella. Con gestos le indicó que bajara.

Se abrió la ventana y Prudence Youlgrave asomó la cabeza gesticulando como una loca para silenciarlo.

Él sólo pudo sonreír. Con ese gazmoño camisón blanco y un gorro de dormir atado bajo el mentón, estaba deliciosa.

Volvió a llamarla con gestos.

Ella negó enérgicamente con la cabeza, ceñuda.

Gozando con lo ridículo de ese juego mudo, él hincó una rodilla en el suelo y juntó las manos, suplicante.

Prudence lo miraba sorprendida.

¿Qué quería ahora ese loco?

¿Por qué estaba ahí a esas horas? ¡Eran las diez de la noche!

¿Estaría borracho?

Entonces lo recordó. Él le había dicho que debían intentar encontrar una manera para escapar del matrimonio. Le subió a la garganta una sensación de náuseas.

Tal vez era por efecto del somnífero, pero esa tarde había despertado aletargada, atormentada por un sordo dolor de cabeza y sintiéndose desgraciada. Había comido y cenado en el dormitorio, pues el peso de su situación se le hacía más y más opresivo. Estaba enredada en un escándalo; si no se casaba al día siguiente sería una mujer deshonrada para el resto de su vida.

Peor aún, tal vez se había granjeado un poderoso enemigo. Conocía a Henry Draydale lo suficiente para saber que él consideraría necesario vengarse. Había oído historias sobre las cosas que les hacía a las personas que lo ofendían o fastidiaban en los asuntos de negocios, y ese fue uno de los motivos de que comenzara a dudar de la conveniencia de casarse con él.

Si Cate Burgoyne la abandonaba, ¿quién la protegería? Aaron no, seguro. ¿Tallbridge? ¿Por qué se iba a tomar la molestia?

Y ahí estaba Cate Burgoyne, alegremente dispuesto a explicarle cómo podían escapar del matrimonio.

Si cerraba la ventana y se escondía debajo de las mantas, él tendría que marcharse y presentarse en la iglesia por la mañana. Era un asunto de honor, le había dicho. Pero esconderse no era su estilo. Tenía que saber lo peor ya.

Cogió la bata, se la puso sobre el camisón y salió de la habitación. La casa estaba oscura como boca de lobo. Volvió al dormitorio, cogió la caja de pedernal y consiguió encender la vela de la palmatoria. Salió con ella, rogando que Tallbridge y su prima no fueran de sueño liviano.

Entonces comprendió que si la sorprendían, la vela actuaba a su favor. Siempre podría decir que no podía dormir y que salió a buscar un libro. Bajó a toda prisa la escalera y ahí cayó en la cuenta de que no podía salir a verlo; esas alarmas en las puertas. Tendría que ser por una ventana.

El comedor daba a la parte de atrás, así que entró. Las cortinas estaban abiertas y entonces lo vio; ya estaba de pie, mirando hacia su ventana con el ceño fruncido.

Golpeó suavemente el cristal y él miró hacia ella.

Entonces sonrió.

Ella puso la palmatoria en el alféizar de la ventana, lidió con el mecanismo para abrirla y consiguió subirla. Menos mal que la casa estaba bien llevada, porque no hizo ni un solo ruido. Él se acercó a la ventana y quedó con la cara algo más abajo que la de ella, lo cual lo hacía más raro todo.

—¿A qué has venido? —preguntó, apenas en un susurro, con el oído atento por si sentía algún ruido en la casa.

—No te apures —dijo él, en voz baja, pero no tan baja como para tranquilizarla—. Si nos pillan, una cita a la luz de la luna está en conformidad con un romance digno de trovadores.

—¿Y por eso me has sacado de la cama? Estás loco.

—No. Necesitamos hablar, ¿lo recuerdas?

Ah, pues sí que lo recordaba. Tragó saliva y consiguió decir:

—Sobre la manera de escapar del matrimonio.

—¿Sigues deseando escapar?

Ella intentó hacer un mal gesto, que sin duda distorsionaría la parpadeante luz de la vela.

—¿Y tú?

—¿Estamos jugando a las adivinanzas? Prudence, estoy dispuesto a casarme contigo si tú quieres. Pero no sabes mucho de mí.

«Sé lo bastante para estar segura de que te prefiero a ti que a las alternativas», pensó, pero claro, tenía que hacer preguntas.

—¿De veras puedes mantener a una esposa?

—Sí.

—¿Tendremos un hogar decente?

—Sí.

A ella le pareció que vaciló antes de decir el sí.

—¿Eres jugador? ¿Lo vas a perder todo y me dejarás en un lugar como White Rose Yard, y tal vez con hijos?

—Por mi honor, no. Tampoco soy un borracho, aunque sí me gusta beber, como sabes.

—A mí también —dijo ella, melancólica, porque un traguito de coñac sería néctar en ese momento.

—Qué fantástico, entonces, que te haya traído un regalo.

La luz de la luna hizo brillar algo de metal y cristal. Era una botella pequeña y plana rodeada por una malla de hilos de plata, demasiado grande para ser un frasco de perfume, pero no más grande que la palma de su mano.

—Es muy bonita —dijo—, pero ¿qué contiene?

—Ánimo espiritoso.

—¿Gin?

—Me he elevado en el mundo, no lo olvides. Devolución de tu regalo de coñac. El tapón se desenrosca y sirve de vasito.

Desconcertada y deslumbrada por ese momento de libertad, Prudence desenroscó el tapón, lo llenó, bebió un sorbo y lo saboreó. Entonces le pareció que el coñac se volvía vapor y se esparcía por su cabeza.

—Es extraordinario —dijo.

—El milagroso espíritu de Cognac, la región donde se hace el mejor coñac.

Ella miró la botella.

—Esto es demasiado precioso.

—No fastidies. Puedo permitirme comprar coñac, y la petaca es una bonita curiosidad, nada más. La compré en Londres, pensando en ti.

—¿En Londres? ¿Cuándo?

—Hace unas semanas.

¿Podía creerse una cosa así? ¿Qué hace unas semanas, y muy lejos de allí, él había estado pensando en una mujer a la que conoció hundida en la pobreza y con la que estuvo una sola vez en Northallerton? No, no podía. Era un hombre amable y quería fingir que ella significaba más para él de lo que era posible.

Pero intervino para salvarla de tener que casarse con Draydale.

Bebió otro poquito.

—¿Cómo llegaste hasta la iglesia?

—Cabalgué hasta aquí para ver cómo estabas.

Eso también parecía bondad.

—¿Cómo sabías que yo estaba en Darlington?

—Hace una semana más o menos pasé por Northallerton y fui a tu casa. Hablé con tu vecina.

—Hetty. Pero ¿por qué...?

—¿Por qué vine a Darlington? Esperaba ver a Hera victoriosa.

—Y la encontraste en un serio aprieto y te sentiste obligado a correr a rescatarla.

—Yo elegí mi camino y no me siento infeliz con él.

Ella volvió a mirarlo atentamente.

—¿De verdad?

—De verdad.

Ella se apoyó en los barrotes.

—Oh, gracias a Dios. Gracias, Cate. Tenía mucho miedo de que no lo desearas. Sentía terror de las consecuencias. De la pobreza, pero peor que eso, de que me arrojaran a la calle, conocida por todos como una mujer caída. De Draydale. Sé que es debilidad, pero me aterra.

Él le cubrió la mano con la que tenía cogido el barrote.

—Ahora eres mía, Prudence, y puedo protegerte de todos tus demonios.

—Draydale es poderoso y despiadado. Se venga de los que lo ofenden o contrarían, y nadie lo ha contrariado más que nosotros.

—No le tengo miedo a Draydale —dijo él tranquilamente—, y tú no tienes por qué temerlo. Debes creerme, Prudence. Dame tu mano. Tengo un anillo para ti. Un anillo es señal de alianza y protección.

Ella se tensó, recordando cuando Draydale le puso el anillo de compromiso con un diamante en el dedo. La piedra era grande, pero simbolizaba posesión, no protección, y ella lo comprendió.

Ojalá hubiera prestado atención a esos sentimientos, pero claro, ya era demasiado tarde. Ella le había dado aliento; muchas personas habían observado el galanteo. Si lo hubiera rechazado en ese momento él se habría convertido en su enemigo.

Notaba algo raro en la conversación con Cate; percibía que él dejaba cosas y dudas sin decir. Pero estaba dispuesto, estaba dispuesto. Pasó la mano por entre dos barrotes; él se la cogió y le besó la palma.

Ese simple acto le produjo una sensación tan intensa que se estremeció.

—Traje poco dinero para este viaje, así que no pude comprarte el anillo que te mereces, pero en Durham encontré este, si te queda bien.

Le puso el anillo en el dedo, y lo que sintió ella fue muy diferente de lo que sintió cuando Henry Draydale le puso el suyo. Incertidumbre sí, pero esperanza también.

El delicado anillo le quedaba bastante grande, pero lo encontró entrañable. Era de plata y llevaba engastada una piedra pequeña, tal vez un granate. Un anillo muy sencillo, pero sintió la seguridad de que siempre sería precioso para ella.

—Gracias. Es precioso.

—Pronto te daré algo mejor. ¿Cuál es tu piedra favorita?

—Me gusta esta.

—Topacio tal vez. O esmeralda.

Ella negó con la cabeza, mirándolo.

—No hay ninguna necesidad de derrochar.

—¿Ya me estás regañando? —bromeó él—. La alianza matrimonial es igualmente poca cosa. ¿Estarás dispuesta a cambiarlo por uno mejor? Conozco a mujeres que creen que el anillo con que se casan es sagrado.

—Yo estaré contenta con él. Habrá mejores cosas en que gastar tu dinero.

—No repitas eso. Le pediré un préstamo a Tallbridge para comprarte algo mejor.

Al instante ella se puso seria.

—No. No le pidas nada a Tallbridge. Te cobrará cara la deuda.

—Juiciosa mujer, pero ya he aceptado usar su coche de viaje y sus caballos para que nos lleve a casa mañana.

Ella habría preferido cortar por lo sano la relación con Tallbridge, pero la palabra «casa» le evaporó todas las preocupaciones.

—¿De veras tendré una casa? ¿Mañana?

—Sí, y estarás libre de miedos.

Nuevamente ella percibió algo no dicho, algo que a él le producía inquietud.

—¿Qué? ¿Qué pasa? —preguntó.

Él hizo un mal gesto.

—¿Sabes que mi familia es aristocrática?

—¿La familia Burgoyne? Sí, supongo que sí. Y la familia de tu madre, los Catesby.

—Será un cambio para ti, y podría ser difícil.

Él temía que ella lo avergonzara.

—No será muy extraño —dijo, consciente de que iba a dar una impresión falsa—. Me crié en una casa solariega.

—¿Sí? —dijo él, tan complacido como ella había supuesto—. Supongo que tu padre perdió su fortuna.

—Sí —repuso ella, diciéndose que eso era más o menos cierto.

—Por eso deseabas tanto volver a un estilo de vida elegante. Eres una mujer valiente, Prudence.

—La valentía puede llevar al peligro.

—También puede la cobardía, y con más frecuencia. —Titubeó un momento y luego dijo—: Podríamos tener que ir a Londres. Incluso a la corte.

—¿A la corte? ¿Por qué?

—Hay que presentar los respetos cuando se está en la ciudad.

—Entonces prefiero no ir a Londres.

—Pretendo ocupar un escaño en el Parlamento.

—Ah. —No lo encontraba muy apto para ese papel, pero si él quería ocupar un escaño en los Comunes, ella no se lo impediría—. Pero yo podré quedarme en casa, ¿verdad?

—Podrás, si de verdad lo deseas.

Encontraba rara la conversación, pero tal vez se debía al coñac y a la infusión con adormidera.

—Si es una casa agradable no voy a desear alejarme. —Deseó salir de la neblina, así que volvió a poner coñac en el tapón—. Deberíamos beber por nuestro futuro.

Bebió un poco y le pasó el tapón.

Él bebió.

—Por nuestro fogoso futuro.

—¿Fogoso?

—Dudo que la tranquilidad esté en nuestras naturalezas.

—Pero yo deseo tranquilidad, Cate. De verdad.

—Entonces haré todo lo posible por dártela. —Le pasó el tapón—. Bebe por la felicidad, Prudence, sea cual sea la forma que tome.

—Por la felicidad —dijo ella y apuró la copita.

—Detesto estos barrotes que nos separan. Es como si estuvieras en una celda de la cárcel. Pero sólo por esta noche. Mañana estarás libre.

—Una mujer nunca está libre.

—Yo no te gobernaré.

—Sí que me gobernarás —dijo ella enroscando el tapón—. Tienes una naturaleza muy autoritaria.

—Debe de ser el oficial que hay en mí. —Se acercó más a la reja—. Obedéceme, entonces, y acércate para besarte.

Ella lo miró un momento y entonces recordó el beso; fue dulce. Y la próxima noche él desearía hacer algo más. Se apoyó en los barrotes y sus labios se encontraron, cálidos, y casi saltaron chispas.

—La separación obligada está resultando inesperadamente excitante —musitó él—. Tal vez debería construir una celda de monja en el rincón de nuestro dormitorio, con una pequeña rejilla por la que sólo pueda tocarte y besarte.

Ella sintió un estremecimiento por dentro.

—Escandalizaría a los criados.

—No nos preocuparemos por los criados. Obedéceme otra vez, ábreme los labios.

Ella los entreabrió, cogiéndose de un barrote para afirmarse. Se mezclaron sus alientos, condimentados con el coñac; sintió la lengua de él en la de ella y se apretó más a los barrotes, enterrándoselos en el cuerpo. Él le rozó un pecho, que sólo estaba cubierto por una fina capa de lino.

Se apartó sobresaltada, y entonces pensó si no lo habría ofendido.

—No fue mi intención... Me sobresaltaste.

—Espero sobresaltarte más —dijo él sonriendo—, pero de todas las mejores maneras. Hasta mañana, novia mía.

Hasta la noche de bodas, pensó ella.

Seguía cogida de un barrote y él le besó los dedos que tenía ahí.

—Prometo hacer todo lo posible por procurarte una vida dichosa y maravillosa, Prudence Youlgrave.

Ella alargó la mano y le acarició la cara.

—Yo prometo lo mismo, Catesby Burgoyne.

—Entonces seremos dos enamorados dignos de la balada de un trovador —dijo él—, y nadie prevalecerá contra nosotros.

Continuó donde estaba, mirándola hasta que ella cerró la ventana y desapareció.

No se lo había dicho, pero ¿cómo se lo iba a decir cuando era tan evidente que ella deseaba y necesitaba casarse? Conocía su valentía; sería capaz de negarse a casarse si se consideraba indigna.

Pero nació y se crió en una casa solariega, o sea, que su familia no era tan humilde como había creído. Eso le allanaría el camino, y ya entendía algo del mundo en el que iba a entrar por el matrimonio.

Y, sencillamente, deseaba casarse con ella. Después de ese juego amoroso entre los barrotes, deseaba muchísimo casarse con ella.

Su mayor frustración era que tendría que atenerse a su plan y no consumar el matrimonio inmediatamente, pero le debía eso a su primer hijo.

Capítulo 13

*P*rudence se sintió rara al tener que repetir los preparativos del día anterior. Comenzó por un baño e insistió en que la criada le deshiciera el peinado para lavarse el pelo.

—Pero es tan bonito, señorita —dijo Carrie—. Le durará otro día.

—No me gusta —dijo ella.

Tal vez Carrie comprendió su repugnancia por todo lo que tuviera que ver con Draydale, y comenzó a quitarle las horquillas.

—Ooh, está tieso, señorita. El peluquero debió ponerle algo para sujetarlo. Muy cierto, llegada la noche a su marido le gustará más su pelo suave y sedoso.

Prudence se ruborizó toda entera, pero no por desagrado o malestar. Esa noche había recordado muchas veces ese roce de la mano de Cate en su pecho y la sensación que le produjo. Toda la noche la habían atormentado deseos intensos.

Imagínate.

¡Esta noche!

Encontraba pecaminoso esperar esos placeres después de que su tonta ambición la hubiera llevado al desastre, pero los esperaba.

Después del baño se sentó junto al hogar con un pequeño fuego a peinarse con los dedos, girando la cabeza hacia todos lados para que se le secara el pelo.

Entró la señora Pollock, toda nerviosa.

—El tiempo vuela, querida. Ooh, vamos, ¿por qué se ha lavado el pelo cuando sólo se lo peinaron ayer?

—Porque deseo que hoy sea un día totalmente diferente.

La mujer sonrió de oreja a oreja.

—Ah, sí, hoy se casa con su verdadero amor.

El romance digno de trovadores, pensó Prudence.

—Sí —dijo, sonriendo.

No se pondría el vestido especial para la boda; ya le había dicho a la señora Pollock que se lo llevara y se deshiciera de él. Había elegido su segundo mejor vestido, uno de seda verde jade diseñado para llevarlo sin miriñaque y por lo tanto apropiado para viajar.

Se puso una camisola limpia y un corsé sencillo, y se sentó para que la criada la peinara.

—Sólo recógemelo con unas horquillas sobre la cabeza, Carrie. Tenemos poco tiempo y llevaré el sombrero de aldeana.

Este era de ala ancha y le ocultaría el moretón de la mejilla. Ya había intentado cubrírselo con maquillaje, pero encontró ridículo el efecto y, en todo caso, el mundo debía recordar lo que le hiciera Draydale.

La enagua era de seda acolchada color marfil con bordados en verde haciendo juego con el vestido, y este llevaba bordadas flores color marfil haciendo juego con la enagua. El efecto era bonito, pero discreto. ¿Cate lo encontraría demasiado sobrio?

No tenía ningún otro apropiado.

El corpiño era ceñido y cerrado por delante por diminutos lazos de cinta color marfil, así que no necesitaba peto. Era algo escotado, eso sí, así que se cubrió las elevaciones de los pechos con una pañoleta de seda.

—Ese color le sienta bien —dijo la señora Pollock—, aunque es algo apagado. Aquí tiene el broche de Susan, que le quedará bien entre los pechos y le dará más colorido.

Prudence lo cogió antes que se lo pusiera y se lo metió en el bolsillo izquierdo.

—Así lo llevaré conmigo —dijo, tocando lo otro que tenía ahí: el cuchillo.

Ese día no lo llevaría sujeto con la liga, ni lo llevaría por miedo, sino sólo porque era parte de Cate. En el otro bolsillo llevaba el alfiler de plata y la petaca azul con coñac. Y la moneda de seis peniques en el zapato.

Talismanes.

El día anterior se le ocurrió llevar el cuchillo y el alfiler como talismanes, por miedo. Ese día los necesitaba más aún, porque tenía que hacer funcionar el matrimonio, por el hombre que tanto había hecho por ella.

Se fijó con horquillas el ancho sombrero de paja, que la señora Pollock había adornado a toda prisa con cintas color marfil, y se puso los delicados zapatos de tacón, hechos de la misma seda verde jade del vestido. Estaban hechos para una pista de baile, pero sobrevivirían al trayecto del coche a la iglesia y de la iglesia al coche.

Todo lo demás estaba en su baúl, que ya habían bajado para ponerlo en el maletero del coche.

Era el momento de partir.

Se cambió el anillo con el granate al dedo medio, en el que le quedaba mejor, y sonrió al recordar.

Pero cuando bajó la escalera y se cogió del brazo de Tallbridge para salir hasta el coche, le vino la sensación de que había pasado demasiado poco tiempo desde el día anterior. Henry Draydale sentiría la necesidad de hacer algo, algo que demostrara lo que les ocurría a aquellos que lo contrariaban, y Cate había hecho algo más que contrariarlo.

Desearía matarlo; lo sabía.

Subió al coche recelosa, atenta a cualquier peligro, rogando que las lesiones que tenía Draydale le impidieran actuar ese día.

No se sentiría tranquila mientras no estuviera bien lejos de Darlington, e incluso lejos, sólo podría rogar que Cate tuviera razón al creer que podía defenderlos a los dos de la venganza de Henry Draydale.

La ceremonia iba a celebrarse a las nueve y esperaba que esa hora tan temprana atrajera a menos gente a mirar. Pero cuando llegaron a Saint Cuthbert, vio que se había reunido más gente aún. ¿Por qué no? Ella representaba un escándalo entre las mejores familias de Darlington y un romance digno de trovadores.

Pero no deseaba exponerse a esa gente. Sin embargo, Tallbridge ya había bajado y estaba con la mano extendida para ayudarla a bajar; tenía todos los músculos paralizados, no podía moverse.

Pero echarse atrás ante el altar por segunda vez era impensable. Tocó los talismanes que llevaba en los bolsillos y obligó a sus músculos a moverse. Bajó del coche, obligándose a sonreír, se cogió del brazo de Tallbridge y echó a andar con él hacia la iglesia.

Se estremeció al oír murmullos y susurros.

—¡Bendiciones para la novia! —gritó entonces una mujer, y otras personas la imitaron.

Pudo sonreír con más naturalidad, y se atrevió a mirar hacia un lado para sonreírle a la gente.

Entonces un hombre gritó:

—¡Maldiciones para la puta!

Unas cuantas personas lo imitaron, añadiendo:

—¡Qué vergüenza! ¡Qué vergüenza!

Horrorizada vio que se armaba una refriega, en medio de gritos bendiciendo y maldiciendo.

—Vamos —dijo Tallbridge y la hizo entrar a toda prisa en el pórtico de la iglesia.

Ya dentro del recinto sagrado, ella se apoyó en la pared para no desplomarse.

—¿Por qué? ¿Por qué?

—Eso es obra de Draydale, supongo. Cálmate. Si eso es lo peor que puede hacer, saldrás bien librada.

Ella lo miró resentida, aunque comprendió que tenía razón. Además, si ese alboroto era obra de Draydale, ella no debía permitir que resultara victorioso.

Aaron salió al pórtico a toda prisa.

—¿Qué ha sido esa conmoción?

—Nada de importancia —dijo Tallbridge—. Tengo hombres fuera que se encargarán de eso.

¿Él había supuesto que habría un problema como ese?, pensó Prudence. Ojalá la hubiera advertido.

Después de mirarla severo, Tallbridge entró en la iglesia, dejándola con su hermano.

—Más deshonra para nuestro apellido —dijo él.

Ella enderezó la espalda.

—No ha sido obra mía, Aaron.

—Si no deseabas a Draydale no deberías haberlo aceptado.

Ella apretó los dientes.

—Entremos —dijo, cogiéndose de su brazo.

Cuando estaban llegando a la puerta de la nave, él dijo:

—Fuiste muy descortés al prohibir que Susan visitara su propia casa.

—¿Yo?

—Burgoyne lo prohibió, lo que equivale a lo mismo. Nos has causado muchos problemas, Prudence, en especial a mí.

Ella se detuvo.

—Nada de esto habría ocurrido si te hubieras portado con decencia, hermano. Nada. Yo habría estado contenta con un lugar en tu casa como hermana.

—No entiendes mi situación. Deberías haber esperado. Yo habría encontrado una manera.

Tal vez él creía eso, pensó ella, y justo en ese momento alguien abrió la puerta.

—No discutamos ahora, Aaron. Espero que en el futuro podamos encontrar más armonía.

Por los ojos de él pasó algo, algo del hermano pequeño al que ella quería y regañaba para que hiciera sus deberes escolares.

—¿Estás segura respecto a este hombre? —preguntó—. Una vez que estés casada yo no podré hacer nada para ayudarte.

—¿Habrías podido ayudarme una vez que yo hubiera estado casada con Draydale? —Vio que él se ruborizaba y comprendió que no tenía sentido continuar por ese lado—. Estoy segura, Aaron. Es un hombre bueno.

Él hizo un mal gesto, pero reanudó la marcha y entraron en la nave.

Sólo esperaban un puñado de personas cerca del altar: el párroco, el sacristán, Tallbridge, Susan y Catesby Burgoyne.

Era el más pobremente vestido de los presentes. Tal vez le habría convenido ponerse su viejo vestido azul para no desentonar con él. Pero al avanzar por el pasillo tuvo la extraña impresión de que él era un pájaro fino en medio de otros vulgares. ¿No llamaban «de altos vuelos» a los miembros de la alta aristocracia?

Esa prestancia le venía de algo de su postura, su porte, el leve ladeo de la cabeza y la seguridad en sí mismo que revelaban sus ojos tranquilos.

De alcurnia.

Era miembro de la aristocracia, le había dicho. Eso ella ya lo sabía, pero en sus caóticos encuentros no había visto eso como lo veía en ese momento. Le vino otra oleada de terror, pero se dijo que un miembro de la aristocracia, un miembro del Parlamento, podía de todos modos llevar una vida sencilla, prosaica. Continuó avanzando, pensando en un alfiler de plata, una petaca con coñac, un anillo, y los besos de esa noche.

«Pero, por favor —le dijo con el pensamiento mirando su cara sonriente—, piensa bien si estás seguro, no sea que después lamentes esto. Ya ves que he dejado atrás mi primera juventud, que no soy hermosa. Sabes que no tengo ni un penique y que no soy de tu clase social. Si vas a hacer esto por lástima, ponle fin ahora.»

Pero ¿cómo podría él hacer eso? Que él la plantara ante el altar sería más atroz aún que si lo plantaba ella.

Le pusieron la mano en la de él. La de ella estaba muy fría y la de él cálida y fuerte.

Él le besó el dorso de los dedos, la miró sonriente a los ojos, y luego la hizo girar con él hacia el párroco.

Ella logró decir sus promesas con voz clara y luego tuvo que contener las lágrimas al oír las que él le hacía a ella. Sólo eran palabras, fórmulas empleadas tanto para los matrimonios más desagradables como para los celebrados por verdadero amor, pero de todos modos, muy hermosas, muy reconfortantes.

Él le puso el anillo de alianza matrimonial en el dedo. Tal como le había dicho, era delgado, sencillo, tal vez ni siquiera de oro, pero cumplía su finalidad: estaban casados. Tal como el sencillo anillo de plata, este le quedaba un poco grande, así que dobló los dedos, no se le fuera a caer y rompiera el hechizo.

Ya está.

Estaba hecho.

Ya podían marcharse.

No todavía. Cate se apartó para darle dinero al párroco y al sacristán.

Susan sorbió por la nariz.

—Espero que ahora estés satisfecha, Prudence, con un marido que sólo posee un traje.

—Muy satisfecha, hermana. Gracias por todo lo que has hecho por mí.

Susan pareció frustrada, pero consiguió esbozar una sonrisa dentuda.

—Sin duda todo ha valido la pena si tú estás feliz.

Resuelta a crear la mayor armonía posible, Prudence se giró hacia el padre de Susan.

—Señor Tallbridge, le agradezco su hospitalidad y su ayuda. Ha sido muy generoso.

Tallbridge inclinó la cabeza, de esa manera tranquila tan suya, pero en sus ojos brilló un destello de algo, tal vez incluso de aprobación.

—¿Dónde vas a vivir? —preguntó Aaron—. Debería haberme informado de eso antes de permitir esto.

Prudence no quería revelar que no lo sabía. Por una vez, la naturaleza entrometida de Susan fue en su beneficio.

—Sea donde sea —dijo—, la encontrarás muchísimo menos cómoda que la casa del señor Draydale.

—Francamente eso lo dudo, Susan.

Susan frunció el ceño, perpleja, y justo entonces Cate ya estaba a su lado, besándole la mano junto a la alianza.

—Me has hecho el más feliz de los hombres, mi amor.

Esas palabras eran por la apariencia, sólo por la apariencia, pero le produjeron un agradable calorcillo que le hizo fácil corresponderle la sonrisa.

Él también les dio las gracias a todos por la ayuda y después dijo:

—No me agrada llevarte lejos de tu familia, mi amor, pero debemos ponernos en marcha.

Aaron volvió a intentarlo:

—¿Dónde vais a vivir, Burgoyne?

—Hoy viajamos a Keynings, la casa de mi familia. Cualquier mensaje que enviéis ahí nos llegará.

Antes que Aaron pudiera insistir, echó a andar por el pasillo llevándola, luego salieron y se dirigieron al coche que los esperaba. Ya no quedaba ninguno de los alborotadores maldicientes, y las personas reunidas ahí gritaron sus buenos deseos y arrojaron grano y flores.

Cate tenía unos peniques en el bolsillo, así que los lanzó al aire y los niños corrieron a recogerlos. Prudence se sorprendió riendo como si fuera una verdadera novia en un verdadero día de bodas feliz.

Que lo sea, rogó. Que lo sea.

El coche estaba esperando, pero en el pescante sólo estaba sentado el cochero. El mozo estaba montado a caballo.

—¿Un jinete de escolta? —preguntó, consternada; sólo los grandes viajaban de esa manera.

—Simplemente una manera de llevar a mi caballo con nosotros.

Eso lo cambiaba todo. El bayo era tan plebeyo como la ropa de Cate. Podía ser de una gran familia, pero era un hombre corriente, menos mal, que podría estar satisfecho con una esposa muy corriente.

Él la ayudó a subir al coche, subió él, se sentó a su lado y el coche se puso en marcha. Prudence agitó la mano despidiéndose de los mirones, verdaderamente feliz. Dejaba atrás Darlington y a Draydale para siempre.

Cate le cogió la mano y le miró el anillo.

—Una baratija y te queda grande. Pronto tendrás algo mejor.

—Me gusta el de plata y me queda bien en el dedo medio.

—Me alegra eso, pero pronto tendrás más. He heredado algunas joyas, pero compraré otras elegidas especialmente para ti.

—Cate, no hay ninguna necesidad.

—¿Sigues temiendo acabar en el asilo de los pobres? —bromeó él.

Eso no era asunto para bromas.

—Tengo motivos, habiendo estado tan cerca.

—Te prometo una cosa, esposa mía. Nunca acabarás en el asilo de los pobres ni en ninguna otra forma de extrema pobreza. Tendrás techo, comida, abrigo y ropa decente todos los días de tu vida.

—¿Cómo puedes estar tan seguro? La vida suele gastar bromas crueles.

Él la miró atentamente.

—¿Qué bromas crueles te ha gastado a ti? Cuéntame lo de tu casa solariega.

Ella tragó saliva. Le había dado a entender más de lo que era cierto y no se sentía con el valor para revelarle eso todavía. Le contó el fin de Blytheby Manor, pero haciendo parecer que su padre había gastado en exceso. El resto ya era cierto: la muerte de su padre por la pena y el desesperado plan de su madre para devolverlos a la decencia.

—Querías mucho tu casa.

—Sí, pero a veces pienso que sólo existe en mi cabeza. Que si volviera a verla, la encontraría mucho más ordinaria de lo que la imagino.

—Podría ser. O no. Yo quería la casa de mi infancia y cuando estaba lejos pensaba en ella con cariño. Cuando volví la encontré igual a como la recordaba y más, a pesar de algunos cambios.

—Pero ya no es tuya.

Él la miró pestañeando, como si se hubiera sobresaltado.

—Ese no es el problema. Tu sombrero sí lo es.

Le soltó la cinta, le sacó el sombrero y lo dejó en el otro asiento. Entonces la besó.

Fue un beso suave, pero ella lo agradeció. Le gustarían otro tipo de besos, pero en ese momento la suavidad era perfecta. Como después estar entre sus brazos mirando por la ventanilla, viendo que quedaban atrás las últimas casas de Darlington y comenzaban los campos.

Había acabado la parte más difícil de su vida.

—Se ha acabado —dijo.

—No, ha comenzado.

Ella le sonrió, porque en realidad tenían por delante un futuro, que prometía más de lo que se atrevía a esperar. Tal vez más adelante comprendería verdaderamente cómo llegó a ocurrir todo, pero ya se sentía relajada y libre, gracias a ese hombre.

Ese hombre al que amaba.

Había creído que el amor llegaba lentamente, pero sospechaba que las semillas se sembraron aquella noche en Northallerton. En realidad, nunca lo había olvidado.

El día anterior había sido demasiado tumultuoso para sentir emociones dulces, pero él la rescató y la vengó. Podía desaprobar la impulsividad y la violencia, pero en cierto modo esas características habían contribuido a hacer brotar la semilla.

Y estaba lo de esa noche; ese extraño encuentro animado por el coñac y por los regalos, y condimentado con ardientes besos por entre unos fríos barrotes. Su amor había llegado rápido, intenso, y eso la hacía vulnerable. No debía decírselo todavía porque él podría pensar que debía fingir que sentía lo mismo. Cuando llegara el amor de él, si llegaba, debía ser sincero. La amabilidad y el afecto le bastaban, por el momento.

Se enderezó y nerviosa se alisó la ropa.

—¿Cuánto nos llevará el viaje?

—Son doce millas más o menos, pero viajando con los mismos caballos y tomando en cuenta el estado de las carreteras, nos llevará cuatro horas o más. Es mejor que nos tomemos nuestro tiempo a que rompamos una rueda o el eje. —Le tironeó un lazo del corpiño—. No puedo decir que me importe que el trayecto sea lento.

Ella le apartó la mano de una palmada y luego se sintió culpable.

—A no ser que desees ir a Northallerton —dijo él, volviendo a tironear el lazo.

Ella le apartó la mano, pero era un juego, un juego delicioso.

—No, ¿por qué?

—Pensé que tal vez querrías tener a tu perro cojo.

—¡Ah, *Toby*! Sí que lo echo de menos, pero Susan cree que un animal deforme lleva a un hijo deforme, así que lo dejé con Hetty y los niños. Ya debe de estar contento ahí.

Él ya le había soltado un lazo.

—Podemos pasar a recogerlo si quieres.

—Creí que no te gustaba.

—Lo juzgué mal.

—No podemos llegar a ese grandioso Keynings con un perro como *Toby*.

—Eres mi esposa. Puedes tener cualquier perro que quieras.

—Soy una pobre sin un penique, Cate, y voy a necesitar toda la dignidad y todos los adornos que pueda encontrar. ¡Y un corpiño intacto!

—Muy cierto —dijo él, desilusionándola, y, abandonando los lazos, bajó la ventanilla y gritó—: Pararemos en la siguiente posada decente, cochero.

—Sí, sí, señor.

—No deseo parar tan cerca de Darlington —protestó ella cuando él ya había cerrado la ventanilla—. ¿Y para qué vamos a parar? ¿No te gusta mi vestido? No tengo nada más fino.

—Me encanta tu vestido, sobre todo los lazos, pero necesitas un anillo de matrimonio mejor.

—¿Crees que vas a encontrar uno en una posada?

—Creo que voy a encontrar papel y pluma para enviar un mensaje a un amigo.

Prudence recordaba muy bien su temeraria impetuosidad.

—¿Él puede encontrarte un anillo a petición?

—No veo por qué no, pero le voy a pedir dinero.

—Cate, no te endeudes por esto, por favor.

—Ya estoy en deuda con Tallbridge por esto y aquello.

—Detesto las deudas. Por favor, prefiero que vivamos con sencillez.

—Prudence, Prudence, desiste. No soy pobre. Tallbridge tendrá su dinero dentro de unos días y Perry sólo me enviará dinero de mis fondos. Por lo que sea, en las posadas rurales no les gusta aceptar pagarés a desconocidos de paso.

—¿Perry?

—El señor Peregrine Perriam; es mi mejor amigo. Te va a adorar.

—Eso lo dudo.

Él se limitó a mover la cabeza, pero ella sentía una tremenda desconfianza de esa idea descabellada.

—¿Me prometes que no te vas a endeudar?

—Por mi honor. Puedes pedirme disculpas por dudar de mí con un beso.

—¿Quieres que te bese?

—Eso sería absolutamente delicioso.

La embromaba y desafiaba al mismo tiempo.

Muy bien.

Procurando no demostrar turbación, se le acercó hasta poder posar los labios en los de él. Él estuvo un momento sin moverse, pero luego le pasó la mano por la nuca y tomó el mando, besándola como ella recordaba, aunque fue más de lo que recordaba.

Estaba apretada a su cuerpo tal como se apretó a los barrotes de la reja, pero el duro cuerpo de él era cálido, y su boca ardiente. Una parte de ella se escandalizó otra vez por las bocas abiertas y el contacto de las lenguas, pero la mayor parte de ella sentía un loco entusiasmo. Eso, ese beso, era la sustancia de sueños medio recordados. La recorrió toda entera el calor de la excitación, como una fiebre, impulsándola a apretarse más a él, a saborear más el beso.

Se movió, para apretarse más a él, pero él puso fin al beso y se apartó, enfriando la pasión. Buen Dios, estaban en un coche, no en una cama acortinada.

Igual que antes, él la envolvió en sus brazos.

Y, por el momento, eso era suficiente cumplimiento de sus sueños.

El resto vendría después, pero en ese momento, entre sus brazos, se sentía en el cielo. Su fuerza, su calor, la derretían, ablandando las partes duras que aún le quedaban en la mente, y todas esas partes callosas por años de privaciones y por las recientes batallas.

Capítulo 14

*E*ra un placer tener en sus brazos a su mujer, su cuerpo bien formado envuelto en bonita seda, delicadamente perfumado, suya para siempre, sin urgencia ni peligro. Seguía hirviéndole la sangre con la pasión que se había encendido entre ellos, pero era capaz de soportarlo. Era una ardiente promesa para el futuro. Por el momento, tenían muchas horas para acostumbrarse el uno al otro, para aprender y enseñar, para simplemente disfrutar.

Muchas horas en las que debía encontrar el momento oportuno para decirle que ahora era la condesa de Malzard.

Todavía no, todavía no; ella necesitaba su tiempo de paz y él también.

Le dio un beso en el pelo sencillamente recogido.

—Es hermoso tu pelo.

—Es de un color soso.

—Es miel al sol de la mañana.

Ella se apartó para mirarlo.

—¿Poesía? No esperaba eso.

—Descubrirás que estoy lleno de sorpresas. —Eso se acercaba demasiado a la verdad. Le acarició un mechón suelto en la sien—. Tal vez es del color de la madera clara satinada a la luz de la mañana. Mi madre tiene un escritorio más o menos de este color.

—¿Me has llamado cabeza dura, señor?

Él se rió.

—A veces eres bastante cabezota.

Ella se volvió a mirarlo.

—Tu madre. ¿Está viva?

—Sí, y goza de excelente salud.

—¿Cuándo la voy a conocer?

¿Le había llegado el momento? Tomó la rápida resolución de no mentir más.

—Hoy. Está en Keynings.

Ella se enderezó y se pasó la mano por el pelo para arreglárselo.

—Ampárame, Señor. ¿Qué va a pensar de mí?

Él le bajó la mano.

—No se preocupará por tu pelo. Mi llegada con una esposa será una conmoción, lógicamente, pero deseaba muchísimo que me casara.

—Menos mal. Una suegra enfadada podría ser desastrosa. ¿La veremos mucho?

Otra pregunta letal.

—Vive en mi casa.

—Vive en... —Se echó hacia atrás apoyándose en el respaldo—. Ay, Dios.

—Siento no habértelo dicho.

—No me habría hecho negarme a casarme, y habla en tu favor. Eres un buen hijo.

—Ojalá ella estuviera de acuerdo.

—¿No te aprueba?

—Tu asombro es un bálsamo para mi alma. Es sólo que me compara desfavorablemente con mi hermano.

—Ah, lo recuerdo. El hijo perfecto. Mi madre prefería a Aaron. Él era el hombre, la esperanza para el futuro. Su encanto y guapura podrían haber tenido parte también.

—¿Pidiendo cumplidos? Eres hermosa.

—¿Y encantadora?

—No, pero mucho más interesante. Vales diez veces más que él.

Ella desvió la mirada, como si el elogio le produjera incomodidad. ¿Había recibido muy pocos?

—Tienes un perfil delicioso —dijo—. No, no te muevas. Me gusta mirártelo. Desde el primer momento pensé que tienes los rasgos de una dama romana.

—¿De las que tenían la costumbre de decirles a sus hijos que volvieran con el escudo puesto o muertos encima de él?

—Esas eran las espartanas, creo.

Ella se giró a mirarlo.

—Algunas de las damas romanas tenían los mismos sentimientos. Agripina, por ejemplo.

—Por el contrario. Era excesivamente indulgente con su amado hijo Nerón. Estás bien versada en los clásicos.

Ella se ruborizó.

—Me vi obligada a estudiar algunas de las lecciones de Aaron. Para ayudarlo.

—Eso no es algo de lo que avergonzarse.

—¿No te molesta?

—¿Por qué habría de molestarme?

—Draydale me prohibió que hablara de eso.

—Si me vas a comparar con ese espécimen nos vamos a liar a puñetazos.

—Oh, no era mi intención...

—Prudence, era broma. Pero olvídate de Draydale. Está en tu pasado.

El coche viró y Cate miró por la ventanilla.

—Ah, una posada. La Monk's Arms. Vamos a ser abrazados por un monje.

—¿Va a parar mucho rato aquí, señor? —gritó el cochero.

Cate abrió la portezuela y bajó de un salto.

—No, será un momento. Sólo necesito escribir una carta. A no ser... —se giró a mirarla—, ¿necesitas un descanso, querida mía?

Ella le aseguró que estaba muy bien, así que Cate le ordenó al mozo que preguntara los detalles de la ruta al cochero y entró en la posada. Con uno de los chelines que le quedaban compró material para escribir y un escritorio para escribir la carta. Sin intentar dar explicaciones simplemente le pidió a Perry que le enviara fondos con el mozo y les dijera a todos que estaba bien y llegaría a Keynings al caer la noche. No usó el anillo de sello que llevaba en el bolsillo, sino que dejó caer unas gotas de lacre formando un globo.

Salió y le entregó la carta al mozo.

—Cabalga hasta Keynings a toda velocidad y entrégale esto al señor Perriam, que es huésped ahí. No entregues la carta a nadie más, y no digas de quién es.

—Muy bien, señor —dijo el hombre, aunque su expresión sugería que creía que tramaba algo nada bueno—. ¿Debo esperarle ahí, señor?

—No. Pide un caballo de refresco y regresa con lo que te entregue el señor Perriam.

—Como quiera, señor —dijo el mozo, en el mismo tono dudoso, y emprendió la marcha.

—¿Adónde va, pues? —preguntó el cochero, sin ninguna cortesía—. ¿Y si lo necesito?

—Si necesitas ayuda en el camino, creo que yo soy capaz de dártela —dijo Cate, subió al coche y se sentó—. Un ser hosco.

—Me llevó a la iglesia las dos veces y es posible que no apruebe eso.

—Si es descortés, dímelo.

Ella lo miró socarrona.

—A veces te muestras tan arrogante como un lord.

—Tal vez sea como un oficial —dijo él, esperando haber controlado su reacción.

—Ah, sí, el ejército. ¿Dónde estuviste?

Ese era un tema sin riesgos, así que le habló de Brunswick y Hanover, contando cosas divertidas del ejército, sin referirse a las actividades irregulares que le ganaron la reputación de revoltoso insubordinado. Cuando había pasado otra hora ordenó un alto para que tanto las personas como los caballos comieran algo. Prudence lo divirtió haciendo mucha alharaca para ponerse el sombrero bien derecho y alisarse y ordenarse bien el vestido.

Como si nunca la hubieran besado.

—¿Qué te apetecería? —le preguntó cuando ya estaban sentados en un salón privado.

—Té. Ese fue un lujo imposible durante muchísimos años. Ahora soy adicta al té. Y al chocolate por la mañana.

—Tendrás todo el té de China y el cholocate más exquisito.

—Derroche otra vez —dijo ella, pero riendo.

Así relajada era naturalmente refinada. Como condesa tendría que aprender algo más de altanería, pero sus modales eran tan excelentes que haría bien la transición. Tal vez con más facilidad que él, por lo mucho que lo fastidiaba la reclusión y las obligaciones de su puesto después de haber sido libre.

¿Sería ese el momento de decírselo?

Justo entonces les trajeron los refrigerios y decidió que sería mejor hacer la confesión en el coche. No podría escapar de su enfado, pero ella no podría bajarse impulsivamente del coche en un ataque de furia. No cesaba de estar atento a cualquier señal de Draydale. Le costaba imaginarse que el hombre hubiera mandado a gente a atacar el coche, pero podría tener hombres siguiéndolos, atentos ante la posibilidad de atacar.

De todos modos, cuando reanudaron la marcha siguió dejando para después la confesión. Nunca había sido tan cobarde en toda su vida. Pero milla a milla ella se relajaba más, y estaba más y más deliciosa por momentos. De pronto el coche entró en una carretera secundaria y pegó un brusco salto sobre un bache profundo.

—Cáspita —exclamó, sujetando a Prudence—, podría rompérsenos algo.

—¿Una pierna? —preguntó ella, con el sombrero ladeado.

—Es de esperar que sólo sea una rueda, pero eso ya sería bastante desastroso. —Abrió la ventanilla y se asomó a gritar al cochero—. ¡No tenemos ninguna prisa, hombre!

—¡Hago todo lo que puedo, señor! Si quiere llegar a Keynings, esta es la única ruta.

Cate volvió a acomodarse en el asiento, moviendo la cabeza.

—¿Te importaría cabalgar detrás de mí en una silla especial? Habría menos sacudidas y no iríamos más lentos.

—Nunca he cabalgado así, lo confieso, y prefiero no llegar a la grandiosa casa de tu familia con la ropa sucia y polvorienta.

—Alquilaría un caballo de carga, pero sí, llegarías sucia por el viaje. Por lo tanto, soportaremos esta caja de tortura. ¿Dónde estaba? Ah, sí, mi breve estancia en Portugal.

A Prudence le encantaban las historias que él iba narrando, pero los zarandeos y saltos del coche le hacían chocar los dientes, y le dolía la espalda de tanto intentar resistirse a los movimientos. Cuando volvieron a parar para dar de beber a los caballos, declinó el refrigerio en favor de una caminata.

—Es una posada pequeña en todo caso —dijo él, ayudándola a bajar—. Dudo que ofrezca algo más que cerveza. Te pido disculpas por tu viaje de bodas. La falta de lluvia y la sequía ha dejado los caminos duros como la piedra.

—No por mucho tiempo —dijo ella, mirando hacia unos nubarrones en la distancia, que ya estaban descargando lluvia en alguna parte.

Él miró y se rió.

—Garantizado que convertirá la piedra en una sopa lodosa. Roguemos que espere a que lleguemos a Keynings.

Echaron a caminar siguiendo el camino, pero ella no tardó en sugerir que volvieran.

—Estos zapatos no están hechos para caminatas por el campo. —Vio que el coche estaba listo para partir—. A la caja de tortura —masculló.

—¿Estás repensando lo de cabalgar?

Sí que lo estaba. Sólo había montado en un burro y jamás en la grupa, pero tenía que ser más cómodo.

—¿Mis cosas?

—El coche nos seguirá con tu baúl, e iremos lentos, así que no estarás sin ellas mucho tiempo.

Nuevamente ella pensó en el polvo y la tierra, pero concluyó que no le importaba.

—Sí, sigamos a caballo.

Pero el posadero sólo tenía un caballo muy lastimoso y ninguna silla para la grupa.

—Lo siento, señor, porque la carretera está muy mal. He sabido de muchos coches rotos estos últimos días, incluso en las carreteras de peaje.

—¿Cuál es el próximo lugar donde podríamos encontrar un caballo y una silla para la grupa?

—Cawthorne, creo, señor. Pero le digo que es probable que llueva. Su señora estaría mejor en un coche.

Prudence exhaló un suspiro.

—Creo que tiene razón. Prefiero llegar magullada a empapada.

—Entonces, a la caja de tortura.

Subieron nuevamente al coche, y Cate deseó poder allanar el camino para su dama. Por desgracia, los poderes de un conde tienen sus límites.

Cuando el coche partió con una sacudida, Prudence gimió:

—No logro explicarme que haya personas que encuentren placenteros los viajes.

—Algunas consideran que vale la pena soportar los dolores y azares para conocer nuevos lugares.

—¿Qué hay de malo en el terruño?

—Nada —dijo él—, nada en absoluto. Aquellos que hemos perdido un hogar sabemos muy bien eso.

—¿Perdiste tu hogar?

Era el momento de decírselo.

—Paraíso perdido, paraíso recuperado. Prudence...

En ese mismo instante el coche se ladeó tan bruscamente que lo arrojó casi encima de ella. Se afirmó contra la pared de atrás para impedirlo, pero los labios de ella quedaron tan cerca que no podía hacerles caso omiso.

Por lo tanto, la besó.

Tuvo que quitarle el sombrero otra vez para hacerlo bien, y entonces el coche se ladeó bruscamente hacia la derecha, y ella cayó encima de él. La sostuvo entre las piernas abiertas, explorándole la ardiente y dulce boca; y su redondo y firme trasero.

Esta noche.

No, esta noche no, recordó. Interrumpió el beso y trató de enfriarse la sangre. Condenación.

Ella tenía los ojos tan brillantes y las mejillas tan deliciosamente ruborizadas que le iba a resultar difícil refrenarse ahí, y mucho más en la intimidad de los aposentos en Keynings.

—¿Cate? —preguntó ella, desvanecido el color de las mejillas, con expresión preocupada.

Él le sonrió y volvió a besarla, rápido.

—Me estabas seduciendo, esposa mía.

Ella agrandó los ojos y se apartó de él, pero él volvió a atraerla hacia sí.

—Eso no fue una queja. Eres deliciosa, pero tenemos que refrenarnos un poco. Por ahora.

Ella volvió a ruborizarse y desvió la mirada, pero sonriendo.

El coche volvió a estremecerse y una parte chirrió a modo de protesta. Él aprovechó eso para ayudarla a sentarse bien en su lado para poder abrir la ventanilla. Gritó una queja al cochero.

—¡Hago lo que puedo, señor!

Un jinete que venía en el otro sentido, gritó:

—¡El camino está horrendo, señor!

—Detestable, maldita sea —contestó Cate y se apresuró a cerrar la ventanilla para evitar que entrara el polvo—. Perdona si esa expresión te ha ofendido, querida mía.

—No soy una flor delicada. Yo sólo reemplazaría el «detestable» por «infernal».

Él se rió.

—Mujer divina. No tardaríamos mucho más tiempo caminando, ¿sabes?

—Mis zapatos —le recordó ella, levantando un pie para enseñar el zapato de seda verde que hacía juego con su vestido y tenía un tacón en delicada curva.

—Muy bonito —dijo él, admirándole adrede el tobillo.

Ella bajó el pie y lo escondió.

—Tengo zapatos más resistentes en el baúl. Y ropa más sencilla también.

—Entonces debes cambiarte en la próxima parada. Aunque sólo caminemos de tanto en tanto, será un alivio. —Se cogió de la tira de piel para afirmarse porque el coche volvió a saltar—. ¡Maldito ese hombre! Te pido disculpas otra vez, pero...

—Pero es absolutamente comprensible. ¿Podría estar bebido?

—Debería habérseme ocurrido eso. Podría ir bebiendo de una botella a cada rato.

Vino otro zarandeo y el maderamen crujió.

—Podríamos imitarlo —dijo ella, sacando la petaca del bolsillo—. Tengo coñac.

Justo entonces sonó un fuerte «¡crac!», que coincidió con otro brusco ladeo que la arrojó encima de él. Él alcanzó a sujetarla y afirmarla.

Se había roto algo, y la rotura era grave.

El cochero gritaba y los caballos forcejeaban, pero el coche se ladeó más y más. Se había salido una rueda y estaban muy cerca de la cuneta. El coche volcaría totalmente.

Entonces cayó de costado, en medio de una cacofonía de ruidos al romperse el cristal de la ventanilla y la madera de la portezuela. Cate sólo pudo estrechar con fuerza a su mujer y tratar de recibir él la mayor parte del daño.

Cayó de espaldas, estrellándose contra la portezuela y los vidrios rotos y ahí se quedó inmovilizado; Prudence había caído encima de él. Los aterrados caballos tiraban, zarandeando la caja de tortura en la que estaban atrapados, y entonces sintió el dolor al enterrársele trozos de algo en la carne.

¿Astillas de madera o de vidrio?

Quisiera Dios que ninguno de los trozos fueran lo suficientente largos para causar un daño grave.

Entonces el coche dio un salto hacia delante, y el dolor le indicó que se le habían enterrado más aún.

—¡Sujeta a los caballos! —gritó, pensando que estos debían de estar heridos con el desastre—. ¡Cochero!

No hubo respuesta, y el coche se movía como un barco en el mar azotado por una galerna. Infierno y condenación, el hombre debió caer arrojado del pescante, dejando sin amo a los caballos heridos.

Tenían que salir de ahí.

—¿Prudence?

—Sí.

—Gracias a Dios. ¿Cómo estás?

—Creo que bien —dijo ella, con la voz entrecortada, lo que no era de extrañar—. ¿Cómo estás tú? —Se movió y él ahogó una exclamación de dolor—. ¿Qué te pasa?

—Parece que se me enterró un trozo de vidrio —siseó él—. Quédate quieta.

—¡Pero tenemos que salir de aquí! —exclamó ella, agarrándose a la tira de cuero que colgaba encima de ella.

—Tranquila, tranquila —dijo él, tratando de desentenderse del dolor—. Todo irá bien, aunque lo que no quedará bien será tu sombrero.

—¿Mi sombrero?

—Caí encima.

—¿Estás preocupado por mi sombrero? ¿Te golpeaste la cabeza?

—Sólo es una broma, querida mía. Vas a tener que intentar salir tú primero.

—¿Hay alguien vivo ahí? —gritó entonces alguien; era la voz de un joven, con acento local.

—Gracias a Dios —dijo Cate, y gritó—. ¡Sí! Mi esposa y yo. ¿Puede desenganchar los caballos?

—El cochero lo está haciendo, señor. Yo puedo trepar.

El coche se movió hacia ese lado. Cate sólo pudo apretar los dientes.

Entonces paró el movimiento.

—Menos mal —dijo—. Aunque los pobres jacos deben de estar a muy mal traer.

—Menos mal —dijo ella también, relajándose—. Perdóname el ataque de pánico.

—Tenías motivo. ¿Tienes alguna herida?

—Sólo tendré unos pocos moretones. Tú me protegiste.

Lo dijo como si hubiera presenciado un milagro.

—Es el honor del marido. No han cuidado bien de ti, esposa mía. Pero eso ha cambiado ahora.

Entonces ella lo besó, un beso suave pero ardiente. Y, gracias a Dios, sin apoyarse en él.

Tal vez se encogió de todos modos porque ella se apartó al instante.

—¿Dónde estás herido?

—En la espalda y en la cadera, pero no es grave.

—De todos modos, no vamos a poder llegar a Keynings hoy, ¿verdad?

—¿Tanto te angustia eso?

—Supongo que debo conocer a tu grandiosa familia en algún

momento, pero preferiría que fuera después, cuando hayamos tenido tiempo de instalarnos en nuestra casa.

Qué horrendo lío.

—Ya casi estoy, señor —gritó el joven, al tiempo que intentaba abrir la portezuela, que ahora hacía de techo, aunque algo inclinada.

—¿Puedes ponerte de pie sin pisarme? —preguntó Cate a Prudence.

Ella se movió con sumo cuidado para cambiar de posición.

Él admiró su ingenio para hacerlo, afirmándose con manos y pies de un asiento y del respaldo del otro. En un momento estaba suspendida encima de él, en una posición muy rara, pero le presentaba la vista de sus generosos pechos, sólo cubiertos por una pañoleta de seda que se estaba soltando haciendo la vista más interesante aún. De la extraña manera como ocurren estas cosas, se le despertó el deseo.

—Eres extraordinaria, ¿sabes? —dijo.

—¿Sí?

—Hasta el momento has soportado tres pruebas de valor y mantenido la cabeza fría y el corazón osado.

Entonces siseó porque el coche volvió a estremecerse.

—¡Cuidado ahí! —gritó Prudence, con toda la severidad de un sargento de instrucción—. Mi marido está herido.

El joven rescatador dejó de intentar abrir la portezuela.

—Perdone, señora. ¿Mal herido?

—No —gritó Cate—. Haga lo que debe.

El coche volvió a sacudirse y mecerse; entonces se abrió la portezuela.

Asomó una amable cara cuadrada.

—Está sangrando, señor.

—Es muy probable. ¿Puede ayudar a salir a mi esposa?

Ella fue cambiando de posición los pies y las manos hasta que pudo erguirse del todo; la cabeza le asomaba levemente por el hueco de la puerta. El joven estaba ahí para ayudarla, pero subir no sería fácil, y mucho menos para una mujer.

Cate flexionó los brazos y probó de mover la espalda. Al parecer no se había hecho ninguna lesión, aunque muchas partes de su cuerpo protestarían. Se sentó, desentendiéndose de los dolorosos pinchazos.

—Pon un pie en mis manos y te daré impulso —dijo.

Ella giró y bajó la cabeza mirándolo ceñuda.

—Ponlo.

—Si estás seguro.

—Uno, dos, tres, ¡arriba!

El joven debió hacer su parte porque ella acabó arriba, quedando sólo con las piernas dentro. Pese al dolor, él disfrutó de la vista de sus bien formadas pantorrillas y finos tobillos, cubiertos por unas medias de seda con dibujos de rosas.

—¡La tengo, señora! —exclamó el joven.

Ella pataleó un poco, como para darse impulso.

Cate se protegió la cabeza con un brazo, por si acaso, pero la vista fue más interesante aún. Entonces, después de una violenta y dolorosa sacudida, ella desapareció de su vista, y la caja de tortura volvió a quedarse quieta.

Dedicó un momento a revisar mentalmente sus lesiones. Oyó ruidos y se apresuró a gritar:

—No suba a ayudarme. Me las arreglaré solo.

—De acuerdo, señor.

El peor dolor se lo causaba algo, tal vez un trozo de vidrio, que se le había enterrado en el muslo derecho cerca de la cadera. Podría ser peor, muchísimo peor. Las calzas de cuero debieron protegerlo, y si la herida hubiera sido más abajo, ya podría estar muerto. Sabía que hay un lugar en el muslo que si recibe una herida la sangre sale a chorro, y la persona muere en cosa de momentos. De todos modos, al tocarse palpó sangre. Tenía una herida en el costado también, pero menos preocupante.

Flexionando las piernas buscó con los pies lugares firmes en la portezuela rota, se afirmó bien y se irguió, sin hacer caso de las protestas de su muslo. La cabeza le asomaba entera por el hueco de la portezuela. Vio a Prudence en el camino mirando angustiada hacia arriba, con la ropa desordenada, el pelo suelto. Estaba magnífica.

Al verlo, una alegre sonrisa le iluminó la cara. Él le correspondió la sonrisa, igual de alegre. Era una estupidez manifestar alegría en ese maldito momento, aunque claro, tal vez no; habían sobrevivido.

Todavía tenía que subir y luego bajar al suelo, y le iba a doler. Se palpó hasta encontrar el borde de un trozo de vidrio corto. Tenía unos dos dedos de ancho, así que debía ser corto, si no, le habría hecho más daño. Estaba la posibilidad de que al sacárselo saliera un chorro de sangre, pero que lo colgaran si subía dejándolo ahí enterrado.

La sangre lo hacía resbaladizo, pero logró cogerlo firme y tiró, ahogando el grito de dolor. Sintió salir sangre caliente, pero no era un chorro.

No se desangraría.

Prudence ya no sonreía.

—¿Qué pasa? —preguntó.

—Nada importante.

Se palpó el costado buscando el trozo de vidrio, pero estaba cubierto por las telas de la chaqueta, el chaleco y la camisa. No logró tocarlo para poder extraerlo. Sea pues.

Se cogió de las jambas de la puerta, tensó los músculos y flexionando los brazos ascendió, soltando maldiciones en la voz más baja posible. Se sentó arriba y desde allí le resultó fácil deslizarse por el piso del coche. Pero al llegar al suelo se sintió mareado y tuvo que apoyarse en la rueda buena a esperar que el mundo dejara de girar.

Capítulo 15

*P*rudence llegó corriendo hasta él y comenzó a palparlo y a darle palmaditas.

—¿Es muy profunda la herida? Tienes una mancha oscura de sangre en las calzas.

De repente él se sintió muchísimo mejor. Miró hacia el joven rescatador que estaba montando ya su fuerte jaca.

—No puedo quedarme señor. Tengo que hacer un recado para mi amo.

—Comprendo. Gracias por su ayuda. ¿Podría dejar recado en la próxima posada de que necesitamos transporte?

—Sí, señor, lo haré —contestó el joven y se alejó por donde habían venido ellos.

—Hace ya un buen rato que pasamos por una posada en que podrían haber tenido buenos caballos, y también un coche —dijo Cate.

—Y va a llover. Mira esas nubes. Creo que estamos maldecidos.

Él la cogió en sus brazos.

—Jamás. Son simples desafíos, y siempre triunfamos. Acabamos de sobrevivir a un accidente que podría haber sido fatal.

Ella se apartó para mirarlo ceñuda.

—¿Eres un optimista sempiterno?

—¿Por qué no? Te tengo a ti.

En la cara de ella se notó que eso la asombró y complació al mismo tiempo.

—Tienes que haberte golpeado la cabeza. Para tí no he sido más que una fuente de problemas. ¿De verdad estás bien? Tienes arañada la mano.

Y así continuó parloteando, palpándolo en busca de lesiones o simplemente de afecto. Recibir esa atención era extraordinariamente placentero.

—Lo siento —dijo ella—. Todo esto es por culpa mía.

—Eso es una tontería, pero he de decirte la franca verdad, querida mía. Hoy he disfrutado muchísimo más que en los últimos días. Y tus piernas son deliciosas.

—¿Mis piernas?

—Cuando ibas saliendo del coche.

Ella lo miró boquiabierta y luego le dio una palmada en el hombro.

—¡No deberías haber mirado!

Eso lo hizo reír, tal vez demasiado, lo que le aumentó la preocupación a ella.

—No, no —la tranquilizó—. No me golpeé la cabeza. No estoy loco. Sólo lo estoy de felicidad. Se me enterró un trozo de vidrio pero me lo quité.

—¿Dónde? Ah...

Acercó las manos al lugar de la herida pero no tuvo el valor para tocarle ahí.

Era el momento de tomar el mando y ver qué era necesario hacer, decidió él. Se incorporó y echó a caminar hacia los caballos, cojeando.

—¡Te chorrea sangre! —exclamó ella—. Quédate quieto. Hay que vendar esa herida antes de que des un solo paso más.

—De verdad no es nada, y le prometí ayuda al cochero en caso de necesidad.

El hombre ya había tranquilizado a los caballos, pero por el costado de uno bajaba sangre y el otro tenía una pata levantada para no tocar el suelo. De todos modos, se veían mejor de lo que se podría haber esperado.

—¿Una pata rota? —preguntó.

—No, gracias a Dios, pero es horrible para estos pobres animales. Necesitan atención.

—¿Dónde está la próxima posada?

—No lo sé, señor, y a saber dónde están mis mapas en medio de este desastre.

—¿Pueden caminar los caballos?

—Creo que sí, señor.

Cogiendo las riendas, hizo caminar a los animales, que obedecieron de mala gana; pero incluso el que se protegía la pata podía caminar.

—Entonces será mejor que los lleves caminando lentamente hasta la siguiente posada para que allí los atiendan. Si puedes envíanos algún tipo de transporte. Si acabamos con dos coches extras, pues sea.

—De acuerdo, señor. Vamos, mis preciosos. Poco más allá hay avena y descanso.

Cate se quedó un momento observando cojear a los caballos por el camino, deseando que no tuvieran lesiones graves. Después se volvió a mirar el desastre. La rueda que se salió estaba destrozada y ese lado del coche también. El eje se había doblado un poco y tal vez eso favoreció a los caballos, pero el cochero debió salir volando.

—Podríamos haber muerto —dijo Prudence.

Él se giró a mirarla y vio que se había rodeado con los brazos, como si tuviera frío. Él también sintió frío.

—Conmoción —dijo—. ¿Hablaste de coñac?

—Ah, sí. —Sacó la delicada petaca del bolsillo, y mientras desenroscaba el tapón, añadió—: Me pareció apropiado llevarla a nuestra boda, como algo nuevo y azul.

—¿Llevas también la moneda de seis peniques en el zapato?

—Sí. —Le pasó el tapón lleno—. Ten.

Él bebió todo el traguito que contenía.

—Podríamos necesitar tus seis peniques. Sólo me quedan unas últimas monedas.

—Sin un penique, tal como sospechaba —dijo ella, llenando otra vez el tapón; él no supo discernir si lo decía en broma o no. Entonces ella se bebió todo el contenido, enroscó el tapón y le pasó la petaca—. Es el momento de vendarte la herida.

Así que había encontrado su valor, comprendió él.

—¿Sabes algo de curar heridas?

—Cuidé a mi madre.

—¿Se le enterraban cosas en el trasero con frecuencia?

Ella se ruborizó pero no se amilanó.

—No, pero yo soy el mejor doctor que tienes en estos momentos, así que no te pongas quisquilloso. —Le cogió la corbata y deshizo el nudo—. Podemos usarla como compresa. —La dobló varias veces y se la pasó—. Póntela sobre la herida para restañar la sangre.

Él obedeció, admirando su energía.

—Y ahora ¿qué?

—Es necesario sujetarla con una venda. —Metió la mano en el bolsillo y sacó un cuchillo metido en una tosca funda de lino—. Supongo que eso significa sacrificar parte de mi camisola.

—Creo que recuerdo ese cuchillo.

Era aquel con que lo amenazó esa noche y luego enterró hondo en la mesa; el que después él sacó para ahorrarle ese trabajo. Había olvidado esa violenta expresión de furia y frustración.

¿Llevaba siempre un arma con ella?

Eso podría hacer interesante la vida.

—Será mejor que uses mi camisa —dijo—. En todo caso, está desgastada.

—Y tal vez es la única que tienes.

—No, te lo prometo. —Le pasó la compresa, que ya estaba roja de sangre, y se quitó la chaqueta y el chaleco—. Tal vez tú puedas extraerme lo que sea que tengo enterrado en el costado.

—¿Hay más heridas?

—Sólo una astilla o algo así. —Pero le dolió al sacarse la camisa por la cabeza—. Malditas heridas. Muchas veces las pequeñas son más molestas que las grandes; al menos durante un tiempo.

—¿Has estado herido muchas veces?

—Fui soldado, Prudence. Nada grave, por la gracia de Dios. Ten.

Le pasó la camisa, pero ella le estaba mirando el pecho desnudo. ¿Por qué vivía olvidando cosas como esa cuando estaba con ella? Era como si fueran viejos camaradas; o viejos amantes.

Entonces ella se lamió los labios y eso casi fue su perdición.

—¿Tengo algo en el costado? —preguntó.

Ella pegó un salto.

—Ah, sí.

Le devolvió la compresa, pero no se atrevió a tocarlo.

—No hay ninguna necesidad...

—Si te duele la hay —dijo ella, nuevamente enérgica—. Levanta el brazo para que lo vea bien. —Pasado un momento, añadió—: Es más grande que una simple astilla.

Le presionó por ambos lados de la astilla, y él notó su azoramiento. Si fuera un juego se sentiría culpable, pero necesitaba moverse libremente.

—Es un trozo grande de madera y no hay nada con que cogerlo. Tendré que hacer un corte.

—Viviré con él por un tiempo —dijo él.

—No, de ninguna manera. Trataré de no hacerte mucho daño.

No era el dolor lo que lo había preocupado a él, sino que ella se viera obligada a hacerle un corte.

Ella primero probó tímida con el cuchillo, pero de pronto él sintió el rápido tajo y siseó por el dolor que sintió un instante después.

—Ahora lo puedo coger —dijo ella, con la macabra animación de un cirujano.

Le hizo daño al hurgar, pero, pardiez, que magnífica valentía la suya.

—Ya está. —Sacó el trozo de madera y aplicó la camisa encima de la herida—. Creo que no tardará en dejar de sangrar. No es muy profunda. Perdona si te he hecho daño.

—El paciente siempre agradece la rapidez. Tu cuchillo debe de estar muy afilado.

—¿De qué sirve uno romo? —Apartó la camisa y miró—. Ya está. No sangra mucho. Sujétatela ahí mientras yo te miro la pierna. —Le tocó el muslo sin el más mínimo encogimiento que él pudiera detectar—. Tienes muy manchadas las calzas, así que has sangrado su buen poco. Dudo que ese corte en el cuero se pueda reparar. ¿Tienes otras calzas de montar de cuero?

—No, pero tengo otras calzas. No me veré obligado a andar desnudo por las calles.

—Para gran pesar de las mujeres de Yorkshire, sin duda.

Él se rió y le dio un rápido beso.

—Muchas mujeres ya estarían con un ataque de histeria.

—La mayoría de las mujeres tienen un aguante extraordinario cuando se las pone a prueba. Dame la camisa. Ah, sí, ya casi no sale sangre de esa herida en el costado.

Examinó la camisa, sin duda observando el desgaste y los remiendos. Él deseó asegurarle otra vez que tenía más ropa, que no era el hombre pobre que parecía. Pero ese no era el momento para decirle que era un conde, y menos, estando ella con un cuchillo en la mano.

Ella comenzó por cortar el puño de una manga y luego separó la manga del resto de la camisa. Dobló bien el rectángulo de lino formando una compresa.

—Ya está. Una venda con tu corbata la afirmará.

—¿Por encima de las calzas? —preguntó él, desabotonándose la bragueta.

—¡Para! ¡Estamos en un camino público!

—Tal vez pase una mujer de Yorkshire y quede encantada.

—No puedes desnudarte...

—No hay nadie aquí que se escandalice, Prudence. A no ser tú, claro. Pero tú eres mi esposa.

Ella lo miró con los ojos agrandados, y entonces dijo:

—Muy bien. Tienes razón. Bájatelas entonces.

Él tenía que advertirla.

—No llevo nada debajo, y sin camisa...

—No te verá nadie, sólo yo, y soy tu esposa —dijo ella, devolviéndole sus palabras.

—Y una mujer de Yorkshire —dijo él sonriendo de oreja a oreja—, y magnífica, por cierto.

Pero antes de bajarse las calzas se giró para quedar de espaldas a ella, lo cual resultó juicioso, pues entonces ella se le acercó y él sintió el roce de la seda; oyó el frufrú de la seda cuando ella se arrodilló a examinarle la herida y sintió su delicioso perfume floral por encima del olor de la sangre.

Ella le tocó suavemente la herida y luego posó una mano en la parte delantera del muslo, para afirmarse. A él se le levantó la polla, y se estremeció.

—¿Te he hecho daño? Lo siento, pero hay más trozos de vidrio. Verás, es conveniente que te examine bien la herida.

—Sí, señora —dijo él mansamente, y al instante siseó cuando ella presionó y el vidrio lo pinchó.

—No hay otra forma de cogerlo —se disculpó ella, volviendo a presionar sin piedad.

—¿Estás segura de que no eres un matasanos? —dijo, entre dientes.

—No protestes. Si uso la punta del cuchillo. Casi... ¡Ah!

Él sintió salir el trozo de vidrio y soltó el aliento. Al menos el dolor le había devuelto la flaccidez al pene.

—¿Hay alguna otra herida? —preguntó.

—Creo que no. —Le aplicó la compresa a la herida y presionó—. ¿Sientes algún dolor especial con esto?

Él se encogió, pero dijo:

—Sólo el dolor por la presión. Véndala.

—¿Qué pasa aquí? —preguntó un hombre.

Cate giró la cabeza y vio a un campesino con una horca en la mano mirándolos. Detrás de él estaba un muchacho robusto con una podadera en la mano.

—¡Quieto! —exclamó Prudence dirigiéndose a él. Al hombre le dijo—: Le estoy vendando una herida a mi marido, señor. Como ve, hemos sufrido un accidente.

Su tono pareció desinflar al hombre.

—Cuánto lo siento, señora —dijo.

Sólo tendría un poco más de veinte años y no estaba tan seguro de su autoridad como quería parecer.

—Tal vez nos pueda ayudar —dijo Cate—. Date prisa, querida mía.

Ella no hizo nada. Pasado un momento él comprendió. La idea de pasar la venda por entre sus piernas era su Rubicón.

—Buen momento para volverte gazmoña —masculló—. Pásame la corbata y tú afirma la compresa.

Ella obedeció, y él se ató la ensangrentada corbata al muslo, haciéndose a un lado los genitales, lo que sin duda a ella la habría hecho desmayarse. Se subió las calzas, las abotonó y se giró hacia a los hombres.

—¿Dónde están los caballos? —preguntó el hombre.

¿Creerían que habían llegado ahí volando?

—Estaban heridos, así que el cochero los ha llevado a la próxima posada.

—La próxima posada está en Worsall —dijo el hombre—. No le servirá de mucho.

—Entonces los llevará a la siguiente. Pero él u otro nos enviará una carreta o un coche.

—Va a llover.

—Ya nos hemos dado cuenta. ¿Hay algún lugar por aquí cerca donde podamos refugiarnos a esperar?

La respuesta fue un desconfiado silencio.

—No somos bandoleros, señor —dijo Prudence—. Sólo viajeros que hemos sufrido una desgracia.

—Me llamo Burgoyne —añadió Cate—, y ella es mi esposa. Vivimos cerca de Richmond.

Ninguna de esas dos cosas probaba nada, pero al parecer disipó las dudas del campesino.

—Mi granja está ahí por ese sendero —dijo el hombre—. Pueden descansar ahí si quieren.

Cate le hizo una leve venia.

—Se lo agradecemos.

—Volveremos ahí, entonces. Vamos, Lolly.

Los dos echaron a andar por la carretera, entraron en un camino o sendero y se perdieron de vista.

—Será mejor que me vista —dijo Cate—, aunque me has destrozado la camisa.

—¿Te he destrozado...?

—¡Paz! —exclamó él levantando una mano—. Era una broma. Es delicioso embromarte. Me pondré lo que queda de la camisa. Con el chaleco y la chaqueta encima, no se notará.

Ella le pasó las prendas y al instante le dio la espalda. Él la giró hacia él y le robó un rápido beso.

Ella protestó, pero el brillo de sus ojos le reveló que lo estaba disfrutando. Qué diferencia con la mujer que llegó rígida a la iglesia para casarse con Henry Draydale. Pero él tenía toda la intención de hacerla avanzar a partir de ahí. Hasta las estrellas.

Aunque de momento el avance era hacia Keynings y a todo lo que significaba eso.

Se puso el chaleco.

—Tal vez deberíamos fugarnos.

—Estamos casados.

Comenzó a ponerse la chaqueta, pero debió hacer un mal gesto, porque ella se apresuró a ayudarlo.

—Fugarnos de la vida —dijo—. Huir a un lugar donde no nos conozca nadie y podamos ser unos lunáticos impetuosos eternamente.

—Eso me gustaría —dijo ella, alisándole la chaqueta y dándole palmaditas, tal vez sin darse cuenta—. Pero has heredado una propiedad, Cate, y debes cuidar de ella.

«Y tú has tomado posesión de mucho más de lo que sabes», pensó él.

—Prudence, tengo que decirte una cosa.

Capítulo 16

*A*hora no —dijo Prudence mirando hacia el cielo—. Podría caer un aguacero en cualquier momento. Busquemos esa granja.

El instinto le aconsejó interrumpirlo. El tono de él, repentinamente serio, le advirtió que le iba a decir algo desagradable, una especie de confesión de mala gana. Tal vez que su propiedad era mucho menos de lo que había dado a entender, o que realmente no tenía ni un penique, a pesar de afirmar lo contrario.

No deseaba oírlo, no ahí, en ese momento, con su mejor vestido manchado de sangre, el sombrero destrozado, el pelo revuelto y los pies doloridos por el duro camino. Después, cuando estuvieran cómodos, cuando el mundo volviera a estar equilibrado, ella podría hacer frente al problema, fuera cual fuera, y encontrar maneras de arreglárselas.

Pero cuando sólo había dado unos pasos, se giró hacia el coche.

—Necesito mis zapatos resistentes.

Volvieron para abrir el maletero, pero con el vuelco el coche estaba todo torcido. Cate intentó abrirlo, pero no pudo.

—Para —dijo ella al ver que iba a intentarlo otra vez—. Se te va a abrir la herida.

—Y tú te torcerás un tobillo con esos zapatos.

Ella se cogió de su brazo.

—Podemos cojear juntos, apoyándonos mutuamente.

—Así por la vida —dijo él sonriéndole.

Ella le correspondió la sonrisa.

—Vamos, entonces. Va a llover pronto.

Ya comenzaban a caer gotas sobre la seca tierra, así que caminaron a la mayor velocidad posible hacia el sendero. Cate cojeaba para no apoyar demasiado la pierna y a ella le protestaban los zapatos. Cuando comenzaron a bajar el sendero en pendiente, ella notó que se le soltaba el tacón del zapato derecho.

—Vivo pensando que las cosas no pueden empeorar, pero empeoran, como una rueda bajando por una ladera. Pronto voy a quedarme sin zapatos, mi vestido está estropeado y tú tienes la ropa rota.

—Vamos en busca de techo, comida y descanso —dijo él—. Tan pronto como pase la lluvia volveremos e intentaremos forzar la tapa del maletero y por lo menos tú estarás en mejor forma.

—Optimista —dijo ella, pero riendo.

La vida prometía, pensó. Podría estar en el primer día del resto de su vida como esposa de Henry Draydale. En cambio, ahora era la señora de Catesby Burgoyne, y la granja al final de ese surcado sendero ofrecía protección contra los elementos.

Contempló la casa; era alargada y estrecha, de piedra gris, agradablemente situada junto a un arroyo. Por delante había un patio cercado por muros bajos de piedra en el que picoteaban gallinas y pollos y corrían unos cerditos. Detrás se veían los techos de dependencias o cobertizos y un campo salpicado de ovejas. De la chimenea salía humo.

—Se ve agradable y acogedora —dijo.

—¿Deseosa de convertirte en la esposa de un granjero?

—Deseosa de un refugio. La casa se ve pintoresca, pero debe de ser duro vivir ahí en invierno.

Cuando llegaron al muro de piedra, de la casa salió una joven con el vientre abultado por un embarazo, cubierto por el delantal. Con la mano les hizo señas de que entraran.

—Adelante, señor, señora. Pasen. Pronto caerá un aguacero.

Ellos atravesaron el patio y entraron con gusto, aunque Cate tuvo que bajar la cabeza para pasar por la puerta.

La casa era tan pequeña como la que ocupaba ella en White Rose Yard, aunque entraron directamente en la cocina. En esta sólo cabía una mesa, un sofá cerca del hogar, encima del cual había un armario bajo con estantes, y la habitación ocupaba todo el ancho de la casa. El suelo estaba cubierto con losas y el cielo raso era bajo. Cate sólo podía mantenerse erguido bajo una viga.

Tenía que haber más habitaciones a la derecha, más allá de la pared en que estaba el hogar, en el que colgaba una olla sobre el fuego, de la que salía olor a algo sabroso. El fuego hacía casi demasiado calurosa la habitación, pero por el momento eso era agradable.

—Siéntense, señor, señora —dijo la joven, que era muy guapa; tenía una piel que envidiaría cualquier dama refinada, y un pelo sedoso castaño metido bajo una cofia—. Soy la señora Stonehouse, y Green Hollow es la granja de mi marido —añadió, orgullosa—. Un accidente de coche, dice. Qué terrible. ¿Les traigo cerveza?

Prudence deseaba beber té, pero ahí no tendrían ese lujo. Un poco de coñac le iría bien, pero sacar la petaca del bolsillo podría hacerlos parecer sospechosos.

Se sentó en el sofá y dejó caer los zapatos, porque se sentía a gusto ahí, tal vez porque esa habitación le recordaba la cocina de Hetty. Hetty, como esta mujer, sabía transformar una casa lúgubre en un hogar agradable. Ni ella ni su madre habían sido nunca capaces de hacer eso.

¿Por qué echarle la culpa a la casa?

Se frotó un pie con el otro, exhalando un suspiro al ver sus medias sucias, aceptando que no tenía la habilidad para crear un hogar agradable en una casa fea, y que tal vez algo así era todo lo que tenía Cate para ofrecerle. Todos se habían mostrado escépticos ante sus declaraciones de que tenía una propiedad y dinero, y sin duda tenían razón. Su camisa estaba muy desgastada y remendada por varias partes. ¿Por qué ponérsela si tenía otras mejores?

De todos modos lo elegiría a él cien veces antes que a Draydale, pero ¿por qué su vida nunca podía fluir sin dificultades? En realidad, le pedía poco a la vida. De repente le brotaron lágrimas, sacó su pañuelo y cuando lo levantó vio que tenía sangre en las manos.

—¿Está herida, señora?

Ante ella estaba la esposa del granjero con dos jarras de cerveza.

—No, mi marido sí, con un trozo de vidrio de la ventanilla que se rompió cuando se volcó el coche. ¿Me puedo lavar las manos? —Ya estaba lloviendo, pero añadió—: ¿Tal vez en el arroyo?

—Eso no es necesario —dijo la señora Stonehouse. Dejando en la mesa las jarras, fue a sacar agua de una cuba y la vertió en una jofaina—. Siempre tenemos agua en la casa. —Eso lo dijo con orgullo también, pero se disculpó al poner sobre la mesa un cuenco de madera con copos de jabón—: Este jabón no es del fino, señora, como al que usted estará acostumbrada.

Era un jabón duro y áspero, tal vez hecho con grasa de oveja y lejía, pero era el mismo que ella había utilizado sólo unas semanas atrás.

—Me dejará limpias las manos y eso es lo que importa —dijo.

Mientras se lavaba las manos resolvió hacerle un regalo a su anfitriona. En el baúl tenía una jabonera de porcelana con jabón suave y oloroso.

—Feo el moretón que tiene en la cara, señora. Le ha cogido pronto ese color.

Prudence se secó las manos pensando si la mujer sentiría desconfianza. Podría saber qué color tiene un moretón de un día atrás.

—Me lo hice antes —dijo y se acercó a Cate sonriendo, con la esperanza de disipar cualquier sospecha de que él la hubiera golpeado.

Cate levantó la jarra de cerveza en un brindis por ella, pero estaba de pie, no sentado.

—¿Es incómodo?

—No lo voy a probar. Tarde o temprano tendré que volver a

sentarme, en un coche o en el lomo de un caballo, pero no quiero darme prisa. ¿Cómo están tus moretones? Los nuevos, quiero decir.

—Son de poca importancia.

—¡La lluvia ya es un aguacero! —exclamó en ese mismo instante la señora Stonehouse—. Rápido, los postigos.

Las cuatro ventanas pequeñas no tenían cristal, así que todos corrieron a cerrar los postigos; después la señora Stonehouse pasó corriendo por la puerta de al lado del hogar y oyeron más ruidos de cerrarse postigos. Mientras todos corrían había aparecido un niño pequeño con delantal, y estaba mirando a Prudence con un pulgar metido en la boca.

—Buenos días —lo saludó esta.

—Días —contestó el niñito; se quitó el pulgar de la boca y volvió a metérselo.

En eso entró su madre.

—Es un buen muchachito, Jackity.

—Muy inteligente —convino Prudence, haciendo sonreír de oreja a oreja a la madre.

A todas las madres les encanta que elogien a sus hijos, pensó. Aunque ella no recordaba que la suya se enorgulleciera de ella, y al parecer la madre de Cate no valoraba sus cualidades. Pero esa madre estaba en Keynings y no lo aprobaría más por haberse casado con una mujer que llegaba sucia, manchada de sangre y con el pelo hecho un nido de pájaros.

Un accidente de coche disculpaba su desastrosa apariencia, pero de todos modos deseaba presentarse a su suegra con la apariencia más respetable posible. Antes de marcharse de ahí se cambiaría, aunque no tenía ningún otro vestido tan fino.

En eso entró el granjero Stonehouse, con la cabeza cubierta con unos sacos.

—Necesitamos la lluvia —dijo, como retando a cualquiera que deseara criticar algo.

El niño corrió hacia él y él lo levantó en brazos.

—Este es mi maravilloso muchacho.

—Siéntate a descansar un rato, cariño —le dijo su mujer—. Prepararé las tortas en la plancha y podremos comer.

—Y comerán bien —dijo el granjero—. Mi Peg es muy buena ama de casa.

—Eso lo veo, señor —dijo Cate, levantando su jarra—. Es un hombre con suerte.

—Sí que lo soy, señor —dijo el joven, sentándose y calmándose también.

—¿Tiene buena tierra aquí? —preguntó Cate.

Eso llevó a una conversación sobre la buena y la mala tierra, y los usos que se le podía dar. Hablando de esos temas, los dos hombres parecían iguales, aunque Prudence pensó que Cate parecía muy bien informado para ser un soldado. Tal vez había heredado una granja y estaba aprendiendo esas cosas.

Tal vez eso fuera lo que quiso confesarle, que no podía llevarla a una casa solariega, sino sólo a una granja. Eso no le importaba mucho a ella, aparte de que no tenía ninguna de las habilidades para llevarla. La esposa de un granjero tiene que saber de cerdos y pollos, y hacer mantequilla y queso. Podría tener que ayudar en la cosecha, y luego estaban las otras habilidades, como la de hacer vino, cordiales y crema para las manos.

Se miró las manos limpias, suaves y elegantes. Sería mejor que viera si lograba conseguir la receta de la madre de Hetty. También podría necesitar aprender a hacer pan en una plancha de hierro, porque en una granja pequeña como esa no habría horno.

Entonces recordó que Cate le había prometido criados. Eso no sería mentira, y las buenas criadas saben hacer pan, haya horno o no. Eso podría hacerlo; sería la buena esposa de Catesby Burgoyne, y lo haría sentirse a gusto y cómodo aunque fuera con poco dinero.

Pero antes tenía que sobrevivir a su visita a Keynings.

No entendía por qué tenían que ir ahí tan pronto. Tal vez en la aristocracia era una especie de obligación presentar a la esposa al cabeza de familia. Tal vez incluso se esperaba que pidiera permiso. Había oído que en el ejército los oficiales tenían que tener el permiso de su general para casarse.

Cogió la parte ensangrentada de la falda de seda verde, como si fuera posible limpiar la mancha. Su segundo mejor vestido era elegante, con trencillas y alamares, pero de tela fuerte apropiada para viajar. Se lo habría puesto esa mañana, pero le pareció que el estilo era demasiado militar para utilizarlo como vestido de bodas.

Había tres vestidos para el día en su baúl, uno a rayas blancas y amarillas, uno crema con flores pequeñas estampadas y uno de colorida cretona. Pero los tres eran livianos, no apropiados para viajar. El único otro vestido era el azul, del que no quiso deshacerse después de haber trabajado tanto en él. Ese era decididamente inapropiado.

—La comida está lista —anunció la señora Stonehouse—. Llama al muchacho, Jonny.

El ayudante no tardó en entrar corriendo y se sentaron a la mesa. El granjero Stonehouse recitó la oración de acción de gracias y su mujer sirvió un espeso estofado en platos hondos de madera. Estaba hecho principalmente con verduras, pero muy sabroso, y el pan hecho en la plancha y con mantequilla estaba delicioso. Incluso había postre, compota de peras, tal vez con peras secadas en otoño. Un ama de casa previsora podía hacer muchísimo con muy poco.

Aprendería a ser un ama de casa previsora.

Pensaba de otra manera en White Rose Yard y en las otras casas en que había vivido. En ese tiempo no tenía ánimo para aprender esas habilidades y sólo deseaba que llegara el día en que pudiera volver a ocupar su legítimo lugar. Ahora había echado su suerte con Cate Burgoyne y sí que tenía el ánimo para intentar hacer cómodo su hogar.

Después de la comida se ofreció a ayudar a fregar los platos, pero la señora Stonehouse le dijo:

—Siéntese, señora. Ya fregaré los platos después en el arroyo. Tendremos una bonita tarde una vez que pase la lluvia.

Cate fue a abrir un postigo.

—Está aclarando en la distancia.

Prudence también fue a mirar. Había un asomo de luz del sol, pero también cayó en la cuenta de lo hundida que estaba la casa. No se veían ni la carretera ni el coche.

—¿Y si alguien roba mi baúl?

Cate la miró.

—Pues que lo roben. Pero no lo creo probable en un camino tan tranquilo. Y alguien tendría que forzar la tapa para abrir el maletero.

—Podría entrar la lluvia.

Él la miró moviendo la cabeza.

—Pues que entre.

—Pero entonces tendría que viajar con este vestido. —Se giró hacia la anfitriona—. Señora Stonehouse, ¿tiene sal para intentar quitarle las manchas de sangre a mi vestido?

—Sí, pero eso es seda, ¿no? La sal podría estropearla.

—Si las manchas no salen, el vestido estará de todas formas estropeado, así que es mejor probar.

La joven le puso agua en la jofaina otra vez, y le pasó un salero y un trapo para restregar. Prudence puso sal en la peor mancha.

—Será mejor que se lo quite —dijo la señora Stonehouse—. Tengo ropa en la otra habitación, si quiere.

—¿No le importa, de verdad?

—No, venga ya. Mis cosas le quedarán cortas, eso sí.

—Es sólo por un rato. Gracias.

Estaba realmente impresionada por esa pronta generosidad. ¿Cuándo había visto algo así? En Hetty. Cuando pasó por la puerta, al lado del hogar, recordó cuando Hetty dijo que las personas están mejor en el lugar donde han nacido. Tal vez era más fácil haber nacido para una vida sencilla y estar contenta de seguir en ella toda la vida. A ella la habían elevado, luego bajado, vuelto a elevar, y en esos momentos no sabía en qué posición estaba.

No había fuego en el hogar del dormitorio, así que abrió un poco el postigo para tener luz. La lluvia había amainado un poco y en la distancia se veía despejado, pero por el momento seguía cayendo parejo y eso sugería que continuaría lloviendo.

Volvió a observar la habitación, que evidentemente era la única otra que había en la casa. Más allá de la pared debían estar las dependencias de la granja, tal vez un granero o algo así.

En la habitación había una cama enorme, una pequeña y en un rincón una cuna, esperando la llegada del bebé. La cama era tosca pero estaba cubierta por un centón de vivos colores. Uno similar cubría la cama pequeña del niño y otro estaba dentro de la cuna. A pesar de la pobreza y tal vez a veces privaciones, el bebé llegaría a un mundo amoroso y bonito.

Ella se las arreglaría para hacer lo mismo para sus hijos.

No había ropero, sino sólo ganchos en la pared y un par de arcones de madera. De dos ganchos colgaban prendas de ropa tapadas por un paño sin blanquear. Curiosa, levantó un paño y vio un traje de hombre; era de tosca lanilla marrón, pero sería la ropa de gala del señor Stonehouse, reservada para la iglesia y otras ocasiones especiales.

Debajo del otro paño encontró un vestido amarillo adornado con flores de varios colores en ganchillo, tal vez hechas por la propia señora Stonehouse. Sería su vestido de bodas, también reservado para la iglesia y ocasiones especiales, pero curiosamente similar al que llevaba ella para casarse con Draydale. Había un mundo de diferencia en elegancia y precio, pero este era más valioso por mucho. Estaba hecho con amor, para un matrimonio por amor, y hablaba de radiantes esperanzas de felicidad futura.

Dejó caer el paño sobre el vestido. Cuando se iba a casar con Draydale no tenía esas esperanzas, pero ¿y en su matrimonio con Cate? Sí que esperaba felicidad, y mucha.

Se miró el anillo de bodas. Era puro oropel, pero podría desear llevarlo puesto todos los días de su vida; simbolizaba el para siempre, un tesoro sin precio si ella lograba hacerse digna de él.

Rápidamente eligió las prendas más sencillas que encontró, una falda de lino azul celeste y una blusa en tono más oscuro. Se quitó el vestido manchado y se examinó la enagua. No estaba manchada, no había traspasado la sangre. El corsé también estaba intacto. Pasó los pies y la enagua por la falda, se la subió y se ató los lazos. Al mirarse comprobó que la orilla le dejaba a la vista unas dos pulgadas de las piernas por encima de los tobillos. Ya debía ser corta como falda para el trabajo, pero a ella le quedaba demasiado corta. No le habría importado si no fuera porque dejaba a la vista sus medias sucias y sus zapatos a mal traer.

Se sintió un tanto desaliñada, pero sólo sería por un rato. Podría devolverle algo de decencia al de seda verde, y estaría preparada para Keynings. Si no, era de esperar que en el baúl que seguía en el coche no hubiera entrado agua de la lluvia. Podría ponerse unas medias limpias, sus zapatos resistentes y el vestido de viaje rojo orín.

Capítulo 17

Cate estaba apoyado en la pared junto a la ventana con el postigo ligeramente abierto, observando que el tiempo no mejoraba de ninguna manera apreciable. Conocía las lluvias de Yorkshire, podían pasar rápido o continuar días y días.

La lluvia habría impedido que viniera una carreta o un coche a rescatarlos, así que ¿qué hacer cuando aclarara? ¿Esperar o caminar? Caminaría si era necesario, pero con la herida en la pierna no era una perspectiva agradable.

Si llegaba algún vehículo, ¿cómo lo pagaría? Las monedas que le quedaban en el bolsillo no bastarían, y dudaba que Prudence tuviera mucho más. Tenía el anillo con el sello del conde y el de luto por Roe, pero ni se le ocurriría pagar con ellos el transporte. Total, una situación ridícula, pero su esposa valía el precio.

El impulso le había sido beneficioso, para variar. Desde el principio había visto las cualidades de Prudence Youlgrave, y los acontecimientos de esos días las habían confirmado. Podía no haber nacido condesa, pero haría maravillosamente el papel.

¿Qué habrían hecho Artemis, su madre, o Sosa, Torpe o Chispa ante los acontecimientos de ese día? Quedarse paralizadas por el terror, ser inútiles durante la acción y sucumbir a un ataque de nervios después, para al final acabar en la cama, inútiles, atendidas y mimadas por un montón de gente. En cambio, su esposa lo había atendido y mimado a él. No recordaba a nadie que hubiera hecho lo mismo.

Era inteligente, ocurrente y admirable en todos los sentidos.

En eso salió ella de la habitación, con el vestido de seda en el brazo y con aspecto de campesina.

—¿No encontraste nada mejor para ponerte? —le preguntó.

Ella lo miró ceñuda y dirigió una rápida mirada hacia la anfitriona.

—Esto está muy bien.

Extendió la falda del vestido en un lado de la mesa, cogió el trapo y comenzó a restregarla con sal y agua. El niñito se acercó a tocar la seda bordada y le dio unos golpes, riendo. Prudence sonrió y lo embromó, pero la señora Stonehouse llegó a regañarlo.

—Déjelo jugar —le dijo Prudence—, no le hará ningún daño.

—Le dejará manchas.

—De las que se pueden quitar. Las de sangre, no sé. Sólo estoy extendiendo más la mancha.

—Debería lavarla —dijo la mujer—, pero ¿se puede lavar la seda? —Pasó la mano por una manga—. Qué tela más preciosa.

El niño se metió debajo de la mesa y luego, riendo, comenzó a pasar de un lado al otro por debajo de la seda como si fuera una cortina. Las dos mujeres se rieron con él.

Cate encontraba encantador el cuadro, pero observó que Prudence encajaba demasiado bien ahí, se sentía a gusto, cómoda. Su mujer tendría una doncella para quitarle las manchas a la seda, y sus hijos tendrían sus propios criados y se criarían en la planta de los niños. Ahí se había criado él, y veía a sus padres sólo de vez en cuando, y le había gustado ese sistema. Sus hijos también estarían felices criados así, pero ¿cómo se sentiría Prudence?

Parecía sentirse tan a gusto ahí, donde su madre y Artemis se sentirían incómodas, pero ¿cómo se las arreglaría en Keynings? No sólo sería un mundo desconocido para ella, sería un mundo hostil además. Nadie aprobaría su matrimonio con ella, y sus buenas cualidades de valor, aguante y sinceridad se considerarían poco femeninas.

Una cosa era segura, debía llegar a Keynings armada con ropa fina y mucha dignidad, pero él veía claramente que todo su trabajo para limpiar la sangre iba dejando la seda peor, no mejor.

—Abandona la esperanza de quitarla —le dijo—. Tan pronto como pare la lluvia iremos a buscar otra cosa en tu baúl.

Ella dejó el trapo dentro de la jofaina.

—Pero es un derroche. Costó carísimo. Peg, ¿lo querrías? En la falda hay yardas de tela y podrías hacerte algo con las partes buenas.

Condenación, su condesa ya se tuteaba con la mujer del granjero, tal como con su vecina en White Rose Yard. Podía haber nacido en una casa solariega, pero a partir de ahí había recorrido muchísimo terreno, convirtiéndose en otra persona, una que se sentía cómoda ahí, pero que se sentiría muy incómoda en los círculos aristocráticos.

Pero ya estaba hecho, y debía ayudarla a sobrevivir.

Su primera obligación era decirle la verdad, pero para eso necesitaría un momento para hablar en privado. La explosión que seguiría a su confesión, no debía producirse en público.

Prudence notó que algo ensombrecía el humor de Cate. Tal vez era el mal tiempo o el estropicio de su fino vestido. Él preferiría presentarla a sus distinguidos parientes vestida de seda, seguro.

Ella también lamentaba que se le hubiera estropeado el vestido, pero en cierto modo en esos momentos se sentía más feliz de lo que se había sentido desde hacía años. Disfrutaba con la compañía de Peg Stonehouse y las travesuras del encantador niñito. En esa habitación iluminada por el fuego del hogar, y los postigos cerrados, la granja Green Hollow era una madriguera acogedora.

Peg estaba poniendo en una tinaja un montón de amapolas que llenaban una vasija.

—¿Qué vas a hacer con ellas? ¿Dejarlas secar para que den olor?

—No, no son olorosas. Las voy a remojar en mi vino de escaramujo para hacer un buen cordial. ¿No haces agua de amapolas?

Prudence sonrió pensando en la naturaleza universal de vinos y licores, y ninguno de ellos de Francia.

—No, explícame cómo se hace.

—No hay mucho que ver ahora. Simplemente se ponen a remojar y se dejan así unos días. Después le añado arándanos secos del año pasado y lo saco todo al sol. Después se le añaden caracoles triturados y ya está.

—¿Caracoles?

—Son muy potentes los caracoles. ¿No lo sabías?

—No —dijo Prudence con una vocecita débil, pensando qué contendría el cordial de la madre de Hetty.

Tal vez podría hacer el agua de amapolas sin los caracoles.

—¿Para qué sirve?

—Para muchas cosas. Contra el resfriado, el dolor de estómago, la fiebre, el dolor. Para el estómago lo mejor es creta en leche de cabra, pero no hay mucha creta por aquí.

Prudence la animó a hablar de sus conocimientos, deseando tener papel y pluma.

—¿Cómo haces el vino?

—Para hacerlo, sólo se necesita una fruta muy dulce y levadura de cerveza. Lo dejas reposar bastante tiempo, apenas tapado y ya está listo. El de arándanos es un vino fino y hace buenos cordiales.

Todo bebidas para la salud, pero para disfrutarlas también.

El granjero Stonehouse asomó la cabeza por la puerta de atrás.

—La lluvia ha parado, señor. ¿Quiere intentar abrir el maletero?

—Por supuesto —dijo Cate—. ¿Tiene alguna herramienta que sirva?

—El pico de mi martillo serviría —dijo el hombre, enseñándoselo.

Prudence había visto el gesto de dolor de Cate cuando se movió. Si su herida se estaba curando le dolería si se estiraba.

—Iré yo —dijo.

—De ninguna manera.

—Cate, es una pendiente larga, y tu herida...

—No es nada.

—Yo iré a ayudarle, señor —dijo Stonehouse.

—Gracias, pero no es necesario —dijo Cate simplemente—. Seguro que tiene más trabajo que horas el día.

—Eso es cierto, señor. Si está seguro...

Diciendo eso le pasó el martillo y volvió a su trabajo.

Cate se dirigió a la puerta y Prudence lo siguió.

—Te acompañaré.

—Tonterías.

—¡No discutas sobre esto! —Se mantuvo firme cuando él se giró a mirarla—. Sería una tontería traer hasta aquí el baúl, y ¿cómo vas a saber qué quiero coger?

—Creo que soy capaz de elegir un vestido apropiado.

—Pero no el que elegiría yo.

—Prudence...

Ella cayó en la cuenta de que lo estaba sermoneando como antes sermoneaba a su hermano y eso lo ofendía. Aunque le costó, cambió de táctica.

—Por favor —pidió—. Sólo me preocupo por ti. Déjame que vaya.

Creyó que aún así él se iba a negar, pero entonces le dijo:

—Muy bien, pero cuando tengas destrozados esos zapatos, no me vengas con quejas.

—Tengo unos zapatos resistentes en el baúl —observó ella.

Al verlo poner los ojos en blanco comprendió que había vuelto a su tono altanero. Le iba a resultar difícil ser una esposa sumisa.

Cuando abrieron la puerta, vaciló. Dado que la casa estaba en una hondonada, se había formado un pantano lodoso más allá del peldaño. Pero no podía echarse atrás después de haber insistido tanto.

Se cogió de su brazo y entró en el pantano.

—Estos zapatos ya no tienen remedio, pero por lo menos la falda no se va a arrastrar por el barro. No sé por qué las llevamos tan largas.

—¿Por qué no usar faldas hasta las rodillas? —bromeó él—. Los caballeros lo agradeceríamos.

Un loco impulso se apoderó de ella. Cuando llegaron a terreno firme, se levantó la falda hasta las rodillas.

La expresión que vio en los ojos de él la recompensó. De repente sintió calor, soltó la falda y echó a andar por el largo y resbaladizo sendero.

Él le dio alcance y continuaron cogidos del brazo.

Cuando llegaron a la carretera, el coche estaba tal como lo habían dejado, volcado y con toda esa parte destrozada; no había señales de que hubiera pasado alguien por ahí.

Los pájaros trinaban y gorjeaban entre los setos mojados y la hierba, y la luz del sol, formaba un arco iris.

—Podríamos buscar nuestra fortuna al final del arco iris —dijo ella, deseando internarse por los campos y alejarse, simplemente alejarse con Cate.

—Tenemos bastantes riquezas, esposa. Vamos a restablecer tu dignidad.

Prudence lo siguió hasta el coche, consternada por lo mucho que parecía importarle a él su apariencia. Nunca lograría verse aristocrática.

El martillo tenía un largo pico al otro lado de la cabeza y con él golpeó Cate para abrir el maletero. Rompió la madera y saltaron astillas, pero el coche ya estaba tan dañado que eso no importaba mucho.

—Sujeta la tapa un momento para poder sacar el baúl y acercarlo un poco. Creo que lo puedo enderezar aquí mismo, para no tener que ponerlo sobre el suelo mojado.

Ella obedeció y él logró dejar el baúl más o menos horizontal.

—¿La llave?

—Menos mal que no la saqué del bolsillo.

Metió la mano por la abertura de la falda y encontró la llave en el bolsillo de la enagua.

Justo entonces se oyó el ruido de cascos de caballos.

—Viene alguien, ¡por fin! —exclamó Cate.

Ella se asomó a mirar y vio que no era un coche.

—Sólo son dos jinetes. Un caballero y un mozo.

Cate se asomó y pasó por detrás de ella cojeando.

—¡Perry! ¿Cómo diablos has llegado hasta aquí?

Perry. ¿El amigo?

El caballero de la capa sonrió.

—Con mucha dificultad, loco. ¿Ese es tu coche?

—Lo que queda de él, lo que te convierte en un ángel caído del cielo.

—Seré Rafael, creo —contestó el hombre llamado Perry—. Rafael, el espíritu sociable que se dignó a viajar con Tobías y aseguró su matrimonio con la doncella siete veces casada. —Miró hacia Prudence, le sonrió y le hizo una venia—. ¿Tu esposa ha estado casada siete veces antes?

Ella se vio obligada a hacer una reverencia aun cuando la actitud de él era ridículamente despreocupada y la ropa de ella no era la apropiada para esa elegancia. Ese era su primer encuentro con alguien de Keynings, y debía de parecer una campesina, y muy sucia además.

—Prudence sólo se ha casado una vez —dijo Cate mientras su amigo desmontaba—. ¿De dónde es esa cita?

—De *El paraíso perdido*, aunque refiriéndose a la Biblia, en la que se narra cuando Rafael ayudó a Tobías a liberar a la bella Sara de un demonio.

—Muy apropiado, entonces.

—¿Tienes un demonio?

—Ya no. A no ser el demonio de la pobreza, que espero puedas tú exorcizar.

—A tus órdenes, como siempre —dijo Perry pasándole un abultado monedero.

El peso del monedero era sorprendente, pensó Prudence, a no ser que contuviera chelines y ella estaba segura de que no eran chelines.

Si es posible juzgar a un hombre por sus amigos, ¿qué debía pensar de ese? Pese a su ropa sencilla y su gruesa capa de montar, parecía todo aire y espíritu, tanto en sus modales como en su físico. Era más bajo que Cate y mucho más delgado, pero en cierto modo no parecía «menos».

Vio que el otro jinete la estaba mirando y entonces recordó que era el mozo de Tallbridge, al que Cate envió con el mensaje y que en ese momento debía estar totalmente desconcertado.

—¿Qué pasó? —preguntó el mozo—. ¿Dónde están los caballos y el señor Banbury?

Cate se acercó a él para explicárselo mientras el fantasioso frívolo se aproximó a ella. Deseó estar con su vestido de seda y bien compuesta. Él se inclinó en una profunda venia haciendo varios floridos círculos con la mano derecha.

—Milady Malzard, supongo. *Enchanté*, querida señora.

Le faltaba un tornillo además.

—¿Quién? Soy la esposa de Cate, señora Burgoyne.

—Ah... claro. ¡Mil disculpas! Pero eso sólo aumenta mi placer al conocerla, lo que no ha ocurrido formalmente, pues mi amigo ha descuidado sus deberes. Permítame corregir el error. Peregrine Perriam, señora —se inclinó en otra venia—, su muy devoto caballero. Puede ordenarme lo que quiera. Absolutamente cualquier cosa.

Prudence hizo otra reverencia, agradeciéndole, pero esforzándose en no reírse de esa sarta de tonterías. Hasta que cayó en la cuenta de una cosa.

El señor Perriam estaba muy azorado.

Había supuesto que a Cate lo acompañaba otra mujer.

Una tal lady Malzard.

Él hizo unos comentarios sobre el tiempo y Yorkshire. Ella le contestó siguiéndole la conversación, procurando que no se le notara la aflicción.

¿Cate y otra mujer viajando juntos? Eso sólo podía significar una amante. Cate tenía una amante y el señor Perriam supuso que viajaba con ella.

Una lady Malzard tenía que ser una mujer casada.

Una adúltera.

O viuda.

Eso era peor. Una viuda estaba libre para casarse. Dios la amparara, ¿Cate había iniciado el viaje en busca de su verdadero amor y se quedó atrapado por las desgracias de ella?

Llevaba mucho rato en silencio.

—Mis disculpas, señor Perriam. Como se puede imaginar, esto ha sido un incidente angustioso.

Entonces llegó Cate hasta ellos.

—Veo que os habéis presentado. Mis disculpas por no hacer yo las presentaciones. Estábamos a punto de encontrar ropa decente para Prudence. La que lleva puesta se la prestó la esposa del granjero.

Pedía disculpas por ella, pensó Prudence. Sin duda lady Malzard siempre vestía a la perfección.

Deseó meterse en un hoyo, pero simplemente se dio media vuelta y caminó de vuelta al maletero.

—Manos a la obra.

Oyó decir «Cate» al señor Perriam, como para atraer su atención, y después dijo en voz alta:

—Cáspita, ¿estás herido?

—Nada importante. El baúl es la primera prioridad.

Que su esposa no deseada se vistiera con algo decente era la prioridad.

Aunque la mona se vista de seda...

Lady Malzard tenía que ser de alcurnia y elegante. Seguramente era menuda, de rasgos suaves, siempre encantadora y dulce, no sermoneaba jamás a su amante, ni siquiera por su bien.

Giró la llave del baúl. Al ver que él estaba a su lado y levantaba la tapa dijo:

—Me las puedo arreglar sola.

Necesitaba que él se alejara, para poder serenarse, para poder contener las lágrimas que estaban a punto de brotar.

—Vas a necesitar otro par de manos —dijo él—. No puedes dejar las cosas en el suelo.

Tenía razón, lo que la fastidió aún más.

El vestido rojo orín estaba encima y era muy apropiado para viajar. Pero sin duda lady Malzard siempre llevaba vestidos con volantes y adornos, así que hurgó más al fondo y sacó el de rayas amarillas.

—Ese es demasiado delicado para viajar —dijo él—. Debes de tener algo más sencillo.

«¿Más sencillo? Muy bien, señor. Te daré algo sencillo.»

Sacó el azul.

Entonces recuperó el sentido común. No le haría daño a nadie sino a ella misma. Lo guardó y le pasó la falda y la chaquetilla que componían el traje rojo orín, y sacó un par de medias sencillas.

—Sólo me falta la bolsa con los zapatos negros.

Hurgó otro poco hasta encontrarlos. Cuando se enderezó y se volvió hacia él, Cate le preguntó:

—¿Qué te pasa?

Ella deseó decirle qué le pasaba, deseó golpearle la dura y desconsiderada cabeza con la bolsa de los zapatos, pero ¿para qué? Lo hecho, hecho estaba.

—Sólo los efectos del día —dijo.

—O Perry. Siento que haya llegado estando tú con esa ropa, pero es de confianza.

Fuera o no de confianza, propagaría la historia de lo inferior e inapropiada que era ella.

—Tendríamos que volver a la granja —dijo él.

—Necesito buscar un regalo para Peg Stonehouse.

La alegró girarse a buscar el jabón en su bonita jabonera de porcelana y una de sus camisolas nuevas adornada con encajes. Deseara lo que deseara, Cate estaba casado con ella, no con lady Malzard. Era de ella y era mejor así. Esa refinada lady no podría tolerar la pobreza, no sabría hacer pan ni crema para las manos.

Bueno, ella tampoco lo sabía aún, pero podía aprender. Aprendería todo lo necesario para crear un hogar agradable de forma que él llegara a amarla. A ella, no a otra mujer.

Pero si lady Malzard estaba casada y era la hermosa, elegante y dulce amante de Cate, ella no tenía nada que hacer.

Bajó la tapa, giró la llave y declaró:

—Ahora estoy lista.

Acto seguido, cogiendo la ropa de las manos de él, echó a andar hacia la granja y oyó el fuerte golpe cuando Cate cerró el maletero. Bonita manera de comenzar a hacer funcionar el matrimonio, rezumando fastidio por sentirse maltratada, pero ¿cómo se apaga el fuego de la ira y el dolor?

Qué sueños más tontos se había forjado sólo porque él era amable y a veces lujurioso. Los hombres no necesitan sentir nada por una mujer para desearla, y los hombres como Cate no se enamoran de mujeres como ella.

Se parecía más a su cuñada de lo que había creído.

Continuó caminando hacia la casa sin esperar a los hombres, esforzándose en calmarse, procurando que no le importara, y con cada paso le aumentaba la rabia y el sufrimiento.

Si él amaba a otra no debería haberse casado con ella, por apurada que fuera la situación en que la encontró.

Debería haberla abandonado a su suerte.

Al menos Draydale jamás le habría roto el corazón.

Capítulo 18

Cuando Cate se giró vio a Prudence caminando hacia la casa y su forma de moverse declaraba que seguía enfadada por algo. Dejó que Perry y el mozo llevaran los caballos y echó a andar tras ella.

—Déjame que lleve eso.

—No soy una dama delicada. Ahórrale molestias a tu pierna.

—Un poco de ropa no me va a cansar.

Ella lo miró furiosa, pero le puso toda la ropa en los brazos y continuó caminando delante.

—Prudence, Perry no le da importancia a tu apariencia.

Ella se giró a mirarlo.

—¡Mi apariencia! ¡Mi apariencia! Te pido disculpas por haberte avergonzado, marido.

—No me has avergonzado.

Eso le salió entre dientes. Las dos heridas le dolían y en ese momento no tenía paciencia para caprichosos berrinches.

—¿No? Entonces le habrás dicho todo lo de White Rose Yard y lo de mi condición de pobreza.

—No hay ninguna necesidad de que alguien sepa lo de White Rose Yard.

Ella sonrió sin humor.

—Muy bien, yo no lo diré a nadie —dijo y reanudó la marcha—. Al fin y al cabo prometí obedecerte y cumplo mis promesas.

¿Qué diablos quería decir con eso? Volvió a intentarlo.

—¿Qué te pasa?

Ella se giró y lo miró con los ojos agrandados por falsa sorpresa.

—¿Qué podría pasarme, con lo bien que lo he pasado últimamente?

—No me eches la culpa a mí de tus últimas aventuras, señora.

Alcanzó a ver su expresión dolida antes que ella se girara y reanudara la marcha a paso más rápido.

—¡Prudence!

De pronto comprendió que ese debía ser uno de esos momentos en que un marido prudente guarda silencio. Tal vez le iba a comenzar la regla. Decían que eso convierte en arpías a las mujeres sensatas y sin duda le aumentaría el malestar causado por el día. Pero mejoraría el día de él, porque desaparecería el riesgo de que pudiera haber un cuco de Draydale en el nido. No sería necesario postergar la consumación una vez que se le acabara el periodo.

La siguió en silencio, con bastantes ganas de silbar.

En el pantano ya no había tanta agua, sólo barro, pero en el instante en que entró en la cocina, ella ladró:

—Quítate las botas. No querrás dejar todo el suelo de la cocina de Peg embarrado.

Ella ya se había quitado los zapatos destrozados y estaba sólo con las sucias medias, el pelo nuevamente revuelto y manchas de barro en la cara. ¿Se iba a poner de tan mal humor todos los meses? Para aumentar sus problemas, con esa herida no se podía quitar las botas sin ayuda.

—Ve a cambiarte. Te sentirás mejor.

El tono le salió más cortante de lo que habría querido.

Ella cogió la ropa y se alejó.

Apoyándose en la jamba de la puerta, observó a su mujer entregando sus regalos a la señora Stonehouse. La mujer se sintió en el cielo con la camisola y la jabonera. Al instante insistió en lavarse las manos con ese jabón y luego lavarle las manos a su hijo.

—Ya está, Jackity, ¿no huele bien? Todo de flores.

Prudence estaba mirando e incluso sonriendo. Pero después lo miró a él y el fastidio se reveló en su ceño antes de entrar en la habitación a cambiarse.

Diablos de mujer.

Los otros ya habían llegado a la puerta. Perry, por lo que fuera, traía una especie de palo en la mano.

—Sácate las botas —le gruñó Cate, y girando la cabeza hacia la señora Stonehouse le dijo—: Como ve, señora, han llegado un amigo y un mozo. ¿Pueden entrar?

Ella seguía acariciando la camisola.

—Por supuesto, señor.

Cate ordenó al mozo que acomodara a los caballos de forma que pudieran pacer.

—No los desensilles. Es probable que nos marchemos pronto. Las botas, Perry.

Perry arqueó las cejas ante su tono.

—Tendrás que ayudarme. Me calzan como guantes, como deben calzar las botas.

—Tendrás que esperar a que vuelva el mozo. ¿Qué harías si te quedaras sin ayuda?

—No soporto ni pensarlo. Deja que te quite las tuyas. Seguro que puedo pisar sólo el marco de la puerta.

Las botas salieron con mucha facilidad. Perry movió la cabeza.

—Te llevaré a mi botero tan pronto como volvamos a Londres.

—Prefiero poder ponérmelas y quitármelas solo, gracias.

—Bárbaro.

—Me asombra que hayas hecho el sacrificio de cabalgar por Yorkshire bajo la lluvia, aunque el delicioso aire fresco te habrá hecho bien. En Londres es más raro que los diamantes.

—En cambio, aquí, cualquier cosa que no sea ovejas es más precioso que rubíes.

—Las ovejas son condenadamente valiosas —replicó Cate—. La riqueza de Inglaterra depende de las balas de lana.

—Te has vuelto penosamente provinciano. Ah, el leal mozo.

Al hombre le llevó sus buenos minutos quitarle las botas, y posiblemente sus carísimas medias con dibujos bordados no habían pisado jamás un suelo tan humilde, pero él era todo amabilidad. Inmediatamente fue a darle las gracias a la dueña de la casa, tratándola como si fuera una duquesa y se inclinó en una venia tan florida que ella se quedó boquiabierta.

Y enseguida ya estaba coqueteando con ella como podría coquetear con una duquesa en la corte. Ella se ruborizó, y una vez le golpeó el brazo, en suave reproche, riendo.

No quisiera Dios que en ese momento entrara su marido con una horca en la mano, pensó Cate.

¿Habría coqueteado con Prudence? ¿Ese sería el problema? ¿Ella se habría ofendido? ¿O tal vez le gustó mucho y al compararlo a él con Perry lo encontró tosco?

El mozo también se había quitado las botas y estaba cogiendo la jarra de cerveza que le ofreció la señora Stonehouse. Perry estaba bebiendo la suya como si fuera néctar.

Y entonces sí que entró el granjero Stonehouse, pero le gustó oír alabar la cerveza de su mujer. Y el emocionado placer de ella por los regalos lo relajó más aún.

—Ha sido muy amable, señor.

Cate sonrió.

—Es la generosidad de mi esposa, pero el agradecimiento es de los dos. —Sacó el monedero que le había traído Perry y buscó unos chelines entre las guineas. Si personas como los Stonehouse de repente tenían una guinea de oro darían pie a habladurías, y más ahora, en que escaseaban las monedas de oro—. Le ofrecería estos, señor, si los acepta, por su amabilidad y las molestias que se ha tomado.

El joven aceptó las monedas de plata.

—Es muy amable, señor. No ha sido otra cosa que simple caridad cristiana.

—Que últimamente escasea bastante.

Quedó claro que Stonehouse encontró raro ese comentario, el bendito, pero volvió a su trabajo. El mozo y la señora Stonehouse estaban charlando. Prudence aún no salía de la habitación.

Comprendió que Perry podría revelar en cualquier momento que él era lord Malzard. Tenía que ser él quien se lo dijera a Prudence, pero ¿podía arriesgarse a entrar en la habitación y encontrarla en ropa interior? Ella estaba de muy mal humor.

Se le acercó Perry con la jarra de cerveza en la mano.

—¿En qué estás enredado ahora?

—En nada raro. Se salió una rueda.

—¿Por qué?

—Porque los caminos están atroces.

Perry miró hacia los otros dos y dijo en voz baja:

—¿Mala suerte o juego sucio? Esa rueda estaba con toda seguridad manipulada. —Fue a coger el trozo de madera que había dejado apoyado en la pared cerca de la puerta y se la pasó. Era uno de los rayos—. Lo serraron por varios lugares y luego disimularon los cortes con serrín.

Cate examinó el rayo. Era innegable.

—Draydale —dijo.

—¿Eso es una nueva maldición?

—Es un demonio repugnante. Un señor Draydale de Darlington tiene motivos para tenernos aversión a Prudence y a mí. Esperaba que hiciera algo a su debido tiempo, pero esto... lo encuentro mezquino.

—¿Mezquino? Sé de personas que han muerto o quedado lisiadas en accidentes como ese.

—El diablo se lo lleve. Esto firma su perdición.

—Me alegra oír eso. Haz el favor de recordar que los ángeles son eficaces contra los demonios.

Cate le sonrió.

—¿Te privaría de ese placer?

—¿Y tu esposa?

—Ten cuidado, Perry. Sí, es una condesa inimaginable, pero es más apropiada de lo que parece.

—No la he criticado. Quiero decir...

Prudence salió de la habitación y sí que se veía mucho mejor. El atuendo era elegante y nuevo, con un cierto toque militar en las trencillas y alamares que bajaban por la delantera de la chaquetilla. Pero tenía el pelo hecho un desastre, y ella lo sabía.

—Olvidé mi peine —dijo, sin mirar a nadie—. Me he recogido el pelo lo mejor que pude.

Probablemente no había espejo.

—Puedes usar el mío —dijo Cate, sacando su peine de un bolsillo.

Ella frunció los labios, como si fuera a rechazar el peine, aunque lo aceptó, y eso le recordó a él que estaba agraviada por algo. Si estaba enfurruñada por una insignificancia, ¿cómo reaccionaría a su gran engaño? Debería intentar quitarle ese cuchillo antes de hacer su confesión.

Ella se quitó todas las horquillas, dejándolas en la mesa, y se peinó con los dedos. Lo tenía más largo de lo que él había creído y era... ¿cómo lo había descrito? ¿Miel clara al sol? Entonces ella comenzó a pasarse el peine, de espaldas a él. ¿Adrede? De todos modos, le pareció algo tan íntimo que deseó ordenarles a Perry y al mozo que salieran de ahí, sobre todo dado que el vestido le ceñía maravillosamente las curvas.

Ella se giró a mirar por la ventana, con la cabeza ladeada al peinar un lado. Él disfrutó mirando el nítido contorno del cuello y el comienzo de la hendidura de la columna por encima de la estrecha franja blanca de la camisola que asomaba por encima del vestido. Con la imaginación siguió hacia abajo la columna hasta llegar a las curvas de las nalgas, ocultas bajo la falda y la enagua. Era una mujer magnífica, orgullosa y apasionada, y él apreciaba incluso su rabia.

Comenzó a latirle más fuerte el corazón, y deseó llevarla a esa habitación y quitarle toda la ropa hasta tenerla desnuda sobre la sábana. Deseó besarla y darle placer, y experimentar al máximo el vigoroso entusiasmo que ya había probado.

Pero ¿le permitiría que la acariciara cuando lo supiera? Podría exigirle el divorcio, lo que sería un buen escándalo que mancharía la reputación de su familia. O una anulación. ¿Alguien lo creería impotente? En Francia tenían un tribunal especial para eso, con señoras designadas para demostrar o refutar la virilidad de un hombre. ¡Cáspita!

En todo caso, él no deseaba poner fin a su matrimonio. Ella se sentiría dolida, se enfadaría, pero él encontraría la manera de curarle las heridas y hacerla su condesa en todos los sentidos de la palabra.

De pronto vio que Perry lo estaba mirando. Este desvió la mirada pero demasiado tarde.

Bueno, no era ningún pecado que un hombre admirara a su esposa.

Prudence se enrolló el pelo y volvió a hacerse el moño flojo sobre la cabeza. Había tenido tiempo para recapacitar. Una mezquina rabia sólo empeoraría las cosas.

Se giró hacia Cate sonriendo.

—¿Me ha quedado bien?

—Casi —dijo él, acercándosele y cogiendo el peine. Le sacó una horquilla, peinó el mechón y lo volvió a poner—. Ahora sí.

El contacto de sus dedos en el pelo le hizo bajar un estremecimiento por toda ella, y sintió subir calor a las mejillas. La fastidió ser tan reveladora, pero ¿no lo complacería lo que revelaba?

—Tenemos que llegar a Keynings —dijo él—, pero no ha llegado ningún coche así que vamos a tener que cabalgar un poco.

Ay, Dios. Probablemente lady Malzard cabalgaba con pericia y elegancia, pero no había ningún motivo para ocultar la verdad.

—Nunca he cabalgado. En todo caso, sólo hay dos caballos.

—Irás montada a la grupa. Iremos lento, no te preocupes.

—¿Tenemos que llegar a Keynings hoy? ¿Por qué no podemos ir primero a tu casa?

Él desvió la cara, con los labios apretados.

—Sí, debemos llegar hoy.

¿En qué lo había ofendido ahora?

—Tú y tu esposa coged los caballos, Cate —dijo el señor Perriam—. El mozo y yo ya nos las arreglaremos.

—No puedo dejarte abandonado aquí.

—Me dejaste abandonado en Keynings.

—Mis disculpas. No era mi intención tardar tanto.

—Eso hubiera esperado yo. Creaste un guisado de ansiedad y elucubraciones. Aproveché la primera oportunidad para escapar.

Cate se echó a reír.

—De verdad te pido disculpas.

—Tu regreso no va a calmar las aguas —dijo Perriam, dándole un sentido especial a sus palabras.

Se refería a ella. Al regreso de Cate con su esposa inapropiada.

¿Regreso? Eso no lo había entendido bien antes. Él estaba de visita en Keynings con su amigo y su madre. Fue a caballo hasta Darlington y no volvió. De ahí la ansiedad y las elucubraciones. Y ahora iba a volver recién casado, sin haber avisado, llevando una esposa sin nada que la recomendara. No era de extrañar que no supiera qué hacer.

—Debemos ponernos en marcha —dijo él y le dio dinero al mozo—. Tendrás que caminar un trecho, pero si vuelves por la ruta a Darlington podrías encontrarte con el cochero. Si no, coge una diligencia en la primera posada a la que llegues. Dale mis disculpas al señor Tallbridge y dile que le daré cuenta de todo tan pronto como me sea posible.

—Se lo diré, señor.

Después que el hombre se marchó, Cate se volvió hacia la mujer del granjero.

—Tiene nuestra más profunda gratitud, señora Stonehouse.

—Lamento sus problemas, señor, pero para mí ha sido un placer tener visitas, y estas cosas hermosas que me ha regalado su señora. Siempre recordaré todo esto como un día radiante.

Él sonrió y Prudence vio verdadera simpatía en la sonrisa.

—Espero que tenga razón, señora, y que este sea un día radiante para todos nosotros.

Prudence se despidió de la mujer sintiéndose casi llorosa por tener que marcharse. Se sentía segura y a salvo ahí, y la embargaba la sensación de que cuando se marchara de ahí le acecharían muchos problemas.

Echaron a caminar, Cate y el señor Perriam llevando los caballos, y cuando llegaron a la carretera, Cate le dijo:

—Tengo que decirte una cosa, Prudence.

Le iba a confesar que tenía una amante. Prefería que no, pero preguntó:

—¿Qué?

—El accidente no fue un accidente. Habían manipulado la rueda. Obra de Draydale, supongo.

Eso era tan diferente a lo que esperaba que se le quedó la mente en blanco un momento.

—¿Draydale? —dijo al fin—. ¿Por qué iba a hacer eso?

—Con la esperanza de hacernos daño. Sólo ha arrojado un dado, pero tuvo poco tiempo para idear su primer golpe, mientras se cura de sus heridas. No obstante, es el tipo de hombre que necesita vengarse, así que volverá a intentarlo. Por eso debemos llegar a Keynings, donde estarás segura.

—Te he puesto en peligro.

—Yo me puse en peligro y te puse a ti también, tal vez...

—No.

—Pero no te preocupes. Estás muy bien protegida. Tanto Perry como yo llevamos pistolas en las sillas, y yo llevaré mi espada.

Volvió a abrir el maletero del coche y hurgó en el fondo. Cuando se enderezó tenía una espada en su vaina en el cinturón y estaba abrochando la hebilla.

Ella detestó esos preparativos para la violencia, pero la sola idea de que Henry Draydale estuviera tramando hacerle daño le hizo flaquear las piernas. No le costaba imaginarse el tipo de venganza que le gustaría tomarse con ella. Si cabalgar les servía para ponerlos a salvo a los tres, pues cabalgaría, pero cuando Cate le dijo que montaría detrás del señor Perriam, protestó.

—Es cuestión de peso —le explicó él—. Vosotros sois los más livianos.

La ayudó a poner un pie en el estribo y el señor Perriam la ayudó a sentarse de lado detrás de él.

—Cójase de mí con un brazo, señora —le dijo Perriam—. Se sentirá más segura.

Ella obedeció. Entonces Cate montó y le preocupó ver cómo apretaba los labios por el dolor y con qué cuidado se instalaba en la silla. Deseó poder hacer algo por él, y también comprendió que él tenía razón: la grandiosa casa Keynings había dejado de ser una amenaza, era un refugio.

Sólo cuando ya habían pasado un recodo del camino cayó en la cuenta de que no llevaba guantes ni sombrero.

Eso no aumentaría su dignidad, pero ya no le importaba.

Capítulo 19

Cabalgando al paso el campo parecía infinito. Prudence no vio nada más amenazador que un toro en un campo, y no había señales de que pudiera volver a llover, pero la amenaza de Henry Draydale pendía sobre ella. Cate tenía razón: ese era el tipo de hombre que necesitaría vengarse de los golpes a su orgullo.

Se dijo que sus intentos serían disimulados o indirectos, como el accidente del coche; porque si los atacaban en un camino público, él sería el primer sospechoso. Pero ¿y si los asaltaban unos despiadados bandoleros? ¿Quién podría trazar la línea que llevara directamente a Henry Draydale, que sin duda estaba en Darlington cuidando sus lesiones?

Cate tenía pistolas y una espada, se dijo. El cansado señor Perriam llevaba una pistola en una funda sujeta a la silla, pero su fe estaba en Cate, aunque estuviera herido. Lo había visto en acción.

En todo caso, cuando por fin entraron en una pequeña ciudad llamada Storborough, fue como si por primera vez pudiera respirar. Ahí había bonitas casas con floridos y cuidados jardines; en la calle había mucha gente, yendo y viniendo de sus actividades diarias normales. No tardaron en darse cuenta de a qué se debía el ajetreo: era día de mercado, lo que traía más vida y más ruido.

—¡Civilización! —exclamó Perriam—. Comenzaba a creer que había dejado de existir.

—Debes de estar muy mal —dijo Cate sonriendo— si comparas esto con Londres.

—No, por favor. Podría entrar en decadencia aquí mismo. Pido un descanso aquí. Necesito lavarme y recuperarme.

—A todos nos vendría bien eso. ¿Qué posada te gusta?

—La Bull. Tiene un aire moderno.

Se detuvieron delante de la puerta con pórtico de la moderna casa estucada y al instante llegaron corriendo unos mozos de cuadra. Cate desmontó y llegó cojeando hasta ella. Antes que pudiera protestar, la cogió por la cintura y la bajó.

—¡Idiota! Tus heridas.

—No son nada comparadas con una palabra hiriente dicha por ti. —Se rió porque ella volvió a tocarle la cabeza—. No tengo fiebre.

—Entonces estás loco, como he supuesto siempre.

—Loco de nacimiento —dijo Perriam—. Los dos podéis quedaros aquí en un sueño si queréis. Yo entraré a buscar comida, bebida y agua caliente.

Diciendo eso entró en la posada pero ni ella ni Cate lo miraron.

—Prudence, ¿hice algo que te enfadó?

—No, nada —contestó ella, temiendo que le fuera a confesar que tenía una amante.

Si él nunca hablaba de lady Malzard, si era tan discreto que ella nunca tuviera que oír hablar de la mujer y, lógicamente, nunca tuviera que conocerla, creía que sería capaz de enterrar a la bella sinvergüenza en lo más profundo de su mente.

Tal vez.

—¿Sigue preocupándote Keynings? —preguntó él.

Ella se cogió a eso.

—Por supuesto. Mírame. Voy sin sombrero.

—¿Sin sombrero? Yo también. Supongo que quedó aplastado en el coche junto con el tuyo.

—En un hombre es diferente. Tal vez aquí podría comprar un

sombrero. Y guantes. No, veo algo mejor. Podemos descansar aquí y enviar a buscar mi baúl. Así llegaré decente a su debido tiempo.

—No —dijo él, e hizo un mal gesto—. Prudence, necesito decirte una cosa. Entremos en la posada. Tendrán té.

Té. ¿Creía que todo se solucionaría con té?

—Preferiría comprar un sombrero —insistió.

Pero al ver su expresión muy seria, comprendió que el intento no le había servido de nada. Él estaba resuelto a hacer la confesión y ella debía hacerle frente lo mejor posible.

Entraron en la posada y se enteraron de que ya habían llevado a Perrian a una habitación de arriba y había pedido que le llevaran agua caliente inmediatamente.

—¿Quieres agua caliente? —le preguntó Cate.

—Ah, sí, por favor.

Le pasó por la cabeza la idea de pedir agua caliente para un baño, pero comprendió que era mejor que no.

No tardaron en encontrarse en una salita de estar comunicada con un dormitorio. Pidieron té y agua caliente. En el dormitorio había un espejo en la pared opuesta a la puerta, y al verse reflejada deseó llorar.

—¿Por qué no me dijiste que tengo manchas de barro en la cara? ¡Y el pelo hecho un desastre!

—Estás bastante bien para mí.

¿Bastante bien? Seguro que a lady Malzard nunca le diría que estaba «bastante bien». Lo miró indignada.

—Tú no eres la imagen de la perfección, ¿sabes?, sobre todo con esas calzas manchadas de sangre.

—Te he fallado, ¿verdad? —dijo él, sin sonreír.

Eso la aterró. Tal vez era peor. Tal vez necesitaba decirle que se había dado cuenta de que había cometido un terrible error. Que la iba a abandonar para marcharse con su verdadero amor.

Fue a causa de la ropa de Peg Stonehouse. Y tal vez por su conducta ahí. Peg le había recordado un poco a Hetty, pero ahora era la esposa de un caballero. La esposa de un aristócrata. Posiblemente él había llegado a la conclusión de que no soportaría llevarla a conocer a sus grandiosos parientes, entre ellos su madre. ¿Cómo lo soportaría ella?

Después de un breve golpe, entró una criada con un jarro con agua caliente.

—Te dejaré para que te laves primero —dijo él y entró en la sala de estar.

Ella miró la puerta cerrada, mordiéndose el labio para contener las lágrimas. De verdad creía que no le pedía demasiado a la vida, pero una y otra vez le arrebataban la comodidad. Aunque debería haber sabido que Cate Burgoyne estaba fuera de su alcance. No se sentía con ánimo ni para intentarlo, pero se obligó a lavarse y arreglarse el pelo, sintiéndose como si se estuviera preparando para ir a la horca.

De pronto cayó en la cuenta de que estaba esperando a que él volviera, cuando él debía de estar esperando que fuera a reunírsele. Hizo acopio de toda sus fuerzas, enderezó la espalda y entró en la sala.

Él estaba junto a la ventana mirando la calle, pero se giró a mirarla.

—Sólo personas ocupadas en sus asuntos.

¿Había estado observando por si veía a agentes de Draydale?

Vacilante fue a situarse a su lado junto a la ventana.

—Sí que parece raro encontrar todo tan corriente después de nuestros dramas.

—La vida sigue, como el agua de un río que va sorteando suavemente los obstáculos. Recuerdo que una vez, después de una sangrienta escaramuza llegué a caballo a un lugar donde la gente estaba regateando el precio de las verduras. —Se giró a mirarla otra vez—. Prudence...

—Creo que veo un tenderete en que venden pañuelos —interrumpió ella, desesperada—. Ni siquiera tengo un pañuelo.

—Prudence, tengo que hacerte una confesión.

—¿Que eres pobre? —preguntó ella, todavía intentando desviarlo de la horrible verdad—. ¿Que no hay ninguna casa, después de todo? Yo no...

—Hay casa y no soy pobre.

—Eres un impostor. No te llamas Cate Burgoyne.

—¿Qué? No.

A ella la abandonó la fuerza para luchar.

—Tienes una amante —dijo.

Él la miró sorprendido.

—Demonios. ¿Qién te ha metido esa idea en la cabeza?

Ella se sintió mareada. Ese asombro tenía que ser real. ¿Qué podría ser peor?

—Esto... ¿ya estás casado? ¿Hemos cometido bigamia?

—No, claro que no. Prudence...

—Eres un delincuente, un fugitivo de la justicia.

—¿Con Perry por vil socio? —Puso los ojos en blanco y se apoyó en el marco de la ventana—. Continúa, por favor. ¿Qué más se te ocurre?

No eres pobre, sí tienes casa, no es una amante ni otra esposa.

—Esto... ¿te estás muriendo?

—Por el amor de Dios. Mi salud es óptima.

—Entonces, ¿qué?

Él se tomó un momento para contestar, un momento largo que decía que la confesión era terrible, tan terrible que ella no había logrado imaginársela.

—Soy conde —dijo él finalmente.

Prudence lo miró sorprendida, intentando encontrarle sentido a esas palabras tontas.

—¿Qué?

—Soy el quinto conde de Malzard, y Keynings, la casa adonde viajamos, es de mi propiedad. Esto significa —añadió, mirándola atentamente—, que ahora tú eres la condesa de Malzard.

Era como si hablara en griego.

Aunque claro, ella entendía algo de griego.

—¿Condesa de Malzard? —repitió—. Oh, Dios mío. Dios mío. ¡«Yo» soy lady Malzard!

—Sí —dijo él, pero mirándola preocupado, como si se hubiera vuelto loca.

Tal vez porque se rió. No existía una malvada lady Malzard que le robara a Cate. Ella era lady Malzard.

—Debería habértelo dicho antes que te casaras conmigo —dijo él, sin dejar de mirarla preocupado—. Esa noche fui a la casa de Tallbridge con la intención de decírtelo. Pero al final, no pude arriesgarme a que te negaras a casarte conmigo.

Ella lo miró sorprendida.

—¿Negarme a casarme contigo?

—Habrías tenido todos los motivos y eres lo bastante fuerte, lo bastante resuelta para haberte negado, pero las consecuencias para ti... De todos modos, debería haberte dado esa libertad.

Ella se presionó las sienes.

—¿Negarme a casarme contigo?

—Golpéame si quieres.

Ella le dió una buena palmada en la cabeza.

—¿Creíste que yo habría preferido quedar a merced de Draydale antes que casarme con un conde?

—Yo podría haberte ofrecido alguna alternativa. Dinero...

—¿Crees que preferiría ser una mujer mantenida?

—No quiero decir eso. Te habría establecido en respetable comodidad en alguna parte.

—¿Después de la acusación de Draydale? ¿Cómo podía ser eso? Pero...

Le miró la ropa vieja y raída, que era la misma que llevaba la noche en que se conocieron, cuando él sí estaba escaso de dinero.

—¿Estás seguro de que eres conde?

—Segurísimo.

—Pero no tienes dinero.

—Sencillamente parece que nunca tengo suficiente en los bolsillos cuando me encuentro contigo.

—El dinero que te trajo el señor Perriam, ¿es tuyo y no de él?

—Sí.

—¿Por qué, entonces, sigues usando esa ropa?

Él movió la cabeza.

—Me convertí en el conde hace poco. Estoy reponiendo mi guardarropa, pero me pareció que el traje de montar no era prioritario. Cuando estemos en Keynings puedo impresionarte con mi elegancia, Prudence. Soy el conde de Malzard, te doy mi palabra. Mira, este es mi anillo de sello.

Ella sólo le echó una somera mirada al grueso anillo de oro.

—¡Mi ropa! Con razón estabas molesto por mi ropa. Ni los mejores vestidos que tengo son suficientemente finos. ¡Y tu familia! ¿Cómo pudiste casarte sin decírselo?

—Ya sabes cómo.

Ella se cubrió la boca con una mano.

—Culpa mía, culpa mía. Tu madre... ¿es lady Malzard también?

—Sí, como también la viuda de mi hermano.

—Tu hermano —repitió ella, y de pronto entendió; eso borró todo lo demás—. El perfecto. Oh, Cate, cuánto lo siento.

Sin pensarlo le cogió las manos y luego lo acercó más y lo abrazó, tal como él la abrazara aquella vez.

—Cuánto lo siento —repitió—. ¿Cuándo ocurrió todo esto?

—El tiempo pierde sentido, pero hace casi un mes. Yo estaba en Londres y me llevó tiempo viajar al norte. Me perdí el funeral.

Ella lo estrechó más fuerte, y continuaron así, transmitiéndose fuerza mutuamente. Al menos eso le pareció a ella, y se fue tranquilizando, hasta llegar a una asombrada aceptación.

Cate era conde y ella era su condesa.

Él nunca había deseado ser conde, y ella no habría elegido jamás ser condesa. Pero siempre habría elegido ser la esposa de Cate Burgoyne, fuera cual fuera el precio.

—Estoy aprendiendo —dijo él—, pero no me formaron para esto. Hijo segundo, ¿sabes?, y se me ordenó firmemente que forjara mi propio camino en el mundo. —Se apartó para sonreírle pesaroso—. El otro día me escapé de las responsabilidades como un niño que hace novillos. Tú fuiste mi pretexto.

Sólo un pretexto. Eso le dolió.

—No deberías haberte casado conmigo.

—Lo sé. Perdona.

Ella se apartó totalmente.

—Lo digo por ti. Dices que no fuiste formado para ser conde. Desde luego a mí no me formaron para ser condesa. Seré una carga, no una buena compañera que sepa ayudarte.

—Está hecho, Prudence, no hay forma de escapar.

Ella no deseaba decirlo, pero se obligó.

—¿Divorcio?

—Es un proceso lento, complicado y escandaloso, que a ti te dejaría deshonrada y a mí sin la posibilidad de volver a casarme para tener un heredero. Ya ves por qué te pido disculpas. Te he comprometido a esto sin otra posibilidad de salida que no sea la muerte.

Prudence deseó hablarle francamente, decirle que se habría casado con él fuera rico, pobre o incluso un delincuente. Que lo amaba. Pero eso sólo le aumentaría la carga, así que se limitó a decir:

—El matrimonio contigo es muchísimo mejor que las alternativas.

—Prudence, esto va a ser difícil. Necesito que lo entiendas.

—¿Más difícil que el matrimonio con Draydale?

—No, pero...

—¿Más difícil que la deshonra y la vergüenza?

—No, pero...

—¿Más difícil que vivir en White Rose Yard?

—No.

—Dime una cosa. ¿Alguna vez voy a tener que temer la pobreza o no tener un techo?

—No.

—¿Voy a tener que temer el próximo intento de venganza de Draydale? ¡Buen Dios! No me extraña que te importaran tan poco su riqueza y su poder.

Él la cogió por los hombros.

—Prudence, escucha. No va a ser un camino fácil.

—Cate, Cate, cuando una persona ha perdido una casa cómoda y se ha hundido más y más hasta tocar fondo en White Rose Yard, cuando se ha tenido que poner toda la ropa que tiene, sin poder calentarse jamás, y comido patatas y coles durante semanas porque es lo único que se puede permitir, cuando el precio de reparar los zapatos es aterrador, cuando una persona ha pasado por todo eso, «un camino fácil» cobra otro significado.

Él la estaba mirando fijamente.

—¿Qué? ¿Te ofende que yo no esté con un ataque de nervios como lo estaría una dama refinada?

Él le cogió las manos.

—No empieces a arremeter contra mí otra vez. Solamente me sorprendes. Otra vez. —Sonriendo la atrajo a sus brazos—. Eres magnífica, mi lady Malzard, y no deseo a ninguna otra, pero no descartes las dificultades que nos esperan. Todos esperaban que me casara con una dama de alcurnia, y ya había candidatas en el vecindario. El rencor por la decepción podría hacerlas malintencionadas. Los cuentos de lo ocurrido en Darlington llegarán a Keynings, y a pesar de nuestro barniz romántico, mi matrimonio a las semanas de la muerte de mi hermano se considerará vergonzoso.

Ella no había pensado en eso.

—Culpa mía otra vez, y la gente me observará la cintura, ¿verdad? Cuando tenga un hijo, contarán los meses.

—Eso y muchos otros problemas. Estoy ante problemas muy gordos, y te he arrastrado conmigo.

—Me sacaste de las fauces del demonio.

Él sonrió.

—¿Cómo san Jorge o el arcángel Miguel? Pero créeme —le acarició la mejilla—, no estoy descontento con mi esposa.

—¿De verdad?

—De verdad.

La acercó más para besarla, y el alivio le despertó una loca pasión. Le cogió la cabeza para acercarlo más y se entregó a la pasión con la boca y el cuerpo, apretándose a él sin el más mínimo recato; era como si quisieran fundirse, y eso deseaba ella, no apartarse nunca, ni una pizca.

No volver a estar nunca sola.

Sonó un golpe en la puerta.

Cuando se separaron, una nerviosa criada ya había entrado con la bandeja del té en las manos.

—Perdón, señor, señora, ¿vuelvo después?

Prudence se giró hacia otro lado, con las mejillas encendidas.

—No —dijo Cate—. Pon las cosas en la mesa, gracias.

Pasado un momento se cerró la puerta y él dijo:

—¿Té, milady?

Ella se giró a mirar y se echó a reír.

—¿Qué habrá pensado?

—Qué estamos amorosos y deseosos, pero como estamos casados no hay nada de lo que avergonzarse.

Amorosos y deseosos, se dijo ella. Se estremeció del placer que le produjeron esas palabras, pero vio que él la estaba esperando con la silla retirada. Se sentó a la pequeña mesa, tratando de calmarse, de volver a la cordura.

Le resultó difícil, pues empezaba a asimilarlo todo. No había amante, sólo ella.

Increíble, ella, la condesa de Malzard.

Ante un mundo horrorizado y desaprobador al que tenía que hacer frente.

Pero Cate era de ella. Y él aseguraba que eso no lo molestaba. Miró cómo estaba el té en la tetera, lo agitó, y entonces dijo:

—No me extraña que el señor Perriam se sintiera confundido cuando me llamó lady Malzard.

—¿Sí? ¿Cuándo?

—Cuando nos conocimos. Yo lo corregí diciéndole que era la señora Burgoyne, y él hizo bordados en el aire con enrevesadas frases.

Él se rió.

—Seguro, típico de él. ¿No lo adivinaste?

—¿Adivinar que lady Malzard era yo? Imposible. —Sirvió té en la taza de él y lo miró de reojo—. Creí que tenías una amante. Una dama muy elegante, de alcurnia, que nunca se metería en el tipo de desastres que armo yo.

—Ah, ahora entiendo tu malhumor. —Puso un buen número de terrones de azúcar en su taza—. No tengo ninguna amante, te lo prometo.

—Estupendo, pero veo que el azúcar va a ser un gasto importante en nuestra casa.

—Me gustan las cosas dulces.

Lo dijo como si eso fuera algo escandaloso, pero ella estaba ruborizada por otro motivo. Qué tontería hablar de gastos de la casa cuando él era un hombre rico y vivía en una mansión.

Él bebió un poco de té.

—Qué agradable es esto. No hay secretos entre nosotros.

—Marido, mujer y té.

Al instante él se puso serio.

—Prudence, Keynings no es como esto.

—Supongo que no, pero ¿no podremos tomar el té juntos en alguna habitación modesta de vez en cuando?

Eso lo hizo sonreír otra vez.

—Sí, podremos. Tú tendrás una salita de estar, que nos servirá de salón de té.

—Ya está, ¿ves? Todo se puede arreglar. ¿Tienes otras casas?

—«Tenemos» una casa en Londres. Hay otras propiedades, pero todas están ocupadas por inquilinos.

—¿Cuántas?

—Ocho, creo.

¡Ocho! Decidió continuar con las tonterías.

—Podríamos echar a los inquilinos y cambiar de casa constantemente, como hacían tus antepasados medievales.

—¿Con las camas, los muebles y las ventanas siguiéndonos en las carretas? Tu imaginación me deleita, pero piensa en los caminos. Sería una tortura.

Ella deseaba aferrarse a la tontería del arco iris, pero la palabra «tortura» llevó sus pensamientos a las dificultades que los esperaban.

—Cate, ¿no crees que deberíamos retrasar un poco nuestra llegada? Si debo llegar ahí como tu condesa, necesito mi equipaje. No tengo ni siquiera una muda de camisola ni de medias. Ni mi cepillo para el pelo. Ni camisón. Si nos retrasamos unos pocos días, podrías avisar a tu familia.

—Me tientas terriblemente, pero tengo deberes y Draydale sigue preocupándome. Deseo que estés en Keynings, donde puedo contar con todas las autoridades del condado. No vamos a ocultar el accidente de coche, y eso explica cualquier falta o defecto.

—Cierto. Tal vez alguien haya huido con todas mis posesiones, y eso podría ser para mejor. Estoy segura de nada de lo que tengo está a la altura de una condesa. Draydale también me preocupa, pero ¿qué puedes hacer respecto a él? Nunca demostrarás que él ordenó que estropearan la rueda.

—Quiero golpearlo de forma más letal, pero tendré que recurrir a medios más sutiles. ¿No crees que hay algo torcido o sucio en sus negocios?

—Sí —dijo ella, ya muy atenta—. En realidad, oí a Tallbridge dar a entender eso.

—¿Sí? Me sorprende que Tallbridge se asocie con él.

—¿Todo es limpio en los negocios? —sugirió ella—. Había mucho en ese mundo que no me gustaba.

—Dudo que encuentres más limpias la corte y la política.

¿La corte y la política?

—¿Más té? —preguntó, y volvió a llenar las tazas.

—Estoy seguro de que Draydale está metido en actividades irregulares o incluso ilegales —dijo él, y volvió a poner muchos terrones de azúcar en su taza—. Me parece que entre mis empleados hay muchas personas idóneas para hurgar en esas cosas. —Bebió un poco—. Mi intención es arruinarlo.

Prudence lo miró sorprendida y luego sonrió.

—Ese será el mejor castigo, ¿verdad? Dejarlo pobre y sin poder.

Él levantó la taza a modo de brindis.

—Veo que estamos de acuerdo, como siempre.

—¿Como siempre?

—Estamos más de acuerdo que en desacuerdo. Todavía nos falta mucho por aprender el uno del otro, lo que encuentro delicioso, sobre todo cuando parte del conocimiento tendrá lugar en la cama. —Cogió un pastel con mermelada del plato y se lo ofreció—. Muy eficaz para las conmociones, tengo entendido.

—No estoy conmocionada —dijo ella, cogiéndolo—. Creo que estoy deseosa.

Tomó un bocado y se apresuró a pasarse la lengua por los labios para quitarse los trocitos de hojaldre.

Él ensanchó la sonrisa. Cogió el pastel y tomó un bocado del mismo lugar.

—Vuelve a lamerte los labios.

—No, tú.

Él se lamió un trocito de hojaldre, lentamente.

De pronto Prudence se sintió tremendamente acalorada.

—Creo que estoy conmocionada.

—O deseosa.

Había un dormitorio al lado, y eran una pareja casada...

Él se metió en la boca el resto del pastel y se levantó.

—Vamos. Tendríamos que encontrarte un anillo mejor.

—¿Qué?

—Un anillo de bodas. —Le cogió la mano y la levantó—. Debemos ir a Keynings, querida mía, y nuestro accidente no explica un anillo de bodas de mala calidad.

—Pero ¿y el señor Perriam? —preguntó ella mientras él la llevaba hacia la puerta.

—Es el alma del tacto y la amabilidad.

—¿Y el peligro?

—Tengo una espada y sé usarla.

Ella se rió por el recuerdo.

Mientras tanto bajaron la escalera y salieron a la calle.

Capítulo 20

*P*rudence se sentía casi mareada de placer, y el ajetreo y bullicio del mercado la alegró más aún. Todo le gustaba, las voces de los tenderos pregonando su mercancía, los músicos ambulantes ofreciendo baladas, los montones de verduras, las canastillas de fresas tempraneras perfumando el aire.

Él compró una canastilla y le puso una pequeña fresa en la boca.

Ella le puso una en la boca a él.

Se detuvieron, sonriéndose y mirándose a los ojos.

—El anillo —dijo él—. No hay tiempo para coqueteos, muchacha.

Ella hizo un morro, sintiéndose como una niña; como la niña que nunca fue.

Cate averiguó dónde había una orfebrería, así que salieron de la plaza del mercado en dirección a la calle de comercio.

Encontraron la tienda; era más bien una relojería, pero había una pequeña selección de anillos. Sólo una alianza le quedó bien, pero era de oro brillante. Cate se la puso en el dedo y ella se sintió como si ese fuera el acto de verdadera unión, con alegría, sinceridad y esperanzas para el futuro, no en medio de tensiones y dudas.

Él fue a mirar otra vitrina con joyas.

—Tus colores, creo —dijo eligiendo un anillo con una piedra amarillo claro rodeada por perlas—. Y este broche. Con una daga atravesada.

—Para. Eso es suficiente.

—Aún no he empezado. Por fin le veo una utilidad a mi riqueza.

Pero sólo añadió un crucifijo de plata con cadenilla, y luego pagó una enorme cantidad de guineas.

Le prendió el broche en el centro del corpiño.

—Tienes que estar armada —dijo.

Le cerró la cadenilla del crucifijo en la nuca, diciéndole que sería «útil para protegerse de los demonios».

—¿Dónde llevas tu crucifijo entonces?

—En el puño de mi espada.

Ella paseó la mirada por la tienda.

—Ojalá yo pudiera comprarte un regalo.

Al instante él sacó su monedero y le puso unas monedas en la mano.

—Esto es demasiado.

—Qué tontería. Tan pronto como estemos en casa, te fijaré una cantidad de dinero para gastos menores, asignaciones y todo eso.

Dinero para gastos menores y asignaciones deberían fascinarla, pero fue la expresión «en casa» la que la hizo pensar. Keynings no era su casa, pero era la de él, así que ella la haría el hogar de los dos. Con todas las dificultades y problemas, la convertiría en un verdadero hogar.

Por el momento, debía encontrar un regalo para él, pero algo la distrajo.

—¡Sombreros! —exclamó al ver sombreros de señora en un escaparate.

Lo llevó a la tienda.

—Me gusta ese con plumas —dijo él.

—¿Para viajar? ¿Y con este vestido?

—Aguafiestas. Muy bien, busquemos uno soso y aburrido si insistes.

Entraron en la pequeña tienda y una mujer se apresuró a acercarse a atenderlos. Él le explicó lo del accidente del coche y la pérdida del sombrero de su esposa.

—¿Uno de paja, señora? Lo puedo adornar con cintas para que haga juego con su vestido.

Prudence arrugó la frente.

—De paja no va bien con un estilo militar.

—Yo llevé uno de paja por un tiempo —dijo Cate—. Portugal puede ser caluroso como el infierno. —Cogió uno marrón plano y redondo con volantes de seda por el borde—. ¿Qué te parece este?

—Veo que no eres buen consejero en moda —dijo ella.

—No, para eso necesitas a Perry.

—¿Tal vez este, señora? —sugirió la sombrerera enseñándole uno con la copa liviana, todo cubierto por seda negra y lazos de cinta negra—. Hace juego con la trencilla negra de su chaquetilla, y yo podría añadirle cintas que hagan juego con el color del vestido.

—No me cabe duda de que ese es el más caro que tiene —dijo Prudence cuando la mujer se alejaba a toda prisa a buscar las cintas.

—¿Tú crees? Dudo que yo parezca un cliente rico.

—Tienes ese aire señorial.

La mujer volvió con tres cintas color orín y encontró la que hacía juego. Con manos expertas añadió lazos de esa cinta al sombrero.

—Ya está, señora, pero va a necesitar un alfiler para sujetárselo.

Eligió uno sencillo, pero Cate cogió otro, con cabeza de oro.

¿Alguna vez alguien le había hecho regalos con tanta generosidad? Tal vez nunca, porque ni siquiera en los mejores tiempos sus padres eran partidarios del derroche.

Cuando tuvo puesto el sombrero concedió que era exactamente el que le convenía, e intentó no pensar en el precio. Cate era un conde rico, ahora se lo creía. Pero sencillamente no podía olvidar los años de apretarse el cinturón. Pagar mucho dinero por una joya es una cosa, porque las joyas tienen valor; pagar una exorbitante cantidad de dinero por un sombrero recubierto de seda lo encontraba escandaloso.

—Volvamos a la posada —dijo él.

Salieron de la tienda y tuvieron que atravesar el mercado abriéndose paso por en medio del gentío. Ella se detuvo ante un tenderete con ropa blanca.

—Voy a necesitar un camisón de dormir, por si mi baúl no llega a Keynings hoy.

Había unos sencillos expuestos delante, pero cuatro más finos colgaban en la parte de atrás del tenderete, lejos de los dedos sucios y de los ladrones. No eran tan finos como los que tenía en el baúl, pero pensó que valoraría más el que eligiera con Cate. Mientras la mujer se lo envolvía pensó en la noche que la esperaba y tuvo que morderse el labio para desechar pensamientos escandalosos.

Se acordó de que quería comprarle un regalo a él y vio unas corbatas. Ninguna con encaje era muy fina, pero eligió la mejor y la pagó con una de las monedas que le había dado él.

—Sabía que te avergonzaba mi apariencia —dijo él.

Ella se la pasó por alrededor del cuello y se la ató con un nudo flojo; después sacó del bolsillo el alfiler de plata y se lo prendió.

—Ese te lo di para que lo convirtieras en dinero, para que te mantuvieras abrigada y alimentada.

—Lo guardé para tenerlo en el momento más negro, que afortunadamente no llegó. Ya está. Aparte de las calzas y la falta de sombrero, estás casi respetable, milord conde.

—Y tú con ese sombrero estás muy deliciosa, milady condesa.

Le dio un rápido beso en los labios, ahí, delante de toda la gente del mercado.

—No te olvides de la camisola y las medias —le recordó él cuando ella aún estaba atolondrada.

Eligió rápidamente sin fijarse en los detalles, y mientras iban caminando hacia la Bull dijo:

—No hace mucho tiempo una camisola nueva era un sueño.

—«Con todos mis bienes mundanos...» —citó él—. ¿Qué otra cosa te gustaría? ¿Un balde? ¿Un morillo? ¿Un ganso en un canasto?

—¡Loco! —rió ella—. No debemos entretenernos en coqueteos.

—Me vas a dar la lata con mis deberes —dijo él—. Qué delicioso. Vamos a buscar a Perry.

Encontraron al señor Perriam cómodamente instalado en un salón, ya recuperada su cortesía, según declaró, gracias a un baño y a que se cambió la ropa blanca por cosas compradas en el mercado.

—Veo que habéis estado ocupados en lo mismo —dijo—. Encantador sombrero, señora, y le ha cubierto a él el vergonzoso cuello. En recompensa, tengo pastel de fiambre, vino para acompañarlo y cubiertos para tres.

—Ah, comida de verdad —dijo Cate cuando se sentaron, y le sonrió a Prudence—. Aunque las tartas sabían deliciosas en esas circunstancias.

—Te veo muy complacido contigo mismo —dijo Perriam.

—Y tú estás pensando cuanto tiempo más vas a tener que permitir el engaño. Gracias, pero ya se lo he dicho todo a Prudence.

—Y sigues conservando tu cabeza —dijo Perriam y la miró a ella—: *Enchanté*, lady Malzard.

—Gracias, señor Perriam. Y por su discreción.

—Una de mis muchas dotes, señora.

Cate tomó otro bocado de pastel.

—He intentado convencer a Prudence de lo difícil que va a ser el futuro.

—Tiene razón —dijo Perriam, mirándola muy serio—. Va a caer mal por haber robado el premio gordo. —Al oír el bufido de Cate, giró la cabeza hacia él—. Podrías ser estevado y verrugoso y seguirías siendo un premio.

—Ser conde no es un premio.

Perriam agitó una mano.

—Basta de tonterías. ¿Has pensado en la manera de allanarle el camino a tu esposa?

—Llevarla rápido a Keynings para que sus excelentes cualidades hablen por ella antes que comiencen a circular las historias.

—Aceptable, pero si logras poner a tu madre y a Artemis de su parte, será útil.

—Madre... —Se encogió de hombros—. Podría decidir estar contenta porque me he casado, o fastidiarse por la forma en que lo he hecho.

—Y por la esposa —señaló Prudence.

—Yo te he elegido —dijo él—. Cualquiera que te insulte lo lamentará. Espero que Artemis te apoye; tiene buen corazón. —Terminó de comer su pastel y se levantó—. Vamos, alquilemos un coche con seis caballos.

—Mis paquetes —dijo Prudence, asimilando la arrogancia de esa rotunda frase: «Yo te he elegido».

Eso mostraba un lado diferente de él, lo hacía un tanto desconocido. Y bastante más conde.

Cate fue consciente de su brusquedad, pero de repente estaba sensible a todo lo que pudiera perturbar a su mujer. Prudence era como un árbol con las hojas recién brotadas abriéndose lentamente al primer contacto del sol de verano; una helada todavía podría matar los brotes, y él deseaba que ella floreciera.

Perry se levantó y cogió los paquetes de Prudence.

—Puedo ser tu secretario y tu mensajero angélico, milord conde. Estoy seguro que ser lacayo no me es imposible, milady.

Prudence lo miró desconcertada.

—¿Siempre tendrá que llamarme «milady», señor Perriam? Ese trato lo encuentro muy distante, y hemos compartido algo así como una aventura.

Él le sonrió.

—Desde este momento eres Prudence y yo soy Perry, si tu amo y señor lo permite.

Cate no vio muy claro que deseara permitirlo.

—Sólo en privado —dijo.

—¿Me vas a permitir estar en privado con tu esposa? —preguntó Perry, travieso.

—Tu nimbo angelical se te está cayendo, pero sí, dentro de lo razonable, me fío de ti.

—Decididamente soy de los ángeles —dijo Perry, y dirigiéndose a Prudence añadió—: No debes relajar la formalidad en público. Mi reputación es muy delicada.

Ella se rió de sus tonterías y Cate hizo rechinar los dientes.

Cuando salieron al patio de las cocheras, Prudence preguntó a Perry.

—¿Cómo debo llamar a Cate en público? ¿Marido?

—*Déclassé* —dijo Perry rotundamente—. No sois tenderos.

—Cuidado con tu lenguaje —ladró Cate, y sólo entonces recordó que Perry no sabía nada de la humilde vida que había llevado Prudence—. Mis disculpas. Estoy nervioso. Apresuremos este viaje.

Comprendió que tendría que contárselo todo a su amigo, pero esperaba que lo de White Rose Yard siguiera siendo un secreto para todos.

Cuando el coche estuvo listo, se quedó un momento vacilante, nada deseoso de emprender el viaje que llevaría a los inevitables problemas en Keynings.

—Veo que estoy condenado a cabalgar otra vez —dijo Perry con aire afligido.

—No le hagas caso, Prudence. Gana carreras de obstáculos y estará más cómodo que nosotros.

—La caja de tortura —suspiró ella—. Pero no me gusta mucho cabalgar y no quiero estropear mi sombrero. Pero tú podrías ir a caballo.

—Prefiero estar contigo.

Después de ayudarla a subir dio la vuelta al coche revisando todo concienzudamente por si habían manipulado algo.

—Estás muy desconfiado —comentó Perry.

—Tengo mucho que proteger.

—Es una mujer extraordinaria.

—Sí.

Pero eso no significaba que los próximos días no fueran a ser un infierno.

Capítulo 21

Viajaron un buen rato en silencio y a Prudence no se le ocurría cómo romperlo. Seguía un poco dolida por el despreocupado comentario del señor Perriam. Nunca había sido tendera, pero las mujeres de White Rose Yard solían decir «marido» en lugar del nombre. También su madre, en todo caso.

¿Cuántas otras cosas que le parecían normales serían *declassé* o simplemente anticuadas? La invadió un cansancio terrible, apagando la alegría y euforia que había sentido unos momentos. Estaba casada y continuaría casada, y amaba a su marido, pero no servía en absoluto para su nuevo puesto, y Cate, aunque amable y elogioso, no la amaba.

Estaba agotada, lo que no era sorprendente. Sólo esa mañana había hecho sus promesas, pero eso fue la culminación de días y días de confusión y noches insomnes.

Miró a Cate de reojo y vio cansancio en él también. Había cabalgado hasta Darlington, y el día anterior ido y vuelto de Durham. En el accidente quedó herido y había sangrado bastante. Cojeaba muy poco, pero las heridas debían seguir doliéndole.

Ella tenía moretones por el accidente, y todavía le dolía un poco la cara de vez en cuando. Ese moretón se atribuiría al accidente, suponía, así que el atentado de Draydale sirvió a una buena finalidad.

Miró por la ventanilla, pensando si Draydale intentaría un ataque en un camino público. Seguro que no. Viajaban con tres postillones y los dos caballeros iban armados; además, Cate había revisado el coche por si habían manipulado algo. Posiblemente estaban a salvo de Draydale, pero no de los terrores que los aguardaban.

La casa de Cate, la familia de Cate, la madre de Cate.

Aun en el caso de que todo fuera bien, ¿cómo convertirse en una verdadera condesa?

En una ocasión vio a la condesa de Arradale en la calle de Northallerton, en una parada en su viaje de Londres a su propiedad en los valles de Yorkshire, o de vuelta. Aunque vestía sencilla ropa de viaje, era evidente que las telas y confección de cada prenda eran de la mejor calidad, y las llevaba con tal donaire, como un ser de otro mundo.

Sofocó la risa.

—¿Qué pasa? —preguntó él, saliendo de sus pensamientos, o tal vez de una cabezada.

—Estaba pensando en una condesa que vi una vez.

—A veces yo pienso en otros condes. ¿Qué condesa?

—La condesa de Arradale.

—Cáspita, no te compares con ella. Tiene el título por propio derecho. Nació para el esplendor y se ha casado con un título superior, un marqués.

—Entonces, ¿no se va a esperar que yo sea como ella?

—No.

—Menos mal. Pero será mejor que me enseñes algo de lo que necesito saber. El orden de rangos es duque, marqués y conde, ¿verdad?

—Y después vizconde y barón.

—Entonces tu rango es superior al de lord Lolingford.

—¿Quién es?

—El personaje más distinguido del vecindario de Blytheby. Era barón. Todos le teníamos un temor reverencial.

—Y ahora descubres que el suyo es el rango más bajo —dijo él sonriendo—. Si alguna vez te encuentras con él puedes mirarlo desde tu elevada altura.

Era broma pero ella se sintió incómoda.

—Eso no se esperará de mí, ¿verdad? Detestaría hacerlo.

—No, pero las personas tienen expectativas, y se sienten mal cuando no nos conformamos a ellas. Los criados de Keynings, que cuando yo era simplemente Cate Burgoyne se sentían cómodos conmigo, ahora guardan las distancias con el conde. No es miedo. Es su sentido de lo que es correcto. Por lo menos Jeb sigue siendo él mismo, cuando estamos solos al menos. Es uno de los mozos del establo, pero somos de la misma edad y jugábamos juntos cuando éramos niños.

—Yo jugaba con las hijas del jardinero, pero mi madre nunca lo aprobó. Cuando cumplieron doce años entraron a servir.

—¿Has tenido amigas después de la muerte de tu padre?

Prudence lo pensó un momento.

—No. Está Hetty, pero no puedo contarla como amiga, aunque creo que en otras circunstancias podríamos serlo. ¿Tiene sentido eso?

—Perfecto. En el ejército conocí a unos cuantos hombres de los que me sentí amigo, pero eran de rango demasiado bajo para que hubiera verdadera amistad. Quebraría la estabilidad del universo. Intentemos prepararte para que eso no ocurra.

Prudence prestó atención, pero le costó entender realmente la naturaleza de Keynings, la casa y la propiedad. Nunca había estado en el interior de una casa más grande que Blytheby Manor, y era evidente que Keynings era de otra clase.

—¿Cuántas habitaciones hay? —preguntó.

—No tengo ni idea, tal vez cincuenta.

—¡Cincuenta!

—Es sólo una suposición. ¿Qué importa?

—Hay que cuidar de todas. ¿Por qué tantas? No podéis usarlas todas.

—No cada día, pero necesitamos muchos dormitorios para alojar a los invitados en estancias de varios días, y una serie de salones contiguos al salón de baile. En cuanto a las demás, me sorprende darme cuenta de que hay muchas en las que no he entrado nunca.

—Me perderé.

—La distribución de la casa es bastante pareja, así que lo dudo, pero si fuera necesario, hay muchísimos criados para rescatarte.

—Muy bien —dijo ella—. Háblame de los criados.

—Son tan disciplinados como el ejército. Comenzaremos por el administrador de la casa, Flamborough.

Hicieron una breve parada para cambiar los caballos, y cuando se reanudó la marcha continuó la clase. Cuando pararon para otro cambio de caballos, a Prudence le zumbaba la cabeza con tanta información, la mayor parte sin asimilar. Aliviada aceptó el ofrecimiento de té, e intentó prestar atención a la conversación entre Cate y Perry acerca de los detalles de la etiqueta, en particular cómo distinguir entre las tres ladies Malzard.

—Tú eres lady Malzard —explicó Perry—. La esposa del hermano de Cate es Artemis, lady Malzard. Sólo su madre es la condesa viuda.

—No puedo llamarla Artemis, lady Malzard en el trato diario.

—No tienes por qué. Si preguntas dónde está lady Malzard queda claro que no eres tú ni es la condesa viuda. Sin embargo, sin duda sería más sencillo si pudierais acordar en llamaros «hermana» entre vosotras.

—Me gustaría tener una hermana.

—Entonces espero que lo seáis —dijo Cate—, pero es probable que se marche pronto de Keynings. No le resultará cómoda la casa para ella.

Pero su madre seguiría siendo Flavia, condesa de Malzard viuda.

Cuando volvieron al coche para la última etapa del viaje, le preguntó a Cate:

—¿Cómo va a reaccionar tu madre a nuestra llegada?

—Con asombro, supongo.

—No lo digas como si no importara. Deberías haberle enviado un aviso.

—No habría cambiado nada.

—Habría tenido tiempo para prepararse.

—Para cargar las pistolas, quieres decir.

—¡Cate!

—Lo siento, pero no le va a gustar, aunque sólo sea porque me casé sin comunicárselo a ella.

—Es comprensible que se sienta así. A mí me dolió que no me invitaran a la boda de mi hermano.

—¿No te invitaron?

—No, pero atengámonos a lo inmediato. Tu madre se sentirá dolida.

—Es posible. Pero te he dicho la verdad. Deseaba que me casara. Si resultas fértil, en especial si tienes hijos varones, lo perdonará todo.

Prudence se estremeció ante esa declaración.

—¿Y si no?

—Pues todos viviremos con la desilusión. No será desastroso mientras yo viva más que ella. Verás, si yo muriera sin dejar un heredero, el próximo conde esperará a que ella se marche de Keynings, y eso le partiría el corazón.

Ella entendía cuánto duele tener que marcharse de una casa, pero él pintaba un futuro ominoso.

—¿Qué edad tiene?

—Cincuenta y cinco, creo.

La condesa de Malzard viuda podría vivir otros treinta años. Treinta o más años en que desaprobaría a la esposa de su hijo aun en el caso de que tuviera hijos. Si no los tenía, le observaría la cintura hasta cuando ya no hubiera esperanzas.

—Comprendo —dijo, de todos modos—. Marcharse de Blytheby le partió el corazón a mi padre.

Él le cogió la mano.

—Y el tuyo tal vez.

—Sí, aunque yo no me di cuenta en ese momento. Mi padre fue el que más lo sintió. Llevaba catorce años ahí, y compiló la colección de antigüedades partiendo de cero. Cuando...

Estuvo a punto de decir la verdad, que sir Joshua, el dueño, había muerto y tuvieron que vender Blytheby para pagar sus deudas, y entonces recordó el engaño. Había hecho creer a Cate que ella era hija de la casa y eso lo complació.

—Cuando tuvimos que marcharnos —dijo—, mi madre y yo intentamos adaptarnos, pero mi padre sólo deseaba una cosa, volver. Cuando aceptó que eso no ocurriría jamás, murió. Los sueños destrozados pueden romper el corazón. Pero aferrarse a los sueños sin ningún motivo también puede romperlo.

Él le levantó la mano y le besó la palma.

—Vamos a procurar que nuestros sueños sean modestos y así nada los destrozará. Seremos buenos compañeros y cumpliremos bien nuestros deberes.

Esas palabras desentonaban con ese beso tan íntimo. Ella no deseaba ser solamente una compañera ni solamente atender a sus deberes, pero tal vez eso era lo único que podía soñar. Cate era bueno y amable y no amaba a otra, pero no la amaba a ella.

Haría todo lo posible por no causarle problemas.

—Háblame de las familias de la localidad.

—Para eso vas a necesitar a madre —dijo él—. Yo sólo puedo hacerte un ligero esbozo.

Le hizo la relación de las mejores familias y de los nombres de sus casas.

—Tendrás que repetirme todo esto cuando tenga papel y pluma —dijo ella cuando él terminó—. Tengo la cabeza llena.

—Es probable que madre te escriba la lista, por cierto. —Ella pensó que iba a decir algo más sobre eso, pero él simplemente le tocó la frente—. ¿Tu cabeza llena te hace sentirte más tranquila?

—No.

Él la atrajo a sus brazos.

—Será difícil, Prudence, pero no infernal.

—¿No? Jamás le he dado una orden a un criado. Bueno, a nuestras criadas para todo cuando las teníamos, pero eso no es precisamente lo mismo.

—En el fondo lo es. Tu sombrero me estorba otra vez.

Sonriendo, ladeó la cabeza y él la besó.

—Pero no me lo quites, señor. Quiero llegar en el mejor estado posible.

—Si insistes. En cuanto a los criados, simplemente expresa tus deseos de modo calmado y claro, y no toleres insolencias ni negligencia.

—Supongo que eso parece más fácil de lo que es. Pronto se enterarán de todo acerca de mí. Del escándalo en Darlington, de mis antecedentes, incluso de que viví en White Rose Yard.

—Eso no lo sabrá nadie cuando lleguemos. Por eso es esencial que demos una buena primera impresión.

—Gracias a Dios por el sombrero.

Él se rió.

—Magnífica armadura.

Le ladeó la cabeza y volvió a besarla. Entonces introdujo los dedos por entre su pelo por encima de la oreja.

Ella se apartó.

—Ten cuidado.

—Besar a una dama sin desordenarle el sombrero ni el pelo es un talento necesario.

—Tu pelo se ha escapado de la cinta.

—Siempre se escapa. Sin duda tú podrías atármelo con más firmeza.

Se giró y le presentó la espalda.

Una espalda ancha y el pelo atado flojo no tenía por qué ser alarmante, creía Prudence, hasta que le quitó la cinta. El pelo suelto de un hombre era algo... algo suelto. Le recordó su espalda desnuda cuando le curó la herida, sus anchos hombros anchos, su larga columna, sus fuertes nalgas. Aunque ahora estaba vestido, deseó acariciarlo a lo largo de la chaqueta, pensando en todo lo que había debajo.

Tuvo que tragar saliva.

—¿Tu peine?

Él lo sacó de un bolsillo y se lo pasó por encima del hombro.

Comenzó a pasarle el peine notando la energía con que parecía querer saltar como para librarse de toda restricción. Como hacía ella.

—Siento mucho que hayas tenido que convertirte en conde —dijo, bajando el peine a lo largo del pelo.

—Habrías preferido ser una esposa normal y corriente, lo sé.

Ya le había alisado bastante el pelo pero continuó:

—No por mí, sino por ti. Tú no deseabas una carga de responsabiliades como esa.

—Fui oficial en el ejército.

Dijo eso sin parecer ofendido, y en su espalda y en el ladeo de la cabeza vio que no lo estaba.

—Un condado es diferente. Es un trabajo incesante, y para toda la vida.

—Mujer juiciosa. En un instante me obligó a ser una persona diferente. Como a ti. —Pasado un momento, añadió—: Pero yo deseaba Keynings. Mucho, muchísimo. Esto no lo he reconocido ante nadie más.

Prudence retuvo el aliento, pero continuó pasándole el peine, con largos y lentos movimientos.

—A veces amamos no juiciosamente sino demasiado.

—Otelo —dijo ella. Sin parar de pasarle el peine, se arriesgó a hacer la pregunta que le vino a la cabeza—: ¿Le tenías envidia a tu hermano?

—No de que se convirtiera en conde. Pero cuando ya tenía edad para comprender que Roe continuaría en Keynings toda su vida y yo tendría que marcharme, lo consideré injusto. Intenté convertirme en cura.

Ella no pudo evitar la risa.

—¿Tú?

—He conocido a unos cuantos igual de incompatibles con esa profesión, pero yo sólo tenía la esperanza de poder quedarme cerca de casa. O de continuar en ella.

Ella le recogió el pelo, rozándole el cálido cuello.

—O sea, que también perdiste tu casa.

—Sí, pero nunca deseé que Roe muriera. Lo resucitaría si pudiera, aun cuando yo tuviera que marcharme del todo a las Américas o a las Indias.

—Lo sé —dijo ella, atándole la cinta lo más apretada posible.

Entonces no pudo resistirse y le besó el trocito de piel entre el pelo y la corbata.

Él se giró y la besó en los labios.

—Ahora sabes todos mis secretos.

—Y ninguno de ellos te desacredita.

—Espero que no, pero hay otra cosa más.

El coche viró y él miró por la ventanilla.

—Ya estamos cerca. Es una historia complicada. Te la contaré después, pero he cometido errores. No tienen que ver contigo en nada, aparte de que te has casado con un hombre que en algunos círculos se considera de reputación dudosa.

—Sea lo que sea, sé que no has hecho nada malo.

—¿Tanta fe tienes en mí?

—Sí.

—Nos conocemos desde hace muy poco, ¿sabes?

—Pero bien.

—Juiciosa otra vez. Me he relacionado durante años con algunas personas y no las he conocido tan bien como te conozco a ti, Prudence Malzard.

Ella lo miró ceñuda.

—¿No Prudence Burgoyne?

—La esposa de un par del reino usa el título como apellido.

—Buen Dios, algo tan simple como eso y yo no lo sabía. ¿Cómo me las voy a arreglar?

—Te las arreglarás. Eres la mujer más fuerte, más valiente y más ocurrente que he conocido en toda mi vida, y buena también. Triunfarás, mi reina guerrera.

—Acuérdate de Boadicea.

—Piensa mejor en Isabel, animando a sus tropas ante la Armada.

—Sé que tengo el cuerpo de una mujer débil, pero tengo el corazón y las entrañas de un rey. Siempre me ha gustado eso.

—No me cabe duda. Te compraré otro cuchillo, creo. Una daga italiana, con puño de oro enjoyado con perlas, porque eres toda acero, oro y perlas.

—¡Derroche, señor! —protestó ella, pero los elogios la estaban derritiendo.

—Prometiste obedecerme, y te ordeno que agradezcas todos mis regalos sin rechistar.

—Gracias, entonces, por el crucifijo y el broche.

—Tienes muchas joyas más magníficas, si madre y Artemis no se aferran a ellas.

Eso rompió la burbuja del arco iris. Iban a llegar a una casa ya gobernada por dos mujeres, las dos respaldadas por su formación y linaje.

Entonces Cate sacó dos anillos del bolsillo y se los puso: uno el grueso anillo de oro con el sello y el otro de oro con negro; un anillo de luto.

Había habido anillos de luto y guantes negros para todos los asistentes al funeral de su padre, aun cuando no podían permitírselos. Para el sencillo funeral de su madre ni siquiera se pensó en ese gasto extra.

Él sacó una ancha cinta negra.

—¿Podrías ponérmela en la manga?

—¿Por qué te quitaste estas cosas?

—Quería escapar. Tal vez incluso de la realidad de la muerte de Roe. Una tontería. No volveré a hacer algo así.

Ella le puso el brazalete de luto anudándolo bajo el brazo, embargada por una sensación terrible.

—Cate, vamos a llegar a una casa que está de luto y yo voy vestida de rojo.

Vio que él se tragaba una maldición.

—¿Cómo pude descuidar eso? También es tu día de bodas, pero... Tus cintas. Vuélvete, rápido.

Ella se giró, comprendiendo. Sintió sus movimientos al arrancar el conjunto de lazos de cintas multicolores de la copa del sombrero. Así quedaría todo negro. Mucho más apropiado.

Vio que él intentaba deshacer los lazos con sus grandes manos, así que las cogió y rápidamente las desató todas. Dejó a un lado las de color orín.

—Quítame el crucifijo —le pidió, al tiempo que se quitaba el broche y lo guardaba en el bolsillo.

Los alamares de la chaquetilla eran negros, y el color orín no tan inconveniente como el rojo. Sacó el crucifijo de la cadenilla y consiguió pasar una cinta negra por la pequeña argolla. Volvió a girarse.

—Átamelo.

Él obedeció.

—Eres asombrosa. Un crucifijo de plata en una cinta negra. Eso lo cambia todo. Venga, el resto de la cinta te la ataré a la manga. Es más usual para hombres, pero servirá.

Prudence se quitó el anillo de granate y el de la piedra amarilla con perlas, dejándose solamente el de bodas. Pero se frotó las manos, nerviosa.

—Esto es lo mejor que podemos hacer por ahora —dijo—, pero ¿y mañana? No tengo ropa de luto. —Se rió—. No hace mucho sólo tenía ropa de luto porque, después que murió mi madre metí todo en una artesa con tinte, menos el azul. —Lo miró—. ¿A una condesa le está permitido teñir de negro un vestido?

—Puede ordenar que se lo tiñan en el lavadero, y podemos ordenar que te hagan ropa de luto con rapidez.

Ella se cubrió la cara con las dos manos.

—Nuestra sola llegada ya será una ofensa, y ahora esto.

—Lo comprenderán. Es también tu día de bodas. Ah, la Gibbet Cross.* Esta es la señal de que un poco más allá comienza el parque.

Ella detectó alegría en su voz y pensó que tal vez la familiaridad hacía normal ese espantoso poste. Pero no pudo evitar un mal gesto al mirar la jaula de hierro donde podían dejar colgando a un delincuente ahorcado para escarmiento de los demás.

La jaula colgaba vacía en ese momento, menos mal, pero le pareció un muy mal presagio.

---

*Poste con un palo atravesado (a modo de tosca cruz) del que colgaba una jaula de hierro en la que se encerraba a un delincuente ya ejecutado o a uno vivo para que muriera de hambre y sed. Se ponía en los cruces de los caminos.

Capítulo 22

*E*l coche viró lentamente y pasó por entre dos pilares. Prudence miró hacia delante, temiendo ver la casa inmediatamente. Pero lo único que vio fue un llano camino de gravilla que serpenteaba por entre campos tan hermosos que no podían ser naturales. Estaba en el muy bien cuidado parque de un noble; por lo que fuera, en ese instante la golpeó de lleno la realidad.

Cate era un noble.

Era el dueño de toda esa perfección.

Y se había casado con ella.

—No verás Keynings hasta pasado un rato. Este camino de entrada fue esmeradamente diseñado para presentar las bellezas en un cierto orden. Todo es principalmente obra de mi padre, aunque mi hermano era muy aficionado a importar árboles.

Prudence casi no lo oía, por lo fuerte que el terror le hacía latir el corazón.

—¿Qué van a pensar, Cate? ¿Qué van a decir?

Pasado un momento él bajó la ventanilla y atrajo la atención de su amigo.

—¿Estás dispuesto a adelantarnos para allanarnos el camino? ¿Para anunciar el regreso del hijo pródigo sano y salvo?

—¿Con esposa? —preguntó Perry, cabalgando al lado del coche.

—Con esposa.

—¡Allá tú! —dijo Perry riendo y emprendió el trote.

—¿Por qué se rió? —preguntó Prudence.

—Porque a los mensajeros de malas noticias suelen matarlos.

—Malas noticias...

Él se giró a mirarla.

—No lo dije en ese sentido.

—No intentes tranquilizarme. ¡Soy una mala noticia!

—Sólo una sorpresa.

—Dijiste que te pareció que no sería prudente avisar.

—Un día antes, u horas. Con unos pocos minutos no habrá riesgo, y moderará la conmoción.

No tendrían tiempo para cargar las armas, pero tal vez sí para pasar la primera reacción de furia, con lo que podrían intentar ser amables. Si eso daba resultado, ella lo agradecería.

Él volvió a mirar por la ventanilla.

—Ah, el primer atisbo.

Ella miró, pero como quien mira hacia una prisión. La parte central de una casa de piedra estaba elegantemente enmarcada por árboles. Como dijera él, esa vista había sido planificada con mucho esmero. Era una casa de tres plantas, de estilo clásico, estructura pareja, pero enorme; aunque aún no se veía entera estaba claro que se extendía por ambos lados. En el centro, delante de la puerta principal, se elevaba una escultura de color claro. A medida que avanzaban los árboles parecían retroceder como una cortina, dejando ver más y más de la casa.

Su primer pensamiento fue que era muy sencilla.

Pero cuando apareció entera vio que era perfecta.

Muy diferente a ella.

—¿Has leído *El paraíso perdido* de Milton? —preguntó él.

Ella se giró a mirarlo pensando si tal vez no habría oído algo que él había dicho antes.

—Sí.

—¿Recuerdas Pandemónium?

—Es la ciudad principal. El dominio de Lucifer. Cate...

—Exactamente —interrumpió él—. La ciudad de los demonios. Es una descripción algo extrema de Keynings, pero ahora pandemónium tiene el otro significado, desorden y mucho alboroto y confusión. Eso es lo que vamos a enfrentar, pero tenemos ángeles de nuestro lado.

Recordando sus heridas, ella le tocó la cabeza.

—Deja de hacer eso. —Le bajó la mano y se la besó—. Perry ha asegurado que es Rafael, el mensajero. Yo seré Miguel, el vencedor de todos los demonios. Tú puedes ser la Buena Reina Bess y animarnos a la victoria.

—Te concedo que Draydale es un demonio, pero no tu madre ni tu cuñada.

—Muy cierto. Pero las expectativas, Prudence, pueden ser el mismo infierno. Hemos llegado.

A pesar de todas las advertencias, ella detectó cariño en su voz. Él amaba su casa, deseaba que fuera un hogar. Y a ella le correspondía convertirla en un hogar.

El coche siguió la curva que trazaba el camino y fue a detenerse al pie de la escalinata que llevaba a las magníficas puertas que todavía llevaban los escudos cubiertos por paños negros.

Si por arte de magia pudiera volver negro su vestido.

Ya había cuatro lacayos con librea ahí, listos. Las libreas eran de color verde oscuro con galones dorados, y los cuatro llevaban medias, guantes y fulares negros y brazaletes de luto en una manga. Estaban mejor equipados para el luto que ella y Cate.

En la puerta abierta esperaba un hombre muy majestuoso, todo de negro. El guardián del portal. ¿Le negaría la entrada?

—¿Quién es ese? —preguntó en un susurro cuando se acercaban los lacayos a atenderlos.

—Flamborough, el administrador de la casa. Te hablé de él.

Sí que le había hablado, pero en su cabeza se habían abierto goteras; no recordaba nada.

Un lacayo abrió la portezuela.

Otro bajó los peldaños.

Cate bajó y se giró a ayudarla. A ella le latía tan rápido el corazón que dudó de poder bajar con dignidad; y si lo conseguía, tal vez no sería capaz de entrar en la casa en línea recta. Dudaba mucho de ser capaz de decir algo coherente. Se había sentido igual cuando llegó a la iglesia a casarse con Draydale. Tienes que poder, se ordenó, haciendo una honda inspiración. «Este es el amado hogar de Cate, y por él tienes que hacer esto a la perfección.»

Y por lo menos ahí no los esperaba el demonio Draydale.

Se obligó a mover las piernas y bajó, agradeciendo la firme mano de Cate. Él le pasó la mano por su brazo y la llevó a la escalinata.

—Bienvenida a Keynings, querida mía —dijo, en tono muy tranquilo.

Pero ella percibía la tensión que lo dominaba.

Pandemónium.

Giró la cabeza al oír ruido de cascos de caballos y de ruedas, y por encima del hombro vio el coche alejándose; se sintió como si se fuera su oportunidad de escapar.

—Bienvenido a casa, milord —oyó.

Giró la cabeza hacia delante.

—Querida mía —dijo Cate—, él es Flamborough, el administrador de nuestra casa. Mi condesa, Flamborough.

El hombre hizo una venia con la cara sin expresión.

—Milady.

—Vamos, permíteme que te enseñe nuestra casa.

Ella comprendió que lo de «nuestra» iba dirigido a los oídos del hombre.

Entraron en un espacioso vestíbulo de paredes grises con pilares. A lo largo de las paredes laterales había hornacinas azules con estatuas de estilo clásico, algunas con muy poca ropa. Se había reunido ahí un buen número de criados, y una mujer se adelantó a saludarlos. Era de altura y constitución medianas, y vestía de luto riguroso, incluso con una cofia negra que le cubría el sedoso pelo castaño. ¿El ama de llaves? ¿La señora Ingleton?

—Bienvenido a casa, Malzard. Soy Artemis, lady Malzard —dijo a Prudence, mirándole las mejillas.

—Nuestro coche se volcó —explicó Prudence—. Gracias por la bienvenida... —No se le ocurrió nada que decir aparte de—: Artemis.

Artemis desvió la mirada.

—Ya no me corresponde darte la bienvenida a Keynings, «hermana», pero lo hago de todos modos.

¿Era eso una corrección sutil? Sí. ¿Era bienintencionada o no?

Bienintencionada, seguro.

Se le aflojó un poco la tensión. Su cuñada era fría, pero estaba dispuesta a que la llamara hermana. Podría estar dispuesta a darle consejo y apoyo también, y tal vez incluso, con el tiempo, a hacerse amiga. Empezó a esbozar una sonrisa, pero comprendió que era inapropiado sonreír.

—Acepta, por favor, mis condolencias por tu pérdida, hermana —dijo.

—Gracias —contestó Artemis, aunque mirándole las calzas a Cate, con las cejas arqueadas.

—Me hirió un trozo de vidrio en el accidente de coche —dijo Cate—. Supongo que Perrian os explicó eso.

—Brevemente. ¿Es grave tu herida?

—No, en absoluto. ¿Dónde está madre?

—En la cama. Se sentía algo indispuesta.

—Comprendo.

Así que al oír la noticia, la lady Malzard viuda se retiró a su habitación, o bien porque de verdad se sentía mal o simplemente para evitar conocer a su indeseada y no bienvenida flamante nuera.

—Vamos, querida mía —le dijo Cate—, te llevaré a tus aposentos.

—¿Tal vez los criados principales podrían conocer a su nueva señora? —dijo Artemis.

Ante ese tono de infinita paciencia Prudence sintió ganas de darle una bofetada, pero recordó que su matrimonio era una conmoción para Artemis también, y tal vez lo encontraba impetuoso e irresponsable, sobre todo a las pocas semanas de la muerte de su marido.

Entonces avanzaron y le presentaron a una mujer de pelo cano y aspecto solemne que era el ama de llaves y luego a un hombre muy gordo apellidado Belshaw, que era el maestro de cocina; ese título no significaba nada para ella, pero supuso que era el encargado en general de la comida para la familia y los criados. Ewing era el mayordomo y, aunque delgado, la rojez de su nariz sugería que podrían gustarle demasiado los vinos que servía.

Ewing le dirigió una penetrante y evaluadora mirada, en cambio los otros se mostraron cortésmente impasibles. Estaba segura de que tendrían muchísimo que comentar cuando ya no estuvieran ahí, pero le parecía que no había hecho ni dicho nada que fuera a provocar pandemónium desde el mismo comienzo.

Terminada la terrible prueba, Cate la llevó por una escalera de madera maciza, que era magnífica, aunque contrastaba muchísimo con el vestíbulo moderno y de color claro. Prefirió no hacer ningún comentario sobre eso, pero cuando dieron la vuelta por el rellano y estaban a la mitad del otro tramo vio que los paneles del corredor hacían juego con la escalera.

El efecto era extraño.

Cuando habían caminado un trecho del corredor Artemis dijo:

—Debes de desear cambiarte de ropa, Malzard. Yo llevaré a tu esposa a sus aposentos.

—Gracias —dijo él, y le preguntó a ella—: ¿Te importa?

De repente Prudence detestó la idea de separarse de él, pero eso era pueril.

—Claro que no. Es necesario que te vean la herida también.

—Desde luego —dijo Artemis—. Podrías haber muerto.

272

—Sólo con la peor mala suerte.

—¿No sufriste ningún daño? —preguntó Artemis a Prudence.

—Sólo moretones. Y tuve la oportunidad de cambiarme de ropa. Detrás viene mi baúl. Pido disculpas por no ir totalmente de luto, hermana, pero... —Se interrumpió porque no se le ocurrió ninguna manera de explicar en pocas palabras las circunstancias.

—De lo que nos vamos a ocupar —dijo Cate—. Pero este es también nuestro día de bodas.

Dicho eso le besó la mano y entró en su habitación.

—Por aquí —dijo Artemis, caminando hasta detenerse ante otra puerta, con la espalda rígida.

La situación era difícil para todos, pensó Prudence, y no se le ocurría ninguna manera de mejorarla. Artemis Malzard parecía dispuesta a ser amable, pero podría considerar hiriente y ofensivo ese matrimonio. Lamentó eso sinceramente.

—Tu dormitorio —dijo Artemis abriendo la puerta y entrando—. Comunicado, por supuesto, con el dormitorio del conde.

—Es precioso —dijo Prudence, con toda sinceridad.

El papel de las paredes estaba pintado con delicadas ramas con flores y coloridos pájaros. Ese tenía que ser el papel chino del que había oído hablar. El cielo raso estaba pintado de un azul que sugería el cielo de verano y ese color se repetía en las cortinas y en partes de la mullida alfombra.

Se giró para hacer un comentario elogioso y vio que Artemis tenía la cara muy pálida y demacrada. Dios de los cielos, ese había sido su dormitorio hasta hacía muy poco, tal vez estaba decorado a su gusto, y una muerte la había expulsado de ahí. Sintió deseos de pedir disculpas e incluso de ofrecerle que volviera a ocupar esa habitación, pero eso era imposible.

En lugar de eso, le ofreció sus condolencias otra vez:

—Lamento muchísimo lo de tu marido...

La rigidez dio paso a una firme desaprobación.

—Que no haya mentiras entre nosotras en privado, por favor.

Debe de haberte alegrado la muerte de mi marido ya que eso os permitió casaros.

—¿Qué? No...

—No me tomes por tonta. Él no tenía ni un penique antes.

—Lo sé, pero...

—Y se casó contigo con una prisa indecente —continuó Artemis, comenzando a pasearse como si estuviera en una jaula—. Seguro que estuvisteis años suspirando por casaros, si es que esperasteis para satisfacer vuestra lujuria.

Prudence ahogó una exclamación de horror.

Artemis se giró bruscamente a mirarla.

—Él siempre deseó Keynings. Lo sé. Sé que se alegró, se «alegró» de la muerte de mi hijo.

—Estoy segura de que no.

—Vamos a dejar las cosas claras. Tu marido asesinó al mío, y si existe justicia en el mundo, la herida que tiene se le infectará y lo matará.

Prudence sintió flaquear las piernas, así que fue a sentarse en un banco situado al pie de la cama.

—¿Cómo puedes decir esas cosas?

Artemis la miró atentamente, con un aspecto todavía increíblemente cuerdo.

—¿Es posible que te haya engañado?

—Le conozco y sé que lo que dices es imposible.

—¿Lo que digo? Pregúntaselo. No puede negar que llegó aquí totalmente desacreditado, tanto que mi pobre marido sintió que el peso de eso aplastaba la reputación de nuestra familia.

¿Desacreditado?

—Tampoco puede negar que provocó una acalorada pelea que fue la causa del ataque cerebral de mi marido.

—Por favor, Artemis...

—¡No tienes mi permiso para llamarme por mi nombre!

Con la boca reseca, Prudence adoptó un tono tranquilizador.

—Lady Malzard, es imposible que sea cierto lo que crees. Si conoces algo a Cate tienes que saber que es incapaz de una maldad tan cruel.

Artemis se rió sin humor.

—Eres tú quien no le conoce. Mi marido conocía a su hermano por lo que es, un holgazán, un imprudente, un desastre en todo lo que intenta. Creo que te vas a enterar de sus defectos a tu propia costa —le miró la mejilla amoratada—, si es que no te has enterado ya.

—Cate no me hizo este moretón.

Artemis se encogió de hombros y se giró enérgicamente hacia una puerta y fue a abrirla.

—Aquí tienes una sala de estar —dijo sin entrar. Avanzó unos cuantos pasos y abrió otra—. Y aquí un vestidor. Es desafortunadamente pequeño. Habíamos hablado de agrandarlo... —Se quedó callada y rígida, pero enseguida se recuperó—. ¿Tienes doncella?

—No.

—Te enviaré una para que te atienda.

Después de pasear la mirada por la habitación, toda ella muy pulcra y compuesta, salió y cerró la puerta con un suave pero firme clic.

Capítulo 23

*P*rudence continuó sentada en el banco rodeándose con los brazos como si tuviera frío.

Dos caras. Dulce en público, ácida en privado.

Pero no, eso no era del todo cierto; Artemis nunca había sido dulce, pero era el tipo de dama que jamás iniciaría un altercado delante de los criados. Posiblemente creía todo lo que dijo de Cate.

Pero estaba equivocada. Muy equivocada.

Cate nunca se habría alegrado de la muerte de un niño ni tramado algo para matar a su hermano. Eso lo sabía en su corazón, pero su cerebro le advirtió que Artemis tenía razón en una cosa: ella no conocía bien a su marido. Cate podía decir que se conocían bien, pero se conocían desde hacía muy poco tiempo.

¿Qué descrédito habría traído a la casa? Él dijo algo cuando estaban a punto de llegar.

¿Por qué tuvo una discusión tan violenta con su hermano? Una riña acalorada podría ser tal vez causa de un ataque al cerebro, pero nadie podría planear una cosa así. Cate no, desde luego. Su defecto era la impulsividad, no una fría astucia.

Sin embargo, él reconoció lo mucho que siempre había deseado Keynings.

Suspirando rotó un poco la cabeza para aflojar la dolorosa tensión.

Pandemónium, sí. No sólo por unas diabólicas expectativas, sino también por unas siniestras sospechas.

Deseó ir corriendo a decírselo todo a Cate, pero era evidente que él no sabía nada del odio que le tenía su cuñada. No le diría nada, si podía. Aunque tenía que considerar la posibilidad de que Artemis fuera capaz de hacerle daño.

Le parecía que no pasaría de desearle mal. Al fin y al cabo, si Artemis hubiera deseado envenenarlo, había tenido semanas para intentarlo. Sólo podía rogar que se marchara de Keynings ahora que había una nueva condesa.

Después de un suave golpe, se abrió la puerta que daba al corredor y entró una criada. Era jovencita, de mejillas redondas, y se veía muy nerviosa. Iba mal vestida, en contraste con las elegantes libreas de los lacayos. Llevaba un vestido negro cubierto en su mayor parte por un tosco delantal blanco. La cofia y las medias eran negras, lógicamente, pero las medias le formaban bolsas alrededor de los tobillos y la cofia le quedaba grande. Si sus ropas eran las que usaban normalmente las criadas en Keynings, eso tendría que cambiar.

La chica traía un enorme jarro con agua caliente y casi derramó un poco al inclinarse en una nerviosa reverencia.

—Soy Karen, su señoría. Me enviaron con agua, su señoría. Y a ayudarla.

¿Que le habría dicho Artemis que se sentía tan incómoda? ¿Que la nueva condesa sería una señora dura?

—Gracias, Karen —dijo, sonriéndole y levantándose—. Ese es un nombre poco común.

—Karenhappuj, su señoría. Está en la Biblia.

—¿Sí? ¿Dónde? —preguntó Prudence, sintiendo la necesidad de mantener una conversación normal. Pero la chica seguía ahí inmóvil, así que la animó—: Vierte el agua, por favor.

Karen corrió a llenar la jofaina de porcelana.

—En el libro de Job, su señoría. Karenhappuj era una de sus hijas, su señoría, que nació después que acabaron sus tribulaciones. Él señor cura dice que debería ser Querenhappuj, su señoría, pero yo he sido Karen toda mi vida.

Prudence cayó en la cuenta de que seguía con el sombrero puesto, así que se lo quitó. Tal vez eso le aliviaría el dolor de cabeza que iba en aumento. La letanía de «sus señorías» se lo aumentaba también. ¿Era esencial? Aunque lo fuera, ella le pondría fin.

—Llámame milady, por favor, Karen —dijo, pasándole el sombrero. Fue hasta el lavabo y miró alrededor—. ¿Hay jabón?

—¡Uy, sí, sí su señoría! o sea, milady.

La chica dejó el sombrero en la cama, hurgó en un bolsillo, sacó una jabonera de porcelana y la puso en el lavabo a un lado de la jofaina.

Prudence le dio nuevamente las gracias, pero comenzaba a darse cuenta de que la chica no estaba cualificada para doncella. Sin duda la condesa viuda y Artemis tenían doncellas de señora muy bien formadas, pero no le habían enviado a ninguna de las dos.

Comenzando a lavarse las manos, le preguntó:

—¿Qué trabajos haces normalmente Karen?

—Soy una de las criadas de menos categoría, su se... milady.

La joven criada era un insulto.

Mientras se lavaba las manos pensó qué podía hacer al respecto. Cate le había aconsejado que no tolerara insolencias por parte de los criados. Pero no le dijo nada sobre las malas intenciones de la familia. Podía pedir otra doncella, pero esa pobre chica pensaría que la había ofendido. Si no hacía nada, todos se reirían de ella por ser tan ignorante que no sabía lo que le correspondía o por ser tan cobarde que no se atrevía a exigir lo que le era debido. Deseó pedirle consejo a Cate, pero los asuntos del personal eran responsabilidad suya y debía valerse por sí misma.

Se secó la cara y se giró hacia la chica.

—Pronto contrataré a una doncella de señora, Karen, pero tú lo harás muy bien como mi doncella durante un breve periodo de tiempo.

La chica agrandó los ojos.

—¿Ser su «doncella», milady?

—¿No es eso lo que eres en este momento?

—Esto... sólo me enviaron con el agua, milady, y a atenderla si necesitaba algo.

Prudence tuvo la deprimente sensación de que acababa de cometer un error, pero ya no podía echarse atrás.

—Eso forma parte de ser mi doncella —dijo—. La persona que te envió debe de considerarte capaz, así que el puesto es tuyo *pro tempore*.

—¿Pro tempore, milady?

—Por el momento. Sólo por el momento, porque no tienes la preparación necesaria, pero durante unos días serás mi doncella. —De repente comprendió lo que significaba eso; no era de extrañar que la chica estuviera deslumbrada—. Y tendrás la paga adecuada. Por los días en que ocupes el puesto.

—¡Sí, milady! ¿Qué se le ofrece ahora, milady?

«¡Ver a Cate!» Pero no podía recurrir a él por cada insignificancia.

—Té —dijo, deseando poder ordenar que le añadieran coñac.

La chica hizo su reverencia y salió a toda prisa.

Prudence se pasó las manos por la cara aspirando el suave perfume del jabón. Al menos no le habían escatimado eso, y las toallas eran las de mejor calidad que había tenido en las manos.

Además, tenía coñac.

Sacó la bonita petaca y de pronto recordó lo que significaba. Cate la compró en Londres, pensando en ella. Eso no era amor, pero era algo. Bebió, aunque muy poquito, porque ya quedaba poco y creía que pronto volvería a necesitarlo.

Valor holandés llamaba Cate al gin. Tal vez el coñac era valor francés. Fuera lo que fuera, era el momento de tomar posesión de esos aposentos.

Entró en la sala de estar: era una habitación bonita con buena luz. En el centro había una delicada alfombra china, y de las paredes azul celeste colgaban cuadros de flores. En torno al hogar había un sofá y dos sillones. Junto a la ventana había una pequeña mesa para las comidas en privado. Adosados a una pared había un escritorio y una librería vacía.

Sintió una presencia fantasmal. Esa había sido la salita de estar particular de Artemis, en la que se sentía a gusto; otro lugar del que una muerte la expulsó. Qué difícil asimilarlo todo.

El escritorio era hermoso. Pasó el dedo por la tapa, que estaba decorada con flores taraceadas. Levantó la tapa y se encontró con el rectángulo de piel para escribir, con bordes dorados. En el interior de la tapa estaba pintada una escena rural amorosa entre pastores y pastoras.

¿Por qué Artemis no se llevó eso y todo lo demás que valoraba a los aposentos que ocupaba ahora? ¿Haría bien si se lo ofrecía? ¿Se ofendería si ordenaba que lo quitaran todo para reemplazarlo por otros muebles?

Tal vez Artemis había dejado esos muebles ahí porque amaba Keynings tanto como Cate y no deseaba marcharse. Tal vez, como hiciera su padre, se aferraba a la esperanza de que cambiaría la realidad y todo volvería a ser como debía.

¿Y la madre de Cate? ¿Estaría rogando que su amado hijo mayor, el hijo bueno, se levantara de la tumba como Lázaro?

Suspirando abrió los cajones de poca profundidad y comprobó que estaban vacíos. Necesitaría papel, plumas, tinta, lacre...

¿Un sello como el que tenía Cate?

Era demasiado lo que no sabía, demasiadas las formas de cometer errores. Errores que Artemis estaría esperando.

Miró con anhelo la puerta del dormitorio de Cate, pero volvió a su dormitorio y entró en el vestidor.

Era pequeño, como dijera Artemis. Un bonito ropero se veía demasiado grande en ese espacio. Lo abrió y, como esperaba, lo encontró vacío, pero quedaban olores de perfumes. Detectó los olores de lavanda y de rosas, lo que le hablaba de jardines, risas y tiempos felices.

Sólo unas semanas atrás.

Comenzó a cerrar las puertas sobre esos sueños destrozados y al instante volvió a abrirlas, y fue a abrir la ventana también.

Lo que fue fue.

Las cosas habían cambiado.

Oyó risas infantiles.

Se asomó y vio a dos niñitas en el soleado jardín de flores, acompañadas por una criada. Su ropa negra contrastaba mucho con la hierba verde y las coloridas flores, pero estaban jugando alegremente, corriendo en círculo y llevando unas varas adornadas con cintas que ondeaban con la brisa.

Las hijas de Artemis. Si una hubiera sido niño, qué diferente habría sido todo.

Oyó un ruido en la sala de estar. Entró y vio a una criada, que no era Karen, distribuyendo el contenido de la bandeja con el té sobre la mesa. Era treintona, como mínimo, e iba mucho mejor vestida.

—¿Dónde está Karen? —preguntó.

—Ha vuelto a sus trabajos normales, milady. ¿Deseaba alguna otra cosa?

—¿Quién eres?

—Rachel, milady, la doncella de Artemis, lady Malzard.

Perfecta la cortesía de la doncella, demasiado perfecta; en cierto modo la miraba con altivez, a lo largo de esa gorda nariz.

—Gracias, Rachel, pero no querría darte más trabajo. Karen lo hará muy bien hasta que yo contrate mi doncella de señora.

—Eso no sería apropiado, milady.

—Yo determinaré qué es y no es apropiado. Llévate esa bandeja y que la traiga Karen.

La mujer hinchó el pecho como si quisiera poner objeciones, pero luego, con la espalda muy rígida, volvió a poner todo en la bandeja y se marchó.

Prudence esperó, muy tensa, preparándose para otra batalla, pero no tardó en entrar Karen, trayendo la bandeja con cierta dificultad, tal vez porque tenía los ojos agrandados de miedo.

Ay, Dios.

—¿Te he puesto las cosas difíciles? —le preguntó.

—¡No, milady! O sea —puso la bandeja en la mesa—, a algunas no les gusta.

Retrocedió, pero Prudence le dijo:

—Pon todo sobre la mesa.

—Ah, perdón, milady, no...

—No espero que lo sepas todo, Karen, sólo que aprendas.

—Sí, milady.

Pero Prudence vio que le temblaban las manos al poner la tetera, la taza con el platillo, el azucarero, las jarritas con agua y leche y el plato con pasteles.

Después retrocedió, nerviosa, con la bandeja bien aferrada.

Prudence se sentó, consciente del impulso de hacerse amiga de la chica. No se parecía mucho a Hetty. Para empezar tal vez tenía menos de dieciséis años, pero las similitudes eran suficientes para tenerle simpatía. Pero debía guardar las distancias, por el bien de las dos.

El té ya estaba preparado en la tetera, y eso la llevó a pensar en otra cosa. ¿Quién estaba a cargo del precioso té? En Blytheby Manor su madre cuidaba muchísimo de su cajita de té. Susan hacía lo mismo en Darlington.

Bebió un poco y dijo:

—Este té está excelente. ¿Quién lo preparó?

—La señora Ingleton, milady.

Prudence se relajó. No tendría que pelear con Artemis por causa del té.

—Pero lady Malzard —dijo Karen—, o sea, la otra lady Malzard y la lady Malzard viuda, milady, tienen sus propias cajas de té.

—Es correcto llamar Artemis, lady Malzard, a la cuñada de mi marido —le dijo Prudence, pensando si con eso le daba una información útil y apropiada.

Por eso, comprendió, Karen le recordaba a Hetty; que fuera joven y sin experiencia no significaba que fuera estúpida.

—Yo también tendré la mía —dijo, cogiendo un pastelillo.

Este era delicado, sabía a limón, y estaba delicioso. Se refrenó justo a tiempo de ofrecerle uno a Karen.

Pero claro, a lo mejor era normal que una doncella de señora disfrutara de esas cosas. Lo preguntaría. Pero ¿a quién? No creería ni una sola palabra que dijera Artemis, y era posible que Cate no lo supiera. Perry podría saberlo.

Por el momento, Karen podría tener más informaciones útiles.

—Cuando dices que a algunas no les gusta, Karen, supongo que te refieres a criadas más antiguas que creen que debería haberlas elegido a ellas.

—Sí, milady, pero en realidad son todos. —Alzó el mentón—. Verá, ahora yo estoy por encima de todos.

—¿Sí? ¿Cómo?

—¡En rango, milady! Todos los criados tienen sus puestos, milady, pero a los personales, como el señor Ransom y la señorita Gorley, los llamamos con el título de su señor o señora. Entonces, al señor Ransom lo llamamos milord o lord Malzard, y a la señorita Gorley la llamamos milady o lady Malzard. Supongo que ahora tendremos que llamarla Artemis, lady Malzard. De todos modos, ¿sabe, milady?, ahora tienen que llamarme milady a mí también.

Le brillaron los ojos a la chica, pero seguía con la bandeja bien apretada contra el pecho.

Prudence bebió lo que le quedaba de té y volvió a llenar la taza, pues estaba a punto de vomitar el pastel de limón. Un repentino ascenso a una posición elevada no era un beneficio sin complicaciones. Ella sabía eso y también lo sabía Cate.

—¿Preferirías no estar en este puesto, Karen?

La chica se mordió el labio.

—No lo sé, milady. Es emocionante, y yo podría reírme de las agrias caras de todos. Pero no me parece correcto.

Prudence dejó la taza en el platillo, haciéndolo tintinear, porque le temblaba la mano. Cate le había explicado lo estrictas que son las ideas de los criados acerca de lo que es correcto, y ella acababa de poner todo patas arriba. La culpa era de Artemis, pero las consecuencias caían sobre ella, y no se le ocurría ninguna manera de librarse de la chica sin causar más problemas.

Deseó decirle que dejara de servirla como doncella, aunque pensando al mismo tiempo ¿serían crueles con ella los demás criados? Tendrían sus maneras de serlo.

Decidió darle una ocupación.

—Tal vez te has enterado de que el conde y yo sufrimos un accidente de coche y nos vimos obligados a dejar mi equipaje en el coche, pero tendría que llegar pronto. En el camino compramos algunas cosas esenciales. —¿Dónde estaban esas cosas? Uno de los lacayos habría sacado el paquete del coche—. En algún lugar tiene que estar un paquete en el que llevo un camisón de dormir y otras cosas. Ve, por favor, a averiguar dónde está y tráelo al vestidor. Antes de guardar nada limpia bien de polvo el ropero y los cajones de la cómoda.

Si Artemis Malzard se ofendía por eso, bien podía atragantarse con la ofensa.

—Sí, milady —dijo Karen y salió a toda prisa.

Prudence apoyó la cabeza entre las manos, tratando de contener las lágrimas, tratando de encontrar una salida, pero de pronto se levantó de la mesa de Artemis, y salió corriendo de aquella sala de estar.

El dormitorio no le mejoró el ánimo; todo ahí tenía que ser creación de Artemis. ¿Soportaría dormir en esa cama?

Sintiéndose derrumbada, fue corriendo hasta la puerta del dormitorio de Cate y la abrió.

—¡Cate!

Él se giró; sólo iba vestido con una bata gris, y detrás de él estaba el ayuda de cámara, todo de negro como un cuervo, mirándola ceñudo.

—¿Qué te pasa? —le preguntó Cate, caminando hacia ella inmediatamente—. ¿Ha ocurrido algo que te ha molestado?

Ella le cogió las manos, pero mirando hacia el desaprobador criado.

—Puedes retirarte, Ransom —dijo Cate sin volverse.

Prudence esperó a que saliera el hombre y cerrara la puerta.

—Lo siento. No soy capaz de hacer esto. Provoco un desastre a cada paso.

Intentó portarse con dignidad, pero se desmoronó apoyada en él. Él la abrazó, musitándole cosas que ella no entendía por el llanto que rompió todas sus barreras como un torrente. Intentó dejar de llorar; lo intentó porque le dolía, porque creía que no podría parar jamás y lloraría hasta morir.

Y de repente acabó el torrente de lágrimas y se quedó ahí tendida toda flácida, agotada, seca.

¿Tendida?

En la cama de él. En sus brazos.

En sus brazos maravillosamente fuertes, reconfortantes.

—Ha sido un día muy difícil, ¿verdad? —dijo él.

Ella se rió pero paró enseguida, no fuera a venirle un ataque de risa igual que el de llanto. Decían que los locos no paran de reír; no le costaba imaginarse eso.

—De verdad que he provocado un desastre —dijo con la boca en la lanilla de la bata que le cubría el pecho a él.

—Yo he hecho eso una o dos veces.

Ella levantó la cabeza para mirarlo.

—¿Qué hiciste después?

—Me emborraché, creo. Tengo coñac...

—Mejor que no. Me emborracharía muy rápido.

Él le pasó suavemente un dedo por la mejilla, secándole las lágrimas.

—Lo que necesitas, lo que yo necesito, es dormir. ¿Durmamos, esposa mía?

No, no podría enfrentar la cama de matrimonio, no en ese momento.

Él debió captar su expresión.

—Dormir —repitió—, simplemente dormir.

—Karen...

—¿Karen?

—Karenhappuj, hija de Job.

—No me cabe duda de que eso tiene perfecta lógica, pero por ahora... —se sentó y la sentó a ella—, te ayudaré a quitarte el vestido y el corsé, y simplemente dormiremos.

—Volverá tu ayuda de cámara.

—No, a no ser que lo llame.

—Karen...

—Si es tu doncella, hará lo mismo. Tenemos privilegios por nuestro rango, ¿sabes?, y poder acostarnos recién pasadas las ocho de una noche de verano es uno de ellos.

—Tengo un camisón.

—Tu camisola irá bien.

Le desabotonó la chaquetilla, pero ella se la quitó, como también la falda, y luego se giró para que él le soltara los lazos del corsé. Una parte de ella temblaba ante esa intimidad, pero el resto era una niebla de agotamiento.

A saber qué pensaría la gente.

Pero estaban casados. Eso estaba permitido.

¡Era su noche de bodas!

Cuando pudo se quitó el corsé y luego las medias, pudorosamente de espaldas a él. Durante meses había usado su camisola como camisón de dormir, para evitar el gasto de reemplazar el viejo y raído, pero sólo en ese momento se dio cuenta de que sólo le llegaba hasta las pantorrillas, y era bastante escotada. Aunque tirara de la cinta para cerrarla, sólo le cubría los pechos no sujetos por el corsé.

Todavía llevaba el pelo recogido arriba, así que se quitó las horquillas para soltárselo, y miró atrás por encima del hombro. Cate no estaba ahí.

Entonces él salió de su vestidor, con un camisón debajo de la bata, totalmente cubierto, del cuello a los pies. Fue a bajar las cortinas de brocado de las dos ventanas, por las que entraba la luz crepuscular, y la habitación quedó casi a oscuras.

Ella vio que se protegía la pierna al apoyar apenas el pie en el suelo.

—¿Cómo está tu herida?

—Curando. Ransom consiguió un poco del ungüento milagroso de la señora Ingleton y me lo aplicó en la del costado también. Daba buen resultado cuando éramos niños, pero ahora esas dos heridas van a agradecer una tranquila oportunidad para curar. —Echó atrás las mantas y se giró hacia ella—. Ven a dormir tranquilamente conmigo, querida mía.

Una tranquila oportunidad para curar. Tal vez eso era lo que necesitaba ella, darles una oportunidad de curar a todas sus heridas, las grandes y las pequeñas, pero en especial a las de los últimos días.

A ambos lados de la cama había peldaños, así que subió, se tendió sobre la fresca y olorosa sábana y rápidamente se cubrió con las mantas, observando mientras él se quitaba la bata para acostarse a su lado.

¿De verdad no haría nada?

Una parte de ella recordó las caricias y los besos y se despertó al deseo, pero el resto dijo que no, así que era de esperar que no tuviera que expresar con palabras el rechazo.

Él dio la vuelta cerrando bien las cortinas de la cama, aumentando la oscuridad, y de pronto ese fue un lugar donde podría dormir, simplemente dormir. Después de semanas de angustia y noches inquietas y un largo y difícil día, ahí tenía paz, seguridad y descanso.

Lo sintió cuando se metió en la cama por su lado, y tal vez incluso sintió su calor.

—Nunca he compartido una cama con nadie —dijo—, es consolador.

—Yo nunca he compartido una cama de esta manera —dijo él—. Tienes razón. Es consolador.

Prudence deseó acercarse más a él, incluso tal vez acurrucarse entre sus brazos, pero él había dicho sólo dormir y eso era lo que más deseaba ella. De todos modos tenía que confesar una cosa para poder descansar.

—He armado un desastre, Cate, posiblemente otro pandemónium.

Él le buscó la mano y se la cogió.

—¿Hay probabilidades de que empeore en las próximas diez horas más o menos?

—Creo que no, pero...

Él rodó acercándose a ella y la besó en los labios.

—Entonces, duerme, esposa mía. Enfrentaremos a nuestro nido de demonios por la mañana.

Volvió a besarla, un beso muy tierno y consolador, y se dio la vuelta hacia el otro lado.

Sonriéndole a la oscuridad, ella también se dio la vuelta hacia el otro lado, y el sueño se apoderó de ella.

Capítulo 24

Cate despertó ya lo bastante acostumbrado a la inmensa cama como para poder pensar en el difícil trabajo rutinario que lo esperaba. Entonces recordó a la mujer que estaba a su lado.

Suavemente apartó un poco la cortina dejando entrar la tenue luz. Ella estaba de costado, dándole la espalda, y tenía el pelo claro todo enredado.

Sonrió, deseando acariciárselo, alisárselo, para reconfortarla, pero el deseo de besarle la parte de la nuca que dejaban al descubierto unos mechones separados se lo inspiraba una necesidad que no debía satisfacer. Lo tentaba su hombro, expuesto por la manga de la camisola caída, como también la curva de la cintura y cadera marcada por las mantas. Sentía su olor, suavemente terrenal y deseable, y prohibido.

No debía ir adonde lo llevaría tocarla, besarle la nuca o acariciarle el hombro. No había ninguna señal de que estuviera con la regla y no deseaba dudar jamás de que su primer hijo era suyo.

Menos mal que a ella no le importaría la espera; eso lo había dejado claro esa noche. No era para sorprenderse; eran casi unos desconocidos. No se sentían desconocidos, pero lo eran, y retrasar la consumación le daría el placer de galantearla con todas las atenciones y palabras elogiosas que se le habían negado.

Se puso de espaldas y contempló el maldito sol. Lo hacía pensar en Luis XIV, el rey Sol, y en qué tenía que ver eso con Keynings, al menos el Keynings de su infancia y primera juventud.

Comenzaron a pasarle todos los problemas por la cabeza, y habría preferido correr nuevamente las cortinas para dejar fuera al mundo enfadado y desaprobador. Pero no podía. Era necesario enfrentar a la familia, y sus tiranos estarían rascando el suelo con las garras en su impaciencia por ponerlo a trabajar.

La conducta de su madre era atroz. Si no salía de su habitación a presentar sus respetos, tendría que intervenir. Menos mal que estaba Artemis; su actitud había sido amable; sería una buena compañía para Prudence y la orientaría en la forma de hacer las cosas. Pero se marcharía pronto, y entonces, ¿a quién tendría su condesa?

A él, pero él todavía tenía mucho que aprender, y eso ocupaba la mayor parte de su tiempo. Además, debería ir a Londres pronto, para presentarse en la corte y ultimar las formalidades relativas a su escaño en el Parlamento. ¿Sería más amable llevar con él a Prudence, a un mundo más aterrador aún, o dejarla ahí, sola?

Condenación. No podría haber actuado de otra manera en la iglesia, y desde ese momento no había encontrado ningún otro camino. Aunque tal vez realmente no había deseado otro.

Volvió a mirarla. Se había sentido atraído por Prudence desde el comienzo, y ella siguió en sus pensamientos. Incluso le compró un regalo, aun cuando no esperaba volver a verla. Había pensado en ella, había estado preocupado por ella. Encontraba absolutamente correcto que fuera su esposa y estuviera en su cama.

Entonces recordó al terrateniente Trent y la viuda del posadero. El matrimonio entre ellos fue un escándalo en la región hace diez años, pero al volver lo sorprendió que siguieran comentándolo y no lo perdonaran. La señora Trent seguía sin ser aceptada en los mejores círculos.

Claro que el caso de Prudence no era igual, pues nació en una casa solariega, aunque sus últimos años podrían ir en su contra, si salían a la luz, y lo ocurrido en Darlington también podría convertirla en un escándalo inolvidable.

Él no lo permitiría. Era el conde de Malzard, maldita sea, y la gente de la zona aceptaría y respetaría a su esposa, o rodarían cabezas.

Dentro de dos días sería domingo, y la familia de Keynings siempre iba al servicio en la iglesia del pueblo, junto con un buen número de familias distinguidas de la localidad. Esa sería la primera prueba, y valía más que la aprobaran.

Se bajó de la cama para comenzar sus actividades del día, lamentando no haber depositado un beso en ese blanquísimo trocito de nuca de su esposa.

Prudence despertó poco a poco en una cama muy cómoda, y se sorprendió al sentir un bienestar que le era totalmente nuevo. Comodidad, seguridad y tranquilidad, hasta el fondo del alma.

Entonces recordó unos sueños terribles, y luego que no todo habían sido sueños.

Draydale en la iglesia, con la cara morada de furia.

La fuerte y dolorosa bofetada.

El aterrador accidente del coche, causado por Henry Draydale, con la esperanza de matarlos o dejarlos mutilados.

Tal vez lo peor de todo fue cuando creyó que Cate amaba a otra, a la hermosa y perfecta lady Malzard.

Se giró a mirarlo, pero estaba tan oscuro que no lo vio. Vacilante alargó la mano buscando su cuerpo.

Y no lo encontró.

Se sentó y apartó las cortinas. Estaba sola en la cama. ¿Qué hora sería? Se arrastró hasta el otro lado de la cama y apartó las cortinas para mirar el reloj, y ahí estaba Cate, sonriéndole, nuevamente en bata. Estaba magnífico, con su altura, sus anchos hombros y su pelo moreno suelto.

—Buenos días —dijo él.

Ella se echó un poco hacia atrás, cubriéndose los pechos con las mantas y tratando de alisarse el pelo enredado.

—¿Qué hora es?

—Recién pasadas las ocho. ¿Supongo que no puedo tentarte a salir a cabalgar?

—No, y tú no deberías cabalgar con esa herida.

Él ensanchó la sonrisa.

—Esperaba que me metieras la bronca por la herida. De todos modos, es una pena. Espero que aprendas. Te buscaré un dorado.

—¿Eso es una silla de montar especial? —preguntó ella, con la esperanza de que fuera una segura.

—Es una raza, o, mejor dicho, un color. Dorado claro con crines y cola blancas. Como tú.

—¿Quieres decir que tengo la piel cetrina, señor, o cara de caballo? —dijo ella, pero sonriendo, encantanda por esa juguetona conversación.

—Además de cabezota, si mal no recuerdo —dijo él, acercándose a besarla—. Tu piel es leche, tu pelo oro sedoso claro, y tu ingenio tan agudo como una daga. ¿Me vas a invitar a desayunar contigo en tu salita de estar, esposa mía?

Prudence notó que se ruborizaba toda entera.

—Por supuesto.

—Ordena que te lo traigan enseguida. Estoy muerto de hambre.

Dicho eso salió por una puerta lateral. A pesar de la prisa de él, ella continuó en la cama, aturdida. Pasado un momento, se dio una sacudida, bajó por su lado, recogió su ropa desperdigada y fue corriendo hasta su dormitorio. No había necesidad de pensar mucho acerca de qué ponerse, pues sólo tenía un vestido.

Agua para lavarse. ¿Cómo llamar para que le trajeran el agua?

Deseó tener su polvo para los dientes; lo descubrió en Darlington, y era muchísimo mejor que la sal que siempre había usado antes. Eso, lógicamente, estaba en su baúl. ¿Sería posible que hubiera llegado el baúl?

¿Cómo llamar a Karen? No podía ponerse el corsé sin ayuda. Antes llevaba corsés con los lazos por delante, al estilo del campo, pero, como toda su ropa vieja, los habían dado para los pobres, y ahora sólo tenía de los elegantes con los lazos a la espalda.

¿Qué debía hacer para llamar a su doncella? Era una idiotez no saber ni siquiera eso. En Blytheby, sir Joshua simplemente pegaba un grito, pero esa casa era mucho más pequeña que Keynings, y en todo caso jamás se le ocurriría gritar.

Miró su conjunto de falda y chaquetilla pensando si podría ponérselas sin corsé. Se verían horrendas. Se dirigió a la puerta del vestidor, con la esperanza de que hubieran traído su baúl por la noche; en él tenía una bonita bata que le serviría para el desayuno.

Entonces vio su camisón nuevo doblado sobre una rejilla. ¿Karen sabría que no lo había usado? ¿Eso anunciaría cosas...?

¿Cosas que no ocurrieron pero podrían haber ocurrido?

Cogió el camisón, se lo puso encima de la camisola, alegrándose de que la cubriera desde el cuello a los pies. Así armada, abrió la puerta del vestidor. Ahí estaba Karen, sentada junto a la ventana, cosiendo.

La chica se levantó de un salto.

—¿Agua para lavarse, milady? ¿El desayuno?

Se veía muchísimo mejor, con un vestido gris nuevo, un delantal negro y una cofia de mejor calidad. Tal vez se había bañado. Sí que se veía limpitísima. Alguien del personal se había encargado de hacer más apropiada la situación, y eso era esperanzador.

—Las dos cosas —dijo—. Agua inmediatamente y el desayuno en la salita de estar para el conde y para mí.

Simplemente decir eso le hizo subir el rubor a las mejillas.

La chica hizo su reverencia y luego la sorprendió saliendo por una puerta del rincón. Después que salió la chica fue a examinar la puerta. No sobresalía de la pared y estaba pintada del mismo color. La abrió y vio que desde ahí bajaba una sencilla escalera. Esta permitía a las criadas entrar y salir sin molestar al señor o la señora.

Karen no había usado esa escalera antes, tal vez porque al ser una criada inferior, acostumbrada a limpiar las rejillas de los hogares y fregar el suelo antes que se levantara la familia, no conocía su existencia.

¿Habría llegado su baúl por la noche? Abrió el ropero. Pues no, sólo estaban las cosas que habían comprado en el mercadillo, pero ya no había ni asomo de los olores de Artemis. El olor que sintió no era particularmente agradable, tal vez algo que pusieron para repeler las polillas, pero el ropero ya no contenía fantasmas. Sacó la camisola y las medias nuevas y las llevó al dormitorio.

Karen volvió por la misma puerta por la que salió y fue a verter agua en la jofaina.

—Rodea el lavabo con el biombo, por favor. Prefiero lavarme en la intimidad.

Tal vez a una dama refinada no le importaba que su doncella la viera desvestida, pero a ella sí le importaba.

Una vez que la chica puso el biombo, entró en el espacio y se quitó el camisón y la camisola.

—¿Alguien te está enseñando a ser mi doncella? —preguntó.

—Sí, milady, la condesa viuda, o sea, la señorita Hopkins, milady.

¿Eso sería buen augurio respecto a la verdadera condesa viuda?

—Muy amable de su parte —dijo.

—Sí, milady. Y de parte de la señora Ingleton, que le dijo que me enseñara.

Ah, sí, el ama de llaves. No era tan esperanzador, pero mejor que un antagonismo por parte de todos.

Comenzó a lavarse, lo más rápido y meticulosamente posible. ¿Sería fácil para una condesa darse un baño?

—¿Alguien te ha tratado mal?

—Sé que algunas se quejaron a la señora Ingleton, milady, pero ella las hizo callar con dureza. Que digan lo que quieran —añadió la chica, muy fresca—, igual tienen que tratarme de «milady».

Prudence hizo un mal gesto. Sentía crecer el pandemónium.

—Mi camisola limpia, por favor, Karen.

La chica se la pasó, y se la puso. Entonces salió de detrás del biombo, se puso el corsé y Karen comenzó a atarle los lazos.

—Es muy bonito, milady —dijo—. Perdone, no debo parlotear.

—Yo te diré cuándo parlotear o no parlotear. Me gusta saber cosas de la casa.

Pero Karen no captó la indirecta.

Cuando estuvieron atados los lazos se giró para ponerse la enagua, y entonces se vio en el espejo. Tenía el pelo hecho un desastre y todavía no tenía su peine. Entonces vio un cepillo y un peine sobre el tocador.

—¿De quién son esos? —preguntó; si eran de Artemis no los tocaría.

—Suyos, milady. La señora Ingleton me los dio. Siempre tiene de esas cosas para los huéspedes. Y ahora debo cepillarle el pelo, milady.

A Prudence la inquietó un poco eso, pero en todo caso la joven doncella le cepillaba con demasiada suavidad. Finalmente cogió ella el cepillo y se lo cepilló con vigor, deshaciendo unos cuantos nudos. Hizo un mal gesto, no por el dolor sino por cómo le vio el pelo Cate cuando despertó.

—¡Su señoría! —exclamó Karen.

Prudence se giró a mirar y vio que había entrado Cate.

A pesar de esa noche se cubrió los pechos con una mano, consciente de que el corsé se los levantaba, y de la parte desnuda de las piernas que se veía bajo la camisola.

—Encantadora vista —dijo él sonriendo.

Vestía otra bata, esta de color verde, pero encima de la camisa y las calzas.

—Puedes retirarte —le dijo él a Karen, que se inclinó en una reverencia casi hasta el suelo y salió. Entonces él cogió el cepillo—. Permíteme.

—No deberías...

—¿Está prohibido? —Le pasó suavemente el cepillo a todo lo largo del pelo, que en realidad ya estaba bastante domado—. Te observé cuando te pasaste el peine por el pelo en la granja y quedé hechizado.

Ella sintió pasar un estremecimiento por su interior.

—¿Sólo por verme peinándome?

—Por verte pasándote el peine —confirmó él—. Tienes una nuca extraordinariamente bella. —Le depositó un beso en la nuca—. Estabas enfadada comigo entonces.

Ella sintió bajar un temblor por el espinazo.

—Debido a mi veneración por la embelesadora lady Malzard —continuó él—. Me gusta muchísimo y estoy a sus órdenes.

Prudence se giró y le quitó el cepillo.

—Y ella prometió obedecer a lord Malzard. Qué bien avenidos estamos.

—O indeterminados. Pero yo puedo determinar que el corsé de una dama es la prenda más fascinante que posee. —Pasó suavemente un dedo por los volantes de la camisola, muy cerca de la elevación de sus pechos—. El corsé encierra pero expone, invita pero desafía.

Le acarició la elevación de los pechos. Prudence hizo una honda inspiración.

—¿Me permites? —preguntó él.

—Prometí obedecer... —dijo ella, apenas en un susurro, pues casi no le salió la voz.

Esa noche... Esa noche había sido para dormir. ¿Sería posible que hubiera llegado el momento?

Él se inclinó a besarle el hombro, produciéndole otro estremecimiento y una extraña apretura muy al fondo del interior. Ah, sí, ese era el momento. Le cogió la cabeza y se la bajó, invitándolo a besarla en los labios.

Era de día.

Karen podría volver.

No le importó.

Él se sentó en la banqueta junto a ella, de cara hacia el otro lado, la posición ideal para un beso profundo, su brazo rodeándola y la otra mano acariciándole el hombro desnudo, el cuello, la mejilla.

Piel con piel, tan conectados como si fueran uno. Cambió de posición para apretarse más a él, molesta porque sólo se tocaban las partes superiores de sus cuerpos y llevaban tanta ropa.

Él pasó la mano por debajo de su pelo suelto y la ahuecó más arriba de la nuca. Ella hizo lo mismo, interrumpiendo el beso para ponerse en mejor posición.

Pero entonces él se levantó y bajó suavemente la mano por su brazo hasta la mano, en una lenta despedida.

—¿Nos espera el desayuno?

Ella le cogió la mano, deseando tironeársela para que se volviera a sentar, pero sí que los esperaba el desayuno, y seguro que era indecente que se portaran así en esa luminosa mañana.

Le soltó la mano.

—Ve a la salita de estar —dijo, con la mayor calma que pudo—. Yo iré dentro de un momento.

—Como siempre, obedezco a mi señora —dijo él, le sopló un beso y salió.

«Si de verdad te mandara, no nos separaríamos nunca», pensó ella.

Hizo una inspiración profunda, para enfriarse. Podía esperar. Sólo sería hasta esa noche. Esa noche sería su verdadera noche de bodas.

Deseó terriblemente que no estuvieran en el periodo de los días más largos del año.

Capítulo 25

Cate encontró dispuesto el desayuno en la pequeña mesa. En la cocina sabían lo que le gustaba, así que había carne y cerveza. No podían saber los gustos de Prudence, así que habían enviado café y chocolate, un surtido de panes y un plato con quesos, jamón en finas rodajas y huevos pasados por agua.

Muy bien hecho. Debía acordarse de enviarles agradecimiento y aprecio.

Se sentó a comer, porque durante el extraordinario día anterior había comido poco, pero sus pensamientos estaban en el presente y en el futuro.

¿Que se apoderó de él para entregarse a esos juegos seductores? Estuvo casi a punto de faltar a su resolución; y Prudence no habría estado mal dispuesta. Su entusiasta disposición casi lo hizo pasarse de la raya.

Infierno y condenación.

Dejó los cubiertos en la mesa y bebió cerveza.

Entonces entró ella, totalmente vestida, con el pelo recogido en un sencillo moño sobre la cabeza.

—Come, no tenías por qué esperarme —dijo.

Se sentó, sonrió y se sirvió chocolate en la taza, tan enérgica como una desconocida, pero él la deseaba incluso en ese momento.

Ella bebió un trago.

—Ah, caramba, este es el mejor chocolate que he probado en mi vida.

—Debo recompensar a mi chocolatero —dijo él, pero el rápido movimiento de la lengua de ella para limpiarse de chocolate el labio superior casi lo aniquiló.

—Vas a tener que pedir limosna —dijo ella—, porque estoy segura de que todo en Keynings es de lo mejor.

—Pagaría con gusto cada penique por tu placer.

Ella sonrió, pero era evidente que lo tomó como una broma, aunque no lo era.

Había sufrido tantas privaciones que era fácil darle placer. Deseó matarla de placer.

—Sólo dos días atrás no podría haber creído esto —dijo ella, poniendo mantequilla en un panecillo—. Todavía no me parece real.

—¿El desayuno?

Ella lo miró mal.

—Desayunar contigo.

Ah, esos ojos profundos, azul gris humoso, párpados semientornados.

—Dos días atrás te estabas preparando para tu boda con Draydale. No, perdona. Ni lo pienses.

Ella se había quedado inmóvil, pero volvió a sonreír.

—Esa es mi intención, no pensar en él jamás. ¿Qué estabas haciendo hace dos días?

—Desayunando en la Talbot y haciendo planes para ir a la iglesia para ver triunfar a mi valiente Hera. —Pardiez, otro tema desafortunado—. Cuéntame lo de tu pequeño pandemónium.

—Ah. —Dejó el panecillo en el plato—. El baile de los demonios en torno a Karen. Mi doncella —explicó.

—Karenhappuj, hija de Job, eso lo recuerdo. La encuentro muy joven para el puesto.

—Y sin experiencia.

—¿Por qué es tu doncella, entonces?

Era una pregunta muy simple, pero la dejó muda. Tontamente había olvidado que la situación no tendría sentido si no explicaba lo del odio de Artemis. Seguía sin querer decirle lo de las acusaciones de su cuñada, pero tendría que mencionarla.

—Artemis me la envió. Creo que está resentida conmigo. Es comprensible. Yo la he reemplazado aquí, incluso he ocupado sus aposentos.

—Ella los desocupó tan pronto como murió Roe, así que eso no tiene lógica. Debe de haber cierta confusión en la sala de los criados.

Eso ella lo podía discutir, pero ¿para qué?

—Elige otra doncella —dijo él.

—Karen es lista y puede aprender.

Él frunció ligeramente el ceño, sin duda perplejo.

—Pero ahora necesitas una doncella cualificada, así como yo necesito un ayuda de cámara cualificado. Una que sepa vestirte elegante para conocer a la sociedad local.

La sociedad local. Buen Dios, había olvidado que existía un mundo fuera de esos aposentos.

—Mientras no llegue mi baúl...

—Que debería llegar hoy.

—Incluso así, no tengo nada apropiado para el luto, así que no puedo conocer a la sociedad local.

—Algunas personas podrían venir. Es necesario que estés vestida y arreglada para tu puesto. Una doncella formada podría arreglarte las uñas.

—Tú también tienes las uñas rotas.

Él extendió las manos y ella vio las uñas bien recortadas y brillantes.

—Una de las primeras cosas en que insistió Ransom.

—Muy bien, pero no puedo contratar a una doncella cualificada inmediatamente.

—Madre te ayudará.

—Tu madre me evita.

Él exhaló un suspiro.

—Hablaré con ella.

Estaban discutiendo, pero ella había conseguido desviarle la atención de Karen. Era una debilidad, pero en esos momentos sentía que la joven criada era su única amiga en Keynings, aparte de Cate y Perry.

—Tus heridas deben de estar curando bien —dijo, cogiendo nuevamente el panecillo—. No cojeas mucho, pero por favor llama al doctor para que te las vea. Las heridas se pueden infectar. Conocí a un hombre que murió de una herida en una pierna.

Él sonrió.

—Ninguna de las dos se ha infectado, pero me encanta que se preocupen por mí.

«Entonces me preocuparé por ti mañana, tarde y noche, mi amor.»

—Prométeme que no vas a cabalgar durante un tiempo.

—Me impones un castigo, pero creo que estaré tan atado a un escritorio hasta tal vez pasado mañana, que mis únicos dolores serán de otra parte de mi trasero. —Volvió a poner cerveza en su jarra—. Todavía no entiendo bien tu pandemónium. Tu doncella es joven y sin experiencia.

—La situación me pareció peor ayer, pero sigue siendo complicada. Le dije a Karen que podía ser mi doncella por un tiempo, pero supongo que eso significa que sube de rango entre los criados.

Él emitió un silbido.

—Es condesa de Malzard en la sala de los criados. Con razón esta mañana Ransom daba la impresión de que hubiera mascado limón.

—Pero si ahora la devuelvo a sus trabajos de criada inferior, sospecho que los demás van a ser crueles con ella.

—Tienes buen corazón, Prudence, pero no puedes tenerla como doncella de señora. Es totalmente inapropiada.

—Yo soy totalmente inapropiada.

—Lo cual significa que necesitas una doncella eminentemente apropiada para equilibrar eso.

Qué insensato haber esperado que él negara que era inapropiada.

—Muy bien, pero ¿por qué no puedo tener a Karen también, para hacer recados y cosas de esas?

—No hay ningún motivo en contra. Nuestro rango tiene que tener ciertas ventajas, y una de ellas es ordenar lo que queramos. Ella va a necesitar una designación o rango oficial. Pregúntaselo a Artemis. Ella tiene que saber.

Prudence consiguió no reaccionar.

—No quiero molestarla. Debe de estar pasándolo muy mal.

—Tienes razón. No sé como se las arregla para estar tan calmada.

«Tragando bilis, mañana, tarde y noche.» Iba a ser una tortura no decirle la verdad.

—¿Qué planes tienes para hoy?

Prudence cayó en la cuenta de que no había hecho ninguno, pero no podía esconderse en sus aposentos como si tuviera miedo.

—Quiero pedirle al ama de llaves que me haga un recorrido por la casa.

—Dile que te enseñe la cocina, las despensas, dependencias y esas cosas; yo quiero hacerte el recorrido de la parte de la familia. Pero tendrá que ser más tarde. Tan pronto como llegué me presentaron asuntos urgentísimos, y supongo que hoy me esperan los simplemente urgentes.

—Lamento que estés tan acosado, pero espero con ilusión el recorrido de la casa.

Él apuró su cerveza y se levantó.

—No olvides encargar ropa de luto.

—No, y cuando llegue mi baúl ordenaré que tiñan de negro mi vestido azul. ¿Hay personal aquí para hacer vestidos sencillos?

—Creo que hacen la ropa de los criados, y seguro que madre y Artemis necesitarían ropa negra urgente. Pregúntaselo a Artemis.

Esa frase la iba a atragantar muy pronto.

—He pensado en visitar a tu madre.

Podía no ser mejor que Artemis, pero, a diferencia de esta, ella viviría ahí el resto de su vida.

—Yo podría ordenarle que te visite —dijo él.

—No, eso sería horrendo.

—Se está portando mal.

—Ha tenido una conmoción sumada a su aflicción. Sé amable con ella, Cate.

Él hizo un gesto que le dijo que su madre y él estaban reñidos. ¿Sería algo que ella podría arreglar?

—Debo ir a ocuparme de mi penoso trabajo. No lo olvides, ordena lo que sea que quieras. Incluso a Perry. Es una mina de sabiduría social. Pero no lo puedes tener todo el tiempo, está jugando a ser mi secretario.

—¿Jugando?

—Para él todo es un juego. Pero hazlo llamar en cualquier momento que lo necesites. Él es tu hombre para los conocimientos de la mejor etiqueta.

Prudence recordó la conversación sobre los tratamientos y sobre estar a solas con Perry.

—No quiero hacer nada que sea ni ligeramente irregular.

—Ten a tu doncella contigo. Está de moda que una dama tenga un caballero galante para asistirla cuando su marido la descuida.

—Prefiero que no me descuides.

—Y yo prefiero no descuidarte, pero el deber me llama. —Fue a darle un beso en la mejilla—. No te angusties por mi madre. No es una flor delicada y cuando está molesta le brotan espinas.

—Está de duelo, Cate.

—Sí, pero ¿por qué?

Extraña pregunta.

—Me voy a enfrentar a mis demonios —dijo él alegremente—, y a comenzar a atormentar a un demonio.

—¿Qué?

—Draydale, recuerda. Una vez que sepa toda la envergadura de sus pecados, lo enviaré a donde le corresponde estar.

Ella se levantó.

—¿Matarlo? Cate, pueden colgar incluso a un lord. Colgaron a uno no hace mucho tiempo.

—No lo voy a matar, ni siquiera en un duelo. Para un hombre como Draydale la pobreza y la impotencia son un infierno mejor.

—Ah, sí, me gustaría ver eso.

—Lo verás. Su caída no debería llevar mucho tiempo, pero ten cuidado por ahora. No salgas a vagar.

—¿A vagar?

—¿Una escapada imprudente por la noche? ¿O de día?

Prudence sintió frío.

—¿Crees que Draydale vendría aquí?

—O enviaría a un demonio menor. Es el tipo de matón que no descansará hasta que se haya vengado.

—Pero cuando sepa quién eres no se atreverá.

—Te golpeó delante de personajes ilustres de la ciudad, lo que significa que cuando se enfurece pierde el autodominio. Pero sí, puedes esperar un ataque indirecto. Les escribiré a tu hermano y a Tallbridge para advertirles que estén en guardia también.

—Les dirás quién eres.

—No es un secreto.

—No, pero... creo que yo debo escribir la carta a Aaron. De todos modos, él se dejará guiar por Tallbridge.

—Quiera o no quiera —musitó él—. Pagará caro ese matrimonio.

—Estaba dispuesto a pagar más, recuerda. La diferencia es que Susan es lo bastante inteligente para no hacérselo sentir demasiado.

«Como tratarás de hacer tú, pero yo siempre lo sabré.»

—Te has puesto triste. ¿Por tu miserable hermano?

—No, pero es justo que te lo advierta. Susan va a alardear de su parentesco político contigo por todo Yorkshire, y esperará venir de visita aquí.

—Si tu puedes soportar a mi familia todo el tiempo, yo puedo soportar a la tuya de vez en cuando.

Se marchó y Prudence pudo exhalar un suspiro. El desayuno había sido un agradable placer, pero fuera de esos aposentos acechaba una especie de infierno. Le habría gustado quedarse escondida ahí hasta que Cate estuviera libre para hacerle el recorrido de Keynings, pero, le gustara o no, esa casa ya estaba bajo sus órdenes. Hurtarle el cuerpo a sus responsabilides sería darle la victoria a Artemis y a la condesa viuda, y eso no lo haría.

Ojalá todos los ángeles del cielo estuvieran de su parte.

Capítulo 26

*E*l recorrido de la cocina y dependencias transcurrió sin dificultades. La señora Ingleton se mostró tranquilamente cortés y muy eficiente. Prudence no intentó atribuirse una experiencia que no tenía, pero sus recuerdos de Blytheby le sirvieron para demostrar cierta comprensión. Sabía que eso lo observarían y lo interpretarían a su favor.

Primera impresión, primera impresión, se repetía mientras iba conociendo a los diversos criados.

Tal vez Cate no dijo en broma lo de recompensar a la persona que hacía el chocolate. Tenía un panadero y un confitero además del simple cocinero. Todos le hicieron preguntas acerca de sus comidas favoritas, así que parecían deseosos de complacer.

Se enteró de que la viuda era experta en la destilería, pero había una criada especial para ese trabajo, y otra con la responsabilidad de las mermeladas y conservas. La granja y lechería de la propiedad proveían los alimentos y Keynings tenía además una cervecería propia. Además estaban el cuarto de la ropa blanca y el lavadero.

La jefa del lavadero se llamaba, muy apropiadamente, señora Waters, y le aseguró que sería fácil teñir de negro un vestido.

—Aunque según el color y la urdimbre no todas las telas cogen bien el tinte, su señoría. Lo único que se puede hacer es probar y ver.

—Es un vestido viejo, señora Waters, así que si se estropea no será una gran pérdida.

Pero sintió una punzada al pensar en todo el tiempo que trabajó en el vestido fatigándose los ojos, preparándose para la boda de su hermano. Eso ya le parecía otro mundo, pero recordó que debía volver a escribirle a Hetty, y tal vez enviarle un regalo.

Se mordió el labio para no reírse al imaginar la reacción de Hetty cuando supiera que se había convertido en condesa. Habría «ooh, santo cielo, misericordia» a mantas.

En el cuarto de la ropa blanca las paredes estaban cubiertas por estantes sobre los que había rimeros de todo, desde toallas a cortinas, todos protegidos por paños. Ante una larga mesa había dos criadas haciendo remiendos casi invisibles a sábanas y prendas blancas. Otras tres estaban cosiendo ropa.

—Hacemos ropa muy sencilla, milady —explicó la señora Sawley, la costurera—, especialmente para los criados.

—¿Podríais hacerme un vestido negro sencillo? Va a llegar mi baúl, pero no contiene ropa de luto.

Que las criadas elucubraran lo que quisieran.

—Por supuesto, su señoría, y en un día, si es muy sencillo. Betty, baja el crepé.

Una de las criadas corrió a subir por la escalera de mano y bajó un rollo de tela.

—Siempre tenemos crepé a mano —explicó la costurera—, para el caso de... —Se interrumpió y se mordió el labio.

—Qué terrible ha sido —dijo ella, con la esperanza de que le creyeran—. Tan repentino.

—Fue horroroso, milady. Horroroso.

Quitó la envoltura al rollo y extendió la tupida tela negra sobre la mesa. El crepé se tejía sin ningún tipo de brillo y tenía la curiosa característica de absorber la luz. Eso ella lo recordaba de sus vestidos de luto por su padre.

—Hágame un vestido lo más rápido posible, por favor. Y una cofia.

La costurera le tomó las medidas y le aseguró que los tendría listos al día siguiente.

Si el azul cogía bien el tinte, tendría dos vestidos por lo menos.

Después continuó el recorrido, inspeccionando obedientemente todo tipo de cuartos de almacenaje. Observó que los que contenían los artículos más caros estaban cerrados con llave. La señora Ingleton tenía las llaves de todos en el enorme llavero que llevaba colgado del cinturón.

—¿Cuántos juegos de llaves hay, señora Ingleton?

—Yo tengo uno, milady, y el señor Flamborough otro, aunque rara vez las necesita. Creo que su señoría tiene un juego, pero nunca he sabido que use las llaves. Claro que algunas personas tienen algunas llaves, como el mayordomo, que siempre lleva encima las de las bodegas.

—¿Las otras ladies Malzard tienen su juego?

—Ah, sí, por supuesto, milady. Es lo correcto.

Entonces la miró con los ojos algo vidriosos, al comprender las implicaciones.

Prudence pensó que en una situación más normal Artemis le habría cedido su juego de llaves, aunque era evidente que la condesa viuda no le entregó las suyas a Artemis cuando llegó a la casa como condesa.

—¿Supongo que se va a hacer un juego para mí?

—Lo más rápido posible, milady. El cerrajero se pondrá a ello de inmediato.

Lógicamente, Keynings tenía su propio cerrajero. Y un encargado de darle cuerda a los relojes, comprendió cuando comenzaron a sonar varios relojes dando las once.

—Me apetecería un té —dijo, desesperada por beberlo y por el descanso que le daría.

—¿Me haría el honor de tomar el té en mi sala de estar, milady? Eso le daría la oportunidad de echarle una mirada a los libros de contabilidad.

Prudence sólo deseaba escapar, pero no podía declinar la invitación.

Ya había pasado otra hora cuando por fin fue a derrumbarse en el refugio de sus aposentos, con dolor de cabeza por todo lo que le habían explicado y sintiendo el peso de todo sobre sus hombros. Cate llevaba el peso del condado, pero la casa, las casas, eran responsabilidad de ella.

Podría entregarle el gobierno de Keynings a la señora Ingleton, pero aunque se veía que era una excelente ama de llaves, eso sería hurtarle el cuerpo a sus obligaciones. Podría tal vez dejarlo en las manos de Artemis y la condesa viuda, pero antes comería vidrio. No se había dado cuenta de que tenía esa feroz necesidad de demostrarse a sí misma que era igual a ellas en todo eso. Sólo podía rogar que un valor imprudente no la llevara al desastre otra vez.

—Ah, ha llegado, milady. ¿Se le ofrece algo? —dijo Karen, saliendo del vestidor.

Prudence cayó en la cuenta de que se había olvidado de la chica. Cuando dijo «No» vio desilusión en su cara.

—¿Has estado todo este tiempo aquí esperando sin nada que hacer?

—Es mi deber esperar, milady —repuso Karen con mucha dignidad—. Soy como una dama de honor, a la espera, me dijo la señora Ingleton. Y tengo una cesta llena de remiendos sencillos para hacer.

Prudence pensó si a la chica le gustaría pasar un tiempo en la sala de los criados de abajo, o si valoraría más su lugar en las alturas. Cielo e infierno, pensó irónica, pero la sala de los criados le había parecido muy cómoda.

—¿Dónde duermes, Karen?

—Justo debajo de usted, milady. Tengo una habitación toda para mí. —Sí, era el cielo—. Puede golpear en el suelo por la noche y yo la oiré, pero también hay una campanilla. Aquí.

Fue hasta la cabecera de la cama y le enseñó un cordón que desaparecía por un agujero en el suelo. Le dio un tirón y Prudence oyó sonar una campanilla abajo.

—Eso es muy ingenioso.

—Sí, ¿no? Yo no sabía que existían estas cosas.

—¿Sabes leer, Karen?

Al instante a la chica se le entristeció la cara.

—Muy poco, milady. Lo siento...

—No es culpa tuya. ¿Qué educación reciben los niños de la propiedad?

—La anciana señorita Wright les enseña a leer la Biblia a los más pequeños los domingos, milady. Ella era la institutriz de lady Arabella, me han dicho, y como era mayor se quedó aquí cuando lady Arabella se casó y se marchó.

—¿Lady Arabella? —preguntó Prudence, pensando si en su cabeza quedaría espacio para otro conocimiento.

—La hermana de su señoría, milady. Ahora tiene cinco hijos, unos auténticos diablillos, como pudimos comprobar cuando vinieron de visita el año pasado, sobre todo los niños. Uy, perdone, milady, estoy parloteando otra vez.

—Ya te avisaré cuando me moleste el parloteo. ¿Cuántos niños?

—Tres, milady, y no son otra cosa que un problema.

Prudence se imaginó el sufrimiento que causarían esos niños a Artemis y a su marido, que no sólo perdieron un precioso bebé sino también al hijo que necesitaban para la sucesión.

Volvió los pensamientos a la educación. Eso era algo en lo que debía interesarse una dama, y a ella le interesaba. Aunque no tenía vocación para enseñar, había visto los beneficios en los hijos de Hetty.

Los hijos de Hetty. Se quedaron sin profesora cuando ella se marchó, y eso la entristeció. Tal vez podría enviarles unas lecciones sencillas.

Debía comenzar a anotar las cosas.

—Karen, ¿sabes dónde encontrar papel para escribir, plumas y esas cosas?

—No, milady —contestó la chica, angustiada otra vez.

—Seguro que eso no es parte de tu trabajo. Ve, por favor, a preguntarle a la señora Ingleton y, si es posible, trae ese material a mi sala de estar.

La chica salió y ella fue hasta la ventana a contemplar la propiedad. ¿Sería posible que acechara el peligro ahí? Por desgracia, sí que podía imaginarse a Henry Draydale enviando a uno de sus desagradables empleados a intentar algo. Se había esforzado en no prestar atención a esas cosas, pero sabía que él empleaba a un buen número de hombres despiadados para cobrar las deudas, expulsar a inquilinos que no podían pagar el alquiler y sin duda para hacer otras cosas con el fin de asegurar que la gente acatara su voluntad. Lo había oído hablar fríamente a sus criados e hijos, y comenzado a sospechar que había causado un deterioro mental a su pobre segunda esposa. ¡Qué escapada la suya!, porque tenía la fuerte sospecha de que habría llegado a matarlo. No a matarse ella. A él.

Se palpó el bolsillo para sentir el cuchillo. Lo llevaría con ella siempre, por si acaso.

En esos momentos el parque y los jardines parecían un cuadro de tranquilidad. Los únicos movimientos que se veían eran el lento caminar de los ciervos paciendo y las ondas del agua en las orillas del lago.

—¡Ya lo tiene, milady! —exclamó Karen, irrumpiendo en la habitación—. El papel, en su escritorio. ¡Y ha llegado su baúl! Iré a encargarme de que lo suban al vestidor inmediatamente.

Diciendo eso desapareció y Prudence entró en el vestidor a esperar. Por fin. Pronto tendría teñido el vestido, pero, más importante aún, tendría las pocas cosas preciosas que harían parecer más un hogar ese lugar.

Poseía cuatro libros. Uno era *Morte d'Arthur* de Malory, regalo de su padre, que nunca pudo soportar vender. Los otros eran sus favoritos, y los volvió a comprar en Darlington. También tenía el jarroncito más preciado de su madre y las dos copas, en las que bebieron ella y Cate esa noche en que se conocieron.

Karen abrió la puerta oculta y entró un lacayo retrocediendo y sosteniendo un asa; luego entró el otro sosteniendo la otra. Dejaron el baúl en el suelo, hicieron sus venias y salieron. Prudence tenía la llave lista y se arrodilló a abrirlo.

—Ya está —dijo, y levantó la tapa.

—¡Oooh, milady, qué precioso ese camisón!

El día anterior, cuando hurgó en el baúl buscando ropa apropiada, había desordenado el contenido, y su camisón más fino quedó encima de todo y arrugado. Era el que le dio Susan como regalo de bodas, hecho de finísimo linón, con pinzas y costuras bordadas y adornado con delicados volantes de encaje.

Lo sacó y se lo pasó a la chica.

—Me lo pondré esta noche.

Para su verdadera noche de bodas.

Le fue pasando las camisolas, las medias, las pañoletas y pañuelos, y entonces llegó a las cosas que había hecho ella. Una novia debe hacer ropa blanca para su futuro hogar. Draydale le había dicho que no se molestara, que en su casa tenía todas las sábanas y toallas que iba a necesitar, pero ella las hizo de todos modos. Eso fue su primera y débil rebelión, pero ¿de qué le iban a servir ahí, sobre todo con las iniciales P.D. bordadas? Prudence Draydale. Con sólo pensarlo se le revolvió el estómago. Le pasó las toallas y fundas de almohada a Karen.

—Tira todo esto.

—Muy bien, milady —dijo la chica, aunque dudosa, y dejó las cosas a un lado.

Cuando ya había vaciado el baúl, cogió el vestido azul, el único que le quedaba de sus tiempos de pobreza. La debilidad la tentaba a conservarlo, pero ¿para qué?

—Lleva este al lavadero para que lo tiñan de negro, Karen.

Dejando toda la ropa ahí para que la guardara Karen, cogió sus preciados tesoros y los llevó a la sala de estar. Puso los libros en un estante y el jarroncito y las copas en otro. En el escritorio ya había papel para escribir, caro, plumas y todo lo necesario, y junto a todo eso, guardó también el papel más sencillo que ella había traído. Su joyero de madera contenía poca cosa de valor, pero puso en él las bonitas joyitas que le regaló Cate, lo guardó en el cajón del medio y lo cerró con llave.

Todas sus posesiones no hacían mucho bulto ahí.

Comprendió que eso declaraba lo poco que aportaba al matrimonio. Todo lo de esa casa le pertenecía, pero no se trataba de eso.

Sonó un golpe en la puerta del corredor y entró Cate.

Le sonrió, sintiendo subir el rubor a las mejillas; hacía muchas horas que no lo veía.

—Llegó mi baúl —le dijo.

—Entonces todo está bien. Ah, ¿reconozco esas copas?

Cogió una y la miró travieso.

Ella se ruborizó más aún.

—Nunca las usaremos, pero...

—Por el contrario, beberemos coñac en ellas por la noche y nos contaremos nuestros problemas.

—Espero mantener a raya los problemas.

—Optimista.

—¿Por qué no? Mi situación ha mejorado inmensamente.

Él tocó el jarroncito pintado en color rosa.

—Recuerda que una cama de rosas debe tener espinas por su naturaleza.

Lamentó al instante esas palabras. El tiempo que pasaba en las oficinas del condado siempre lo volvía pesimista, incluso con el ingenio de Perry para mantener a raya al demonio de la tristeza.

—Me preocupa mi falta de posesiones —dijo ella, con expresión angustiada—. Se ve rara.

—¿Qué deseas? ¿Más libros, copas, estatuillas, abanicos, plumas?

Ella se rió.

—Simplemente más. Lo que quiero decir es que yo tendría más

si viniera de una posición apropiada. Tenía muy poco cuando me trasladé a Darlington, y ahí compré solamente lo que necesitaba, porque sabía que todo se pagaba con dinero de Tallbridge, y no quería estar en deuda con él.

—Te he dotado de todos mis bienes mundanos —observó él.

—No me he explicado bien. Me gustaría tener más posesiones que llegaran aquí procedentes de mi pasado.

Entonces él lo entendió.

—Yo llegué aquí como conde con muy poco, pero nadie esperaba otra cosa. Tienes razón en que tus posesiones forman parte de la primera impresión. Pero eso se soluciona fácilmente. Necesitamos a Perry. ¿Dónde está esa muchacha tuya? ¡Karen! —gritó.

La chica entró corriendo, con los ojos agrandados, como si estuviera asustada de muerte.

—Necesito que busques al señor Perriam y le pidas que venga a reunirse con lady Malzard y conmigo aquí.

La chica casi se cayó de alivio, lo que le estropeó la reverencia que hizo al mismo tiempo. Y después salió corriendo.

—Es bastante encantadora —comentó él—. Como un cachorrito.

—Lo sé. ¿Por qué Perry?

—Espero que emprenda una misión.

—¿Otra? Abusas tremendamente de él.

Él sonrió.

—Tienes buen corazón pero no lo desperdicies en él. Si no desea hacerlo se negará. De verdad, le encanta cabalgar. Eso convierte en un reto vivir en Londres, pero sale a cabalgar con impresionante frecuencia.

—¿Adónde quieres enviarlo?

—A York, a buscar posesiones.

En eso entró Perry. Hizo su venia sonriendo y exclamando:

—¡Lady Malzard! *Enchanté*. ¿En qué la puedo servir? ¿Tiene algún demonio que matar?

—Nada tan espectacular —dijo Cate—. Sencillamente podrías cabalgar a toda velocidad hasta York a arrasar unas cuantas tiendas.

Le explicó de qué se trataba.

—Las posesiones de una dama de clase media —dijo Perry—. Interesante reto. ¿Ropas incluidas? —preguntó a Prudence.

—Si hay algo para el luto.

—Otro desafío. ¿*Othello* está entrenado para galopar campo a través, Cate?

—Eso espero, si no, no valdría lo que come.

—Entonces volaré como un ángel a caballo.

Prudence ahogó la risa con una mano, pero Cate lo dijo. «Ángeles a caballo» era el nombre de un plato de ostras envueltas en beicon.

Perry se rió también.

—Delicioso, pero nada heroico. Simplemente volaré como Rafael en mi misión. Mi querida señora, ¿me permites pedirte un vestido?

—¿Quieres viajar con un vestido puesto? —preguntó Prudence.

—¡Qué idea! Normalmente a los ángeles se los representa con vestidos.

—A san Miguel, normalmente con armadura —dijo Cate.

—Pero no a Rafael.

—Y jamás a caballo, que yo sepa —añadió Prudence, como si de verdad temiera que Perry fuera a intentar cabalgar ataviado con un vestido.

—Perry le sonrió.

—Tu vestido me dará tu talla. Si me lo permites, podría dejarlo en el taller de una modista de York para que pueda hacerte otros vestidos con el patrón.

—Ah, qué inteligente —dijo ella, sonriendo de oreja a oreja, y fue a buscarlo.

—No me gustaría enfadarme contigo —dijo Cate.

—¿Celoso? Eso es prometedor.

—Es mi esposa.

—No todos los hombres se ponen celosos de las atenciones que reciben sus esposas. En realidad, algunos se alegran de verlas agradablemente distraídas....

Justo entonces volvió Prudence con un vestido amarillo.

—Lamento que no puedas ponerte ese vestido tan bonito —dijo Cate.

—No me importa, de verdad —dijo ella, y se lo pasó a Perry.

—Soy tu ángel a tus órdenes.

Hizo otra venia y se marchó.

Cate apretó los dientes al verla sonreír afectuosa, y deseó adevertirla en contra del encanto de Perry, pero eso sería ridículo. Ya había bastantes complicaciones en el matrimonio como para añadir eso.

Le tendió la mano.

—Ahora permíteme que te enseñe una parte de la casa, y aprovecharemos el recorrido para llegar al comedor; es la hora de la comida.

Capítulo 27

A Prudence le asombró la cantidad de salas formales e informales, todas elegantes y a la espera de actividad. Tal vez antes de la muerte Keynings había sido una casa más animada, pero de todos modos había muchísimas salas.

—En el ala norte hay aposentos donde viven parientes dependientes y antiguos criados jubilados —explicó Cate—. No visitaremos esa parte. Estos residentes suelen guardar las distancias, pero podrías conocerlos cuando los veas por ahí. Hay un caballero mayor que era el bibliotecario cuando yo era niño, y dos primas solteronas de mi madre, a las que les gusta podar las plantas causando gran consternación a los jardineros.

Entraron en una larga galería en la que colgaban un buen número de retratos.

—Debemos hacer pintar tu retrato pronto.

—¡Cielos, no! —exclamó ella.

—Es necesario.

Ella exhaló un suspiro.

—¿Por que eso me resultará más difícil que cualquier otra cosa?

—Tal vez porque un retrato nos muestra como nos ven los demás. O como deseamos que nos vean, lo cual es tal vez más revelador. Yo debo enfrentar eso también. Por el momento sólo hay este retrato mío, en el que estoy con Roe cuando éramos niños.

El parecido era evidente, pero no emparejaban bien. El niño delgado, de unos doce años, vestido con ropa sobria, estaba sentado leyendo mientras el otro, más pequeño y robusto, todavía vestido con falda, tenía un aro en la mano y parecía estar esperando impaciente el permiso para ir a correr y a jugar.

—Creo que el pintor tenía talento —comentó.

—Es posible. Nos pintó por separado. Roe era capaz de estar horas pacientemente sentado porque siempre disfrutaba leyendo. En cambio a mí tenía que pillarme a momentos.

—¿Ahora te portarías mejor? —bromeó ella.

—Me intimida terriblemente la nobleza. Tal vez deberíamos hacernos un retrato de bodas. Se están poniendo de moda. En el parque, rodeados por nuestra grandeza.

—¿De luto?

—Buen argumento. Y un pretexto para dejarlo para más adelante. Ah, este es mi padre en su edad madura.

Prudence contempló al hombre robusto de firme mandíbula.

—Un caballero estricto.

—Esa debió ser la cualidad que deseaba que viera la posteridad. Solía ser afable con algunas personas. Y aquí está mi madre, como la nueva condesa.

A Prudence le interesó muchísimo el retrato, pero dudaba que la viuda actual se pareciera a esa jovencita tan menuda.

—Deseaba parecer una condesa —dijo—. Serena y majestuosa, pero se le nota el nerviosismo. Seguro que a mí también se me va a notar. —Miró el siguiente—. Tu hermano, adulto.

—¿Cómo deseaba que lo vieran?

Prudence no quiso decir nada que pudiera ofender.

—Sereno y majestuoso, hasta el fondo de su alma. Muy seguro de sí mismo. ¿Lo era?

—Haber nacido para heredar Keynings asegura eso. ¿Cómo interpretas a Artemis?

Prudence miró el retrato de Artemis Malzard, seguro que también recién casada, aunque claro, no tantos años atrás. Lloraría por esa feliz jovencita. En el retrato estaba sentada, con las manos en la falda, tal vez intentando verse majestuosa, pero en sus ojos brillaba una sonrisa.

Era feliz.

—Es muy injusto —dijo.

—La vida suele serlo.

Sonó una campana.

—Tarde para la comida otra vez —dijo él despreocupadamente—. Vamos.

Le indicó una puerta pequeña, por la que entraron en un estrecho corredor, al final del cual se encontraron muy cerca de la escalera que bajaba al vestíbulo.

—Parece que Keynings contiene muchos secretos —dijo ella.

—Es de esperar. Sería agradable conservar algunos.

—¿Quiénes estarán en la comida? —preguntó ella en voz baja mientras bajaban la escalera.

—La costumbre establecida es que todos los familiares que están en la casa coman juntos. Unos cuantos empleados también pueden si lo desean. Rathbone, el bibliotecario, viene si no está absorto en un libro. Dramcot, el administrador de la propiedad, rara vez come aquí, prefiere comer con su familia. Tiene casa en la propiedad. Los residentes del ala norte vienen cuando les apetece.

En el vestíbulo estaban dos lacayos, así que Prudence no hizo más preguntas, aunque no dejaba de pensar ¿conocería a la condesa viuda?

—Este es el comedor de la familia —dijo él cuando entraron—. Hay uno solemne para banquetes.

La mesa daba cabida a diez personas cómodamente sentadas, calculó ella, pero sólo había cuatro, y ninguna de ellas era la condesa viuda ni Artemis. Las cuatro se levantaron, dos damas mayores que estaban en el lado más alejado de la puerta y dos caballeros mayores que estaban en el lado más cercano, y que se giraron a hacer sus venias.

—Mi condesa —les dijo Cate—. Querida mía, te presento a la señorita Catesby y a su hermana, la señorita Cecily Catesby, que son primas de mi madre.

Las dos damas delgadas y de pelo plateado hicieron sus reverencias. Una de las enseñanzas de su madre acudió a orientar a Prudence: «Nadie se ofende jamás por un exceso de cortesía». Con la esperanza de que eso valiera también en los círculos elevados, hizo también su reverencia.

—El señor Coates —continuó Cate— fue nuestro administrador de la casa durante treinta años, y el señor Goode fue nuestro bibliotecario durante más tiempo aún.

Eran empleados, eso presentaba una complicación, pero les hizo una reverencia también. Observó que las dos damas vestían de negro y los caballeros ropa sobria con brazaletes negros. El vestido rojo orín de ella tenía que verse chillón.

Cate la condujo al asiento de una cabecera de la mesa. Cuando se sentó, los demás también lo hicieron. Él fue a sentarse a la otra cabecera, que parecía estar a millas de distancia. Se hizo el silencio. Él curvó los labios y la sonrisa le llegó a los ojos cuando la miró y luego miró de reojo la campanilla dorada que estaba en el lado de ella.

—¿Estamos todos? —preguntó entonces ella alegremente y tocó la campanilla.

Al instante entraron criados a poner fuentes sobre la mesa. Muchas fuentes para seis personas, pensó Prudence, pero era de esperar que la etiqueta fuera la misma que en la casa de Aaron. Miró al caballero que tenía a la derecha:

—¿Me permite que le sirva de este pescado, señor Goode? Creo que es carpa.

—Lo es, efectivamente, lady Malzard, del estanque de carpas de la propiedad, así que siempre son muy frescas. Gracias, gracias.

Tal como ella había esperado, esa fue la señal para que todos se sirvieran de las fuentes y se ofrecieran a servir al vecino, y para que se pasaran las fuentes entre ellos si era necesario. Se puso pequeñas cantidades de cada fuente en su plato, aunque no sabía si sería capaz de tragar un bocado de algo.

Esa era la primera ocasión en que se sentía condesa y absolutamente como un pez fuera del agua. Y sólo era una comida informal.

Sólo se había quedado el mayordomo en el comedor para rodear la mesa ofreciendo y sirviendo vino. A ella le alegró beber un poco y comió algo del pescado.

Cate estaba hablando con las damas Catesby, así que ella se dirigió a los caballeros.

—Aún no he explorado la biblioteca, señor Goode. Me imagino que es una colección maravillosa.

—Una práctica, milady —dijo él—. Por desgracia, ni al conde anterior ni a su padre les interesaban las ediciones raras.

—Les interesaban más los árboles raros —dijo el señor Coates, con voz trémula—. De los que la mitad murieron. Me serviría más de ese fricasé, señorita Catesby, si es tan amable.

Nuevamente se hizo un silencio, pero lo interrumpió la señorita Catesby:

—¿Usted es de Darlington, creo, lady Malzard?

Prudence asintió, pero tensa. ¿Las damas conocerían bien la ciudad o, más aún, conocerían a personas de ahí?

—Una vez estuvimos ahí de visita —dijo la señorita Cecily—, cuando montaron el reloj en la torre de la iglesia. Excelente servicio para la ciudad.

Aliviada, Prudence siguió con el tema.

—Sería el de la iglesia Saint Cuthbert. Interesante esa iglesia antigua.

—Ah, sí, Saint Cuthberth —dijo el señor Goode—. La sillería del coro es muy antigua y...

Prudence no vio ninguna objeción a que él se alargara en su conferencia sobre el tema.

Miró disimuladamente a Cate y vio que él le estaba sonriendo.

Tal vez también estaba recordando la iglesia. Eran negros esos recuerdos, pero ahí fue donde hicieron sus promesas.

Intervino el señor Coates diciendo que la iglesia del pueblo, Saint Wilfred, tenía iguales méritos en antigüedad y dignidad.

—Como ya verá, milady, el domingo. En el campo santo hay una cruz antiquísima, y se ha sugerido que la iglesia se remonta a los tiempos del propio Wilfred.

—No encuentro nada convincentes los argumentos que se dan sobre eso, Coates —dijo el señor Goode.

Al parecer estaba a punto de comenzar un debate, pero entonces la señorita Cecily dijo:

—El domingo. Una oportunidad para que las personas ilustres de la zona la conozcan, querida lady Malzard. Ayer comentábamos, ¿verdad, hermana?, que la situación presenta ciertas dificultades. Normalmente una nueva condesa significaría una fiesta o un baile...

—Pero eso no estaría bien en estos momentos —dijo la hermana—. Sin embargo, el domingo ofrecerá una ocasión muy apropiada. —Miró a Prudence sonriendo vacilante—. Perdóneme que lo diga, querida señora, pero sería mejor que fuera vestida de negro.

—Yo tengo la culpa de eso, prima —dijo Cate—, por insistir en apresurar la boda. Mi esposa no tuvo tiempo para prepararse para una casa de luto, pero el domingo tendrá ropa negra.

Las dos ancianas le sonrieron a ella, y la señorita Catesby dijo:

—La urgencia del amor joven.

Parecía un comentario amable, pero Prudence sospechó que las dos eran sólo unas cotillas que buscaban todos los chismes posibles y escribían muchas cartas. Lo ocurrido ese día en Keynings llegaría a muchas partes al día siguiente. Estupendo mientras tuvieran una opinión positiva, pero cuando comenzaran a llegar retazos de la verdad...

Tocó la campanilla para que trajeran el segundo plato, deseando que acabara pronto la comida, pero consciente de que esa era la primera de cientos de comidas. De miles, incluso.

Cuando ya todos se estaban sirviendo, la señorita Catesby retomó el tema:

—Supimos que sufrió un accidente de coche, querida lady Malzard. ¿Qué ocurrió?

Nuevamente tomó la palabra Cate para relatar el incidente. Lógicamente no dijo nada de la rueda manipulada.

—¡Qué terrible! —exclamó la señorita Cecily—. Fue un milagro que sobrevivieran los dos.

—Yo no sufrí daños gracias a la galantería de Malzard —dijo Prudence—. Evitó que me hiriera con los trozos de vidrio y madera rotos, sufriendo los daños él.

—Horroroso —dijo el señor Goode—. El estado de las carreteras es horroroso. Incluso las nuevas de peaje. Yo siempre cabalgaba para viajar. Puede que me llame Optimus, pero soy un pesimista tratándose de vehículos.

Todos sonrieron o rieron, pero la sonrisa de Prudence fue forzada. ¡Optimus Goode! Ese no era un nombre que se pudiera olvidar, sobre todo una niña de doce años. Una vez estuvo de visita en Blytheby para ver la famosa colección. A ella prácticamente no la vio, y pasados tantos años ya no la reconocería, pero sí reconocería el apellido Youlgrave.

Deseó no haber hecho suponer a Cate que era la hija en esa casa. Pero en esos momentos deseó parecer una esposa más apropiada para él, aunque ahora cualquiera podría desenmascarar el engaño.

Debía decirle la verdad lo antes posible.

Tenía tan oprimida la garganta que no pudo comer más, así que sólo bebió vino hasta que la comida llegó a su fin. Ay, Dios, debía invitar a las señoras a tomar el té. ¿Dónde? Se levantó. ¿Cuál sería el salón al que debían ir?

No hubo ningún problema, porque las señoritas Catesby salieron a toda prisa delante de ella y entraron en un agradable y luminoso salón que ella había admirado. Se preparó para más preguntas, pero las damas estaban encantadas llevando ellas toda la conversación. Hablaron de la reciente tragedia, con lo que ella se enteró de más detalles. Sí que fue una tragedia terrible ver al conde sufrir tanto dolor hasta que murió.

—La querida Flavia fue muy valiente. Estaba totalmente destrozada, por supuesto, pero fuerte, como siempre.

—Artemis se derrumbó y no la vimos durante todo un día, pero cuando reapareció estaba igual que siempre. Es una joven admirable.

—Pero ha cambiado, hermana.

—Como era de esperar, querida; no hace tanto tiempo que su pobre bebé murió al nacer.

—Ay, Dios, ay, Dios, qué terrible fue eso.

—En octubre, la víspera de Todos los Santos. Eso lo recuerdo.

Hace menos de un año, pensó Prudence. No era de extrañar que tuviera la herida tan en carne viva.

—Y luego se muere su marido —añadió la señorita Catesby—. Una muerte tan inesperada, y nadie sabía bien dónde estaba Catesby.

—Por fortuna lo encontraron muy pronto.

—Y se «está» aplicando —añadió la señorita Catesby, con sorpresa y poniendo el énfasis en el «está».

—Fue muy preocupante cuando desapareció —dijo la hermana.

—No desapareció, querida. Fue a Darlington.

—Pero no volvió al caer la noche.

—Tututut, los caballeros tienen sus rarezas, Cecily.

—Ah.

¿Habían olvidado que estaba ella ahí?, pensó Prudence.

—Fue a visitarme a mí —dijo.

Al ver que las dos la miraban boquiabiertas por la sorpresa, comprendió lo que habían entendido.

—A visitarme durante el día —precisó.

—Ah —dijeron las dos al unísono, y una continuó—: Claro, oímos un breve relato al señor Perriam ayer. Qué romántico. ¿Cuándo se conocieron, querida mía?

Prudence no tenía ni idea de qué historia se había contado.

—Hace unos años, una vez que él vino con un permiso.

—Tantos años separados —dijo la señorita Catesby.

—Pero felizmente reunidos —suspiró la señorita Cecily—. En general, yo habría recomendado esperar, pero será bueno para Catesby tener una compañera que lo ayude en este tiempo tan difícil.

—Tiene al señor Perriam —dijo su hermana—. Qué lástima que se haya vuelto a marchar. Ese toque de ciudad que tiene.

—Antes visitábamos Londres —explicó la señorita Cecily—, cuando vivíamos en el sur. Le llevábamos la casa a nuestro padre y después a nuestro hermano, pero cuando Jeremy murió...

Más suspiros, y de otro tipo.

—Qué suerte que Flavia nos ofreciera un hogar.

—Ah, sí, mucha suerte.

Dos mujeres más sumadas a las muchas que tenían que pasar penurias cuando sus hombres morían o las descuidaban, pensó Prudence. Eso no estaba bien, pero no veía ninguna manera de cambiar ese mundo injusto. Ella ya tenía sus propios problemas para contender, los de ser una recién casada y una condesa muy inimaginable.

Capítulo 28

Cuando Prudence iba de vuelta a sus aposentos le pidieron que fuera a probarse el vestido negro.

Al verlo tuvo que disimular su desencanto. El negro no le sentaba bien, le daba a su piel un color cetrino, y el crepé, sin ninguna trama de hilo más brillante, era realmente muy, muy negro; le recordó el hollín. Al probárselo comprobó que el corte del vestido estaba bien, pero no habría tiempo para añadirle adornos. Era sencillamente feo, negro y nada favorecedor.

—¿Tenéis tal vez algún tipo de trencilla o abalorios? —preguntó.

—No, milady. Con la repentina necesidad de ropa de luto gastamos todo lo que teníamos y no lo hemos repuesto.

Por lo tanto, el domingo tendría que ponerse ese vestido para ir a la iglesia, y la juzgarían por él. Pero les dio las gracias y expresó elogios, porque era evidente que todas habían trabajado arduamente para hacerlo en tan poco tiempo.

¿El azul sería mejor? Pero cuando lo preguntó, la señora Sawyer hizo un mal gesto.

—Debo decir que el tinte no cogió bien, milady.

La llevó al lugar donde lo habían tendido para secarlo.

El azul había cogido un sucio color gris oscuro y los hilos de los bordados que había añadido ella, elegidos con tanto esmero, estaban negrísimos, lo que empeoraba más el color gris.

—No importa —dijo—, esto es mejor que nada, por ahora.

Volvió a sus aposentos sintiéndose cargada por problemas de poca monta. Ninguno de ellos le importaría si se sintiera bien acogida en esa casa, pero, aparte de Cate, no había ninguna persona amiga. Ella también echaba de menos a Perry; él tenía una manera de hacer ver más positivas las cosas.

Cartas, pensó. Eso la pondría en contacto con el mundo exterior. Ni Aaron ni Susan eran personas de confianza, pero en esos momentos casi sentía como si lo fueran. A Hetty no debía considerarla amiga, pero lloraría por ver su alegre cara.

Deseó tener a *Toby* con ella, pero ciertamente no era un perro para una condesa.

Sacó el papel fino para escribirle a Aaron. Procuró contar las cosas sin introducir quejas, recriminaciones ni regocijo. Le pidió que por el momento no comentara el asunto con nadie y que con respecto a Draydale consultara al señor Tallbridge, pues su marido ya le escribiría. Procuró redactarlo todo en tono tranquilo y no dijo nada de futuros encuentros. Nunca podría cortar del todo la relación con su hermano, pero que a él y a Susan les rechinaran los dientes durante un tiempo. Dobló la carta y encendió la vela para derretir el lacre. Había ahí un sello metálico con un blasón grabado, pero no lo usó. Mejor que el contenido les llegara como una sorpresa total.

Sin duda eso no era cristiano, pero deseó estar presente cuando leyeran la carta para verles las caras.

Puso otra hoja sobre el escritorio y entonces comprendió que ese papel tan fino sería demasiado para Hetty, así que lo cambió por uno de los suyos y comenzó a escribir.

Deseaba contarle toda la historia, pero eso significaría que a las pocas horas la sabría todo el mundo en Northallerton. Hetty sí guardaría el secreto, pero necesitaba que alguien le leyera la carta. ¿Sería capaz esta persona de resistirse a contarle al mundo que Prudence Youlgrave de White Rose Yard se había convertido en una milady? Y Cate deseaba guardar siempre en secreto lo de White Rose Yard.

De todos modos, deseaba contarle parte de la buena nueva, así que simplemente escribió que se había casado con el guapo caballero que fue a Northallerton a preguntar por ella y que en esos momentos estaba viviendo en una grandiosa casa llamada Keynings. Eso por sí solo ya sería un tema de conversación que duraría días entre la gente de White Rose Yard.

Cayó en la cuenta de que una pequeña parte de ella echaba de menos White Rose Yard. En Keynings se sentía muy sola. Se había sentido sola en los diversos lugares en que había vivido con su madre, pero tenía la compañía de esta y también conocía a las personas del entorno, personas a las que mirar. En White Rose Yard se había relacionado un poco más con los vecinos a través de Hetty. En Darlington había conocido a varias personas, pero no había habido tiempo para hacer amistades.

Aunque claro, con Cate se hizo amiga en un día.

Ay, esas modestas circunstancias que había esperado y la acogedora casa donde no estarían tan separados. Ay, sus sueños con el trabajo de la esposa de clase media, supervisando a unos pocos criados y haciendo muchos quehaceres ella misma. Ahí no sabía qué hacer. Era la señora de una enorme casa; ¿cómo era posible que no tuviera nada que hacer? Sintió la tentación de meterse a hacer cosas en la cocina o intentar lavar mantas.

Tal vez debería salir a rondar por la casa para ver si la condesa viuda o Artemis le estaban usurpando la autoridad, pero en ese momento no se sentía con ánimo para hacer eso. Decidió ir a la biblioteca a buscar libros para poner en la librería de su sala de estar.

Todavía no conocía al bibliotecario, el señor Rathbone, y se lo imaginaba joven y flaco. Pero cuando entró en la biblioteca vio que era un caballero corpulento, cincuentón, que no se avergonzaba de enseñar su calva; llevaba recogido en una coleta lo que le quedaba de pelo cano, pero la mayor parte de la cabeza le brillaba a la luz.

Esperaba una bienvenida, pero él se mostró frío. Ella no estaba con ánimo de pelear con eso tampoco, así que se puso a explorar los estantes. Cuando vio un libro que le interesó, lo sacó y lo dejó sobre una mesa.

—Milady, ¿qué hace?

—Elegir libros para mi sala de estar, señor Rathbone.

—¿Para... para su sala de estar? Debo protestar.

Ella se giró a mirarlo.

—¿Por qué?

Él se ruborizó ante ese enfrentamiento.

—La colección es mi responsabilidad, milady.

Prudence pensó si de verdad iba cometer un atropello, pero le pareció que no, sería increíble.

—¿Los libros no están aquí para que se lean, señor Rathbone?

—Esto..., sí, milady, por supuesto.

—¿Solamente aquí?

Él debió comprender que se había metido en terreno pantanoso.

—Las otras damas no sacan libros de mi biblioteca.

—Tal vez a las otras damas no les gusta leer. Sacaré los libros que quiera de la biblioteca «del conde», señor Rathbone. Puede volver a lo que estaba haciendo.

Él se tornó morado. Ella pensó si él le prohibiría sacar los libros, y qué podría hacer entonces, pero de ninguna manera toleraría esa insufrible insolencia.

Cuando él se giró para alejarse, ella estaba temblando. Entonces él salió de la sala, y eso le permitió desmoronarse y volver a serenarse. ¿Cómo pudo atreverse él a portarse de esa manera? Sabía que si se lo decía a Cate, este lo despediría.

Por lo tanto, Rathbone creía que ella no se lo diría.

¿Por qué? ¿Qué sabía?

Se enderezó, cogió el rimero de libros y volvió a su refugio, muy dispuesta a sacar su petaca con ron y emborracharse.

Pero no la sacó. Simplemente cogió el ejemplar de *Cándido, o el optimista*, de *monsieur* Voltaire, contenta por haber encontrado un ejemplar de la traducción. Había oído hablar mucho de ese libro, y el título le parecía esperanzador.

Pues bien, era todo lo contrario. La insistencia del doctor Pangloss en que todos vivían en el mejor de los mundos posibles es refutada por la historia de Cándido, al que echan injustamente de su casa y lo obligan a entrar en el ejército prusiano. Continuó leyendo, con la esperanza de que mejoraran las cosas, pero no mejoraban.

Cerró el libro y lo dejó a un lado. Estaba claro que el mensaje de *monsieur* Voltaire era que el optimismo es una tontería y que la vida no es otra cosa que sufrimiento y desgracias. No aceptaría nada de eso. Resueltamente se sentó ante su escritorio y comenzó a inventar la historia de una heroína, Honesty, a la que echan injustamente de su casa, aunque luego va de triunfo en triunfo, derrotando a los demonios a cada paso; a los demonios de la crueldad, a los demonios de la injusticia, a los demonios del rencor y a las malas intenciones.

—¿Qué escribes con tanto entusiasmo?

Se giró, con una sensación de culpabilidad por estar ante esas páginas escritas, y vio que había entrado Cate.

—¿Has leído *Cándido*?

—No, ¿de qué va?

—Es una novela de *monsieur* Voltaire que trata de los sucesos más desgraciados. Estoy escribiendo un antídoto.

—Con un entusiasmo marcado por manchas de tinta. Puedes contarme la historia mientras paseamos por el jardín. Está bonito el día fuera.

Prudence cayó en la cuenta de que eran las cinco de la tarde, y que tenía los dedos llenos de tinta. Fue a lavarse las manos, pero, lógicamente, la tinta no salió. Se puso los guantes y salió con él.

—Ahora cuéntame tu historia dichosa —dijo él cuando bajaban la escalera.

—Es una tontería. ¿Qué ha ocupado tu día?

—Pocas tonterías, pero hay muchas cosas que encuentro inútiles.

—Entonces, ¿por qué tienes que hacerlas?

—Porque si no las hago se haría polvo la tela de la sociedad. Al menos eso me han dicho. Muchas cosas de la vida son inútiles si las miramos francamente, ¿no te parece? —Mientras atravesaban una sala en dirección a unas puertas cristaleras, preguntó—: ¿Por qué, por ejemplo, llevamos ropa cuando hace calor?

—Por decencia.

—¿Por qué entonces no vestir algo más sencillo? Una toga o una túnica podrían ser más sensatas. Tal vez debería proponer una ley.

—Y te perseguirían con sus tijeras todos los sastres, modistas y tejedores de seda.

Él se rió.

—Sí, ¿no? Un tejedor de seda inglés le rajó el vestido a una dama porque era de seda francesa. Y el jurado lo dejó en libertad.

—Excelente. La gente necesita trabajar.

—Es curioso que el final de la guerra haya traído tiempos difíciles.

—Este no es un día para tristezas —dijo ella mientras bajaban los peldaños de muy poca altura hacia el jardín—. Te contaré los triunfos de Honesty, vencedora de los demonios.

Lo entretuvo mientras paseaban por los senderos por entre extensiones de césped y cuadros de flores, todo abrumadoramente cuidado a la perfección. Le habría gustado ver un jardín más natural, menos artificial, pero no lo dijo.

—Ah —dijo él de pronto—. El columpio.

Ella vio un tablón colgado de dos cuerdas de una rama de la majestuosa haya que se elevaba en el centro de esa parte del jardín.

—Permíteme que te empuje —dijo él.

—¿A mí?

—¿Tienes miedo?

—Sí.

—Confía en mí.

Qué podía hacer: no tenía otra opción. Se sentó tímidamente en el tablón y se cogió de las cuerdas.

Él empujó suavemente por delante y se apartó, y el tablón se balanceó.

—La sensación es bastante agradable —dijo ella sonriendo—. Algo parecido a como podría ser volar.

Él empujó con más fuerza.

—Puedes volar más alto.

Ella chilló asustada pero después se rió, sintiéndose libre de cargas y del suelo. Entonces él volvió a empujar y al elevarse más miró hacia la copa del magnífico árbol, vio trocitos de cielo, y pensó cómo sería ser un pájaro, libre para ir a cualquier lugar sin tener que pisar por caminos escabrosos ni sentir doloridos los pies; vestir solamente las plumas, sin el estorbo de la ropa. Mientras bajaba, movió las piernas y lo vio sonreír. Debió verle muchísimo.

—¡Pícaro! —gritó.

—¡Tentadora! —gritó él, y los dos se rieron.

Pero ella esperaba saber ser igual de tentadora, porque él la tentaba hasta la locura.

Continuó columpiándose, sintiéndose eufórica y feliz. Sí, eso era felicidad, felicidad sin estorbos, y no recordaba haberse sentido así antes.

Miró hacia la casa, de contornos tan hermosos y calentada por el sol. Entonces, en una ventana de la primera planta vio una figura oscura, mirando. En realidad no tenía manera de estar segura, pero sabía que era Artemis. También comprendió que ese era el columpio de Artemis, en el que no hacía mucho tiempo la empujaba su marido.

Cuando Cate se acercó para empujar otra vez, dijo:

—No, basta por ahora.

Y dejó que el columpio siguiera moviéndose cada vez menos hasta parar.

Él la ayudó a bajar del tablón y la acercó para besarla, pero ella no podría disfrutarlo bien en ese momento, sabiendo que Artemis estaba mirando, consumida por la amargura.

Él no dijo nada ante su actitud, pero tenía que haberlo notado. Entonces se le escapó la pregunta:

—¿Cuándo se marchará Artemis?

Él la miró sorprendido y, tal vez, algo decepcionado.

—Le prometí que podía continuar aquí todo el tiempo que quisiera.

Prudence desvió la cara para que él no viera su desaliento.

—Simplemente creo que tiene que sentirse desgraciada. Que yo esté aquí, que tú te hayas casado, tiene que haberle abierto sus heridas.

—De todos modos, este ha sido su hogar durante diez años. Es el hogar que han tenido sus hijas toda su vida. Si la consuela quedarse, debe quedarse.

Él se había sentido contrariado, y ella no podía explicárselo. Posiblemente muy pronto Artemis dejaría caer insinuaciones de que ella la evitaba, y tampoco podría explicar eso. Si le decía la verdad a Cate, era posible que él no le creyera; si se lo preguntaba a Artemis, esta lo negaría todo. Sólo podía esperar a que Artemis se marchara o no tardara en dar la cara y sacar a la luz sus verdaderas opiniones.

Volvieron a la casa cogidos de la mano, hablando de los cambios que podrían hacer. Tácitamente estaban de acuerdo en que no debían darse prisa en hacer cambios, pero era agradable hablar de jardines menos ordenaditos y de poner trepadoras en las paredes de la casa para suavizarlas. La casa no era lo que habían esperado, pero a ellos les correspondía darle forma.

En todo caso, ella no paraba de pensar en la noche que se aproximaba. Era como esperar un festín. Su verdadera noche de bodas.

¿A qué hora podrían ir a acostarse?

No inmediatamente, porque cuando entraron en la casa él dijo:

—Debo ir a visitar a madre. Preferiría dejar que se cueza en su salsa, pero yo tengo la culpa por haberme casado sin decírselo.

Prudence reprimió su indigna reacción.

—Espero que logres tranquilizarla. Espero conocerla pronto.

Cuando entró en sus aposentos comprendió que podría aprovechar bien ese tiempo.

—¿Qué debo hacer para bañarme? —preguntó a Karen.

—Hay una bañera, milady.

La chica entró en el vestidor, abrió un armario empotrado en la pared y sacó una pequeña bañera de madera. Susan tenía una más grande de latón esmaltado, y la sorprendió que Artemis se hubiera conformado con esa. Entonces recordó que no hacía mucho una bañera como esa habría sido un lujo, sobre todo con criados que subieran baldes y baldes de agua caliente.

No tardó en estar sentada en el agua a la temperatura ideal, lavándose bien, y relajada aun cuando estaba desnuda. Karen parecía no darle ninguna importancia a eso, y la necesitaba porque era la que manejaba los jarros extras de agua caliente y fría.

Qué lujo tan delicioso. Aunque ya se había lavado bien continuó sentada moviendo las manos en el agua, pensando soñadora en las mejores partes del día. Cuando estaba con Cate, especialmente cuando estaba con Cate. Y la promesa de la noche. No tenía muy claros los detalles, pero sabía que lo deseaba. Los besos y caricias de él le habían dado indicios de los placeres que la esperaban.

—Con su perdón, milady, pero si no sale de la bañera se va a arrugar.

Se puso de pie para que Karen le echara agua para aclararse el jabón, y el agua ya fresca le produjo un estremecimiento. De todos modos, se sentía maravillosamente.

Se secó con la enorme y suave toalla. Después, dado que el sol se estaba poniendo, se puso el camisón bonito y la bata de lanilla. Se sentó a peinarse con la esperanza de que llegara Cate.

Y no llegaba. ¿Tal vez su madre lo había retenido, celosa de sus otros intereses?

¿Qué hacer con su pelo? Normalmente se lo trenzaba para dormir, pero suponía que a Cate le gustaría suelto.

A ella le gustaba verlo con el pelo suelto.

Le gustaba verlo desnudo. Eso era una confesión vergonzosa, incluso en lo más recóndito de su mente, pero le gustaba. Le gustó ver su cuerpo con cicatrices y esperaba ver más de él, pronto.

La noche pasada él se puso un camisón. ¿Se haría todo con camisón? El instinto le decía que no, así como unas ilustraciones que le había enseñado Draydale. Este tenía una manera de sugerir cosas sin pasarse totalmente de la raya. Puesto que ella le había hablado de su conocimiento de los clásicos, un libro de arte clásico no le pareció escandaloso, pero algunas ilustraciones sí lo eran, y algunos de sus comentarios más aún.

Habían estado hablando del comercio con las Indias Orientales, y él le llevó un libro sobre India, e insistió en que lo miraran juntos. Cuando ella desvió la cara para no mirar unas ilustraciones de escenas talladas en piedra, él la reprendió, diciéndole que sólo ilustraban asuntos conyugales de los que ellos disfrutarían muy pronto. Las personas de las ilustraciones estaban desnudas, y los hombres estaban extraordinariamente bien dotados. Entonces Draydale musitó que pronto ella descubriría que él podía compararse con ellos.

Esa fue la última gota que transformó su resolución en consternación y luego en desesperación.

Sacudió la cabeza para expulsar todo recuerdo de ese hombre. Estaba casada con Cate y con él la cama de matrimonio sería maravillosa.

Miró el reloj. Aún no eran las diez. Tal vez habían llamado a Cate para resolver más asuntos.

Se levantó y fue hasta la puerta del dormitorio de él, con la idea de golpear, pero lo repensó. Estaba en camisón, ¿y si abría su ayuda de cámara?

Podía enviar a Karen, pero ¿con qué mensaje? ¿«Milady desea saber a qué hora se va a reunir milord con ella en la cama»? ¿En cuál cama?

Se dijo que Cate no era una tímida violeta ni estaba apegado a las reglas. Vendría cuando estuviera dispuesto.

Le dijo a Karen que podía retirarse y estaba libre el resto de la noche; después cogió un libro acerca de la corte del rey anterior e intentó concentrarse en él. Le había parecido que podría aprender algo, pero sólo era de cotilleos, y muchos de estos escandalosos. No se consideraba gazmoña, pero tal vez en esos círculos sí lo era.

Otro libro era una guía de Londres. Estaba segura de que algún día le sería útil saber dónde estaban las paradas de coches de alquiler y los precios de las cosas en los diferentes barrios de la ciudad, pero no se entretuvo leyendo. Miró atentamente los grabados de la Queen's House y del Parlamento, de Saint James Park y de la Abadía de Westminster, pero ninguno le captó la atención.

El reloj parecía andar muy lento. Qué lástima que una dama no pudiera hacer sonar una campanilla para llamar a su marido. Se rió al pensarlo, pero estaba desasosegada por la impaciencia y su imaginación le estaba produciendo una necesidad física. Igual podría esperarlo en la cama.

El colchón era algo duro, tal vez demasiado lleno de lana. No mucho tiempo atrás le habría parecido perfecto, así que no debía quejarse. El almohadón también era duro, pero eso era normal. Las almohadas, en cambio, eran demasiado delgadas; puso una encima de la otra, pensando si así sería como le gustaba a Artemis o si habría arreglado las cosas de forma que su sucesora estuviera incómoda.

No pensaría en Artemis tampoco.

Esa noche era para ella y Cate.

¿Su madre lo habría retenido por celos?

No importaba.

No podía retenerlo toda la noche.

Cate estaba en el dormitorio de su infancia, mirando por la ventana, bebiendo coñac y tratando de no beber demasiado. Si se emborrachaba hasta quedar inconsciente no podría hacerle el amor a su esposa, que era lo que debía hacer; pero si lo encontraban inconsciente en el suelo ahí, eso no le haría ningún bien a su reputación.

La noche anterior ella había rechazado la consumación; si pudiera estar seguro de que esa noche ocurriría lo mismo, estaría con ella en ese momento. La llevaría a su cama otra vez, dormirían juntos, e incluso se permitiría los tipos de besos y caricias que no lo llevarían demasiado lejos.

Si había algo que no lo llevara demasiado lejos.

Esa mañana en su tocador estuvo a punto de perder el autodominio y le pareció que ella no lo rechazaba. ¿Acaso una confianza tonta e impulsiva habría hecho posible hacerle el amor, o habrían cambiado sus sentimientos? No podía arriesgarse todavía a acostarse con ella; en bien de su cordura, tenía que estar seguro de que su primer hijo era de él, sobre todo si era varón.

Enroscó el tapón de su petaca y bajó al dormitorio del conde, desechando todo pensamiento de su deliciosa y deseosa esposa.

Capítulo 29

Cuando Prudence despertó vio que ya era de día, que estaba sola en la cama y que lo había estado toda la noche. Se cubrió los ojos con un brazo para contener las lágrimas.

¿Qué había hecho mal? ¿Sería su comentario sobre Artemis?

¿O sería simplemente que él no la deseaba? Antes, eso habría sido obvio. ¿Por qué un hombre tan glorioso como Cate Burgoyne iba a desear a Prudence Youlgrave, tan alta, tan hombruna? Él la hacía pensar otra cosa, pero si todo era un engaño, preferiría que fuera sincero.

Entonces recordó su reacción la noche anterior, cuando estaba absolutamente agotada. ¿Él había dado a su mala disposición un sentido más general del que había pretendido ella? En ese caso, ¿qué podía hacer para corregir esa impresión? No lograba ni imaginarse diciéndoselo francamente, pero si volvía a besarla, si volvía a coquetear con ella, le dejaría claro que no era una esposa mal dispuesta.

¿Y si no volvía a besarla?

No debía ni pensar en esa posibilidad. En todo caso, debían; él necesitaba un heredero.

La idea de que se acostara con ella sólo para tener un hijo le hizo brotar lágrimas otra vez, así que se sentó y se bajó de la cama. Iba a ir a buscar a su doncella cuando recordó la campanilla. Tiró del cordón y oyó el sonido abajo. Karen no tardó en entrar, animosa como siempre y trayendo el agua para que se lavara.

Cuando la chica estaba vertiendo agua en la jofaina, le preguntó:

—¿Está listo mi vestido negro?

—Lo siento, milady, pero dicen que todavía no han terminado el dobladillo. Pero la cofia está aquí, milady.

—Ah, bueno, mientras esté listo para mañana. El azul teñido, entonces.

Se sentó a deshacerse los nudos del pelo. Otra noche más sin trenza, y todo para nada. Se recogió el pelo en un moño flojo en lo alto de la cabeza. Cuando estuvo vestida se caló la cofia. Ya está. Nadie podría acusarla de no ir adecuadamente vestida.

Entonces entró Cate en el dormitorio a desearle los buenos días, y a pesar de su desencanto, el día volvió a estar luminoso.

—¿Has desayunado? —preguntó él—. En ese caso, desayunaré solo.

—No, no.

Se levantó, nerviosa, y envió a Karen a buscar la comida. Un momento antes no tenía nada de apetito, y ahora no sabía si podría tragar algo, aunque por otros motivos, pero aprovecharía todas las ocasiones posibles para estar con él.

—¿Ese es el azul? —preguntó él haciendo un leve mal gesto.

Ella sonrió.

—Me gusta eso de ti.

—¿Qué?

—Que dices lo que piensas. Y lo manifiestas con tu expresión.

—Eso me ha metido en problemas. No te lo he contado, ¿verdad?

Ella no deseaba que hubiera nada sombrío esa mañana, pero si él necesitaba decirle algo, lo escucharía.

—¿Qué?

Él se apoyó en un poste de la cama.

—Me ordenaron que vendiera mi comisión.

—¿En el ejército? ¿Por qué?

—Para librarse de mí. Podrían haberme destituido, lo que significa salir deshonrado y también sin rango, con lo que no se puede vender la comisión. El precio de la comisión es el único dinero con que se marchan algunos oficiales.

—¿Destituido? ¿Por qué causa?

—Negarme constantemente a obeceder órdenes y, aseguraron, incitar a los hombres a hacer lo mismo. Sí que les tengo una fuerte aversión a las órdenes idiotas y a las reglas sin sentido. Aquí me esfuerzo en dominarla, pero noto que va en aumento.

—¿Reglas idiotas como...?

—¿Aquí? Por ejemplo, que los escribientes deban levantarse siempre que entro en su oficina. Eso interrumpe su trabajo y a veces es causa de que dejen manchas de tinta en los papeles o cometan errores, pero así debe ser, me han dicho. Supongo que eso se debe a que a Flamborough, Dramcot y al resto les gusta la reverencia. Es lo mismo de arriba abajo en la jerarquía.

—Como el que los criados tengan rangos. ¿Todos desean tener a alguien debajo que debe obedecer?

Él sonrió pesaroso.

—Habiendo nacido con un rango elevado y muchos debajo, no puedo hablar de eso. ¿Tú valoras eso?

—No, pero es fabuloso tener criados que hagan la vida cómoda.

—Sí, ¿no?

—¿De qué reglas idiotas no hacías caso en el ejército?

—Muchas que tienen que ver con el uniforme, no sólo por mí sino por mis hombres. Se los puede castigar por un botón suelto o una insignia no abrillantada. Los buenos generales hacen la vista gorda a las cosas nimias durante la guerra, pero cuando volvíamos a la paz, había que fijarse en cada botón y lazo, y poner castigos para los cogidos en falta. Y luego estaban los ejercicios de instrucción. Viniendo de la acción, todos nos aburríamos, y los interminables ejercicios aumentaban el aburrimiento, así que ideé ejercicios de formación que podían ser útiles en batallas reales. Eso sembró la discordia. Algunos de mis hombres habrían preferido el aburrimiento, y algunas otras unidades deseaban mi sistema. Muchos de los otros oficiales no deseaban ninguna molestia ni perturbación. Yo soy un tipo inquieto, impaciente.

«Y eso te llevó a Darlington y a mí.»

—Entonces te pidieron que te marcharas.

—Me ofrecieron la opción de comandar un regimiento que iba a embarcarse para India, donde podrían valorar mi naturaleza inquieta, pero decliné. Estaría demasiado lejos de Keynings, ya sabes. —Miró hacia fuera por la ventana—. ¿Tú crees que si uno desea algo demasiado puede crear un caos para que este se lo dé?

Si no hubiera sido por esa noche, ella se habría acercado a acariciarlo. Lo único que podía hacer era hablar:

—Tú no eres de ninguna manera responsable de la muerte de tu hermano, Cate.

—Tuvimos una pelea muy acalorada.

¿Artemis se habría enfrentado a él con esa acusación? Seguro que no, porque entonces él no tendría tanta fe en ella. Debía estar preocupado u obsesionado por eso.

—Una pelea no mata a nadie —dijo.

—Conocí a un hombre que murió de furia, pero Roe no estaba morado de furia. Estaba pálido y frío. Esa era su forma de ser.

—¿Qué lo enfureció tanto?

—Yo. Siempre fui yo. Mi naturaleza lo ofendía, y tenía un motivo. Yo fracasé en unas cuantas cosas, y tengo un don para alterar la vida apacible.

La estaba mirando.

—Mi vida no era en absoluto apacible —dijo.

—Pero tal vez yo te la he empeorado.

Entonces ella sí avanzó hacia él, por lo menos para estar más cerca.

—¿Empeorado? Ya hemos hablado de esto. No hay nada en mi vida que haya empeorado debido a tus actos.

Él le cogió la mano.

—Gracias por eso. A veces tengo demonios nocturnos. La falta de fe que tenía en mí Roe me irritó, me enfureció. Yo fui un buen oficial en la guerra; nadie niega eso, pero aquí no contaba para nada. Él se enteró de que me habían animado a ir a India y lo enfureció que no hubiera visto los beneficios de eso. Sabía todas las historias del ejército, por supuesto. Muchos estaban encantados de informarlo, ninguno de ellos amigo mío. A mí me dolió todo lo que dijo y dio a entender. Me ofendió su suposición de que como cabeza de familia podía darme órdenes. Se abrieron viejas heridas y los dos dijimos cosas que en realidad no decíamos en serio.

Acerca del bebé, comprendió ella. «Pero tu hermano dijo eso en serio y tú todavía no lo sabes.»

—Al final, salí del salón dando un portazo y, sacudiéndome el polvo de Keynings de los pies, me marché sólo con el dinero que llevaba en el bolsillo. Cabalgué hasta Northallerton para coger la diligencia a Londres; me acompañó Jeb, para traer de vuelta a *Oakapple*. Si hubiera cogido el caballo y cabalgado hasta el sur, Roe no me habría acusado de robo, pero estaba resuelto a no llevarme nada que no fuera mío. Orgullo y estupidez. Pero así fue como nos conocimos —añadió sonriendo—. Por lo tanto, el impulso no fue tan malo como pareció en el momento.

—Te atrapó —dijo ella.

—Si hubieras escuchado mi historia sabrías que nunca me dejo atrapar por las reglas.

Ella lo miró moviendo la cabeza, deseando abrazarlo, pero justo entonces Karen anunció que estaba listo el desayuno, y pasó el momento.

Entraron en la sala de estar y se sentaron a la pequeña mesa.

—¿Hablaste con tu madre ayer? ¿Está muy furiosa?

—Está malhumorada —dijo él, sirviendo cerveza en su jarra—. No es persona de emociones intensas, pero fácilmente se pone de mal humor, y después echa leña al fuego. Me dijo que soy un tonto por haberme casado con tan poco juicio. Yo le contesté que si te conociera pensaría distinto.

—¿Con este vestido?

—No es cuestión de un vestido. Ya se le pasará el esplín. Desea un hijo y heredero en la sala cuna y tú eres el receptáculo.

Ella levantó la vista, deseando hacerle la pregunta obvia, pero sin saber cómo.

—Sigue rumiando su amargura —continuó él—, pero no es una persona que tire piedras a su tejado.

—Tú también hablas con amargura —señaló ella—. Es tu madre. Tiene que quererte.

—Qué idea tan agradable, y extraña, ¿no te parece? ¿Hay una especie de alquimia en esto? Si la hay, no funcionó en nuestro caso, como ocurre en muchos otros. Nos entendemos tan poco como nos entendíamos Roe y yo, y ninguno de los dos vio nunca la necesidad de superar eso. Yo tenía mi niñera y mis criados, que eran bastante cariñosos, y ella tenía al heredero para centrar su atención, que continuaría aquí y afectaría a su vida.

—Eso es muy raro.

—¿Sí? Como he dicho, no es infrecuente, tal vez porque en una casa como Keynings los padres ven muy poco a sus hijos.

—Uy, Cate, creo que eso no me gustaría.

Demasiado tarde cayó en la cuenta de que su comentario tocaba el álgido tema de la no consumación, pero ya lo había dicho.

—Ya lo sospechaba. No intentaré gobernarte en eso, y creo que podría gustarme pasar tiempo con los niños, pero tendremos otras obligaciones que nos alejarán de aquí. Londres, por ejemplo.

—Recuerdo que me hablaste de Londres, y antes de confesar tu terrible defecto de ser un conde.

—¿Qué te parece ahora, milady? —preguntó él, irónico.

—Preferiría una casa más pequeña y menos pandemónium, pero...

Estuvo a punto de decir que le gustaría cualquier cosa si lo tenía a él.

—Tú, como la mujer práctica que eres, harás un hogar de un nido de demonios.

—Deja de hablar así de tu familia.

—Muy bien —dijo él sonriendo—. Los demonios no van a la iglesia, pero mi madre irá. Será su manera de salir del ataúd en que se ha metido.

—Espero que me apruebe. Sólo tengo un vestido negro muy feo.

—¡Deja ya esa obsesión por la ropa!

—Tú estabas bastante preocupado cuando yo iba vestida con la ropa de Peg Stonehouse.

—Sí, sí, lo estaba, pero era más por sentimiento de culpa. Tú parecías sentirte a gusto ahí y yo te iba a traer aquí.

—No tengo el menor deseo de vivir en una casita de granja que ni siquiera tiene vidrios en las ventanas.

—Práctica, siempre. Madre también lo es. Está dispuesta a tender puentes. Creo que su malhumor se debe principalmente a que no elegí una esposa de sus listas.

—¿Listas?

—Listas aterradoras. Fue más aterrador aún cuando los nombres se encarnaron. Déjame que te cuente todo acerca de Sosa, Torpe y Chispa.

Prudence lo escuchó entretenida, encantada con el chocolate y el pan dulce caliente, sintiéndose feliz por estar ahí conversando agradablemente de cosas divertidas. Sintió compasión por las candidatas fracasadas, porque no lo tenían a él, aun cuando ella no lo tenía en todo el sentido de la palabra.

Cuando él terminó de comer se levantó.

—¿Saldrás conmigo a dar un paseo en coche más tarde?

—¿En coche?

—En uno abierto. Podemos ver más del parque.

—Me encantaría.

Él rodeó la mesa metiéndose la mano en el bolsillo.

—Un regalo para ti, esposa mía.

Era un bonito broche de gemas color crema y rojizo, que le quedaría bien con el vestido rojo orín.

—No es apropiado para el luto, una lástima —dijo.

—No, pero este periodo acabará. Hay más, todas las joyas de la familia, en realidad, pero no me voy a pelear con madre por las que ella desea conservar, a no ser que tú insistas. Lógicamente Artemis entregó las joyas de la familia que tenía. Ese broche es una de ellas.

Lo que significaba que no podría usarla cuando Artemis pudiera verla, pensó Prudence. A pesar de su comportamiento no quería causarle ningún sufrimiento.

—Me daré el gusto de regalarte un adorno de poca monta al día —dijo él—, pero tan pronto como sea posible, te compraré algo más magnífico.

—Derroche —dijo ella.

—Inversión. Estoy trabajando en las disposiciones para darte tu dinero para gastos menores y fijar tu pensión, pero cualquier regalo que te haga también será tuyo, a no ser que yo especifique otra cosa.

—Míos cuando te mueras. No quiero pensar en eso.

—Yo tampoco. Que sea cuando hayan pasado décadas y décadas. Pero si te dejo viuda, quiero que tengas una vida cómoda e independiente.

—Independiente —repitió ella—. Me parece imposible.

—A lo mejor te gustaría más ser una viuda alegre —bromeó él.

—No, jamás.

—No al menos hasta que pasen unos cincuenta años o algo así.

Se inclinó a besarla en los labios y salió.

Prudence repasó toda la conversación. Él no estaba enfadado con ella. No podía imaginarse que ella no estuviera bien dispuesta. Entonces, ¿por qué no había ocurrido nada? Todo el mundo le daba muchísima importancia a la noche de bodas. A la verdadera noche.

Se acordó de una vez que leyó uno de los libros de su padre y encontró una referencia a la exhibición de la sábana manchada con sangre. Angustiada fue a preguntárselo a su madre, lo que llevó a que esta regañara a su padre diciéndole que algunos libros no debían estar en cualquier parte de la casa.

Su madre no le explicó lo de la sangre, pero le dijo que se lo explicaría cuando llegara el momento. Ese momento no llegó nunca. Ya entendía lo de la sangre, pero no lo del retraso en la consumación.

Igual ella tenía que hacer algo, tal como debía tocar la campanilla en el comedor para que trajeran los platos. Tal vez debería buscar por si había escondida una campanilla para llamar al marido.

La idea la hizo reír, pero, por si acaso, fue al dormitorio y buscó.

Por desgracia, no la encontró.

Llamó a Karen para que se llevara las cosas del desayuno, y la divirtió ver que la chica iba a llamar a criadas inferiores para que se encargaran de la tarea. Rangos, otra vez. ¿Algunos de los criados inferiores tenían que hacerle reverencias a la chica?

La situación dejó de divertirla. Karen no debía volver al puesto inferior que tenía antes. Ella sabía cómo se sentiría si tenía que volver a vivir en White Rose Yard. Cate le había dicho que la chica podría continuar a su servicio personal como doncella de señora joven, pero lo dijo con despreocupación. Por lo que ella sabía de la jerarquía de rangos en la sala de los criados, eso no sería tan sencillo.

Dejó de lado esa preocupación por el momento, porque tardaría un tiempo en contratar una doncella de señora apropiada, y su interés inmediato era asumir sus obligaciones.

No volvería a hurtarles el cuerpo. Ya tenía ropa de luto y debía establecer su autoridad. Hizo llamar al ama de llaves y juntas repasaron las comidas para el día. Incluso firmó su primer documento, una aprobación de una compra de té, y la mujer le consultó un problema.

—Lamento decir, milady, que el pastelero se ha marchado.

—¿Marchado? ¿Por qué?

—Le parecía que no se valoraba su trabajo, milady.

—¿No valorado por quién?

La mujer frunció los labios y ella comprendió que la respuesta era ella misma. Eso tenía que ser obra de Artemis, y en consecuencia el ama de llaves se mostraba distante con ella.

—Yo encontré deliciosos sus pasteles —dijo con firmeza—. ¿De verdad ya se ha marchado? ¿No podemos persuadirlo de que cambie de decisión?

—Creo que se marchó a primera hora para coger una diligencia a Londres. Muchos han intentado tentarlo, milady.

—Entonces debemos tentar a uno igual de bueno.

Lo disimuló, pero estaba furiosa. ¿Adónde arrojaría sus siguientes dardos envenenados su cuñada? Ya era bastante malo que criados cualificados se marcharan, pero los criados descontentos podrían causar todo tipo de estragos de modos sutiles. Se había enterado de cosas así por otros criados. Will Larn era el mozo del establo en la posada Crown, y decía que si un viajero no daba suficiente propina a los criados, le servían la comida fría y le ponían las sábanas húmedas.

Lo que necesitaba para hacer frente a Artemis era hacer algunos cambios que fueran en beneficio de los criados.

—Voy a inspeccionar los dormitorios de los criados —dijo.

El ama de llaves se puso rígida.

—¿Para qué, milady?

A Prudence le molestó la pregunta, pero contestó amablemente:

—Para ver si puedo mejorar en algo su comodidad.

Y sí que encontró cosas que mejorar, como, por ejemplo, hacer reparar algunas ventanas para que cerraran y abrieran bien. Lo sabía todo sobre el frío en invierno y el calor en verano. Observó que muchos de los jarros y jofainas estaban desconchados; era evidente que en otro tiempo habían sido los que se usaban en los dormitorios de la familia, y que después pasaron a los de los criados. Ordenó que se reeplazaran por otros nuevos corrientes.

¿Los criados se sentirían agradecidos o resentidos?

No tenía ni idea.

De ahí pasó a informarse de las comidas de los criados.

Descubrió que había menús distintos para los criados superiores e inferiores, y que estos últimos debían comer por separado. Eso significaba, comprendió, que ahora Karen comía en otro lugar, en compañía de criadas que debían tenerle envidia.

Una vez que aprobó las comidas, se escapó al jardín, pero sin alejarse de la terraza, por si Draydale hubiera enviado a demonios menores a invadir la propiedad. Le parecía imposible, pero sabía que él tenía que estar hirviendo de ganas de volver a golpear, y con más eficacia. Se frotó la mejilla, donde el moretón ya casi había desaparecido, deseando no haber tenido nada que ver con él jamás.

Decidió que no habría peligro en caminar hasta el columpio, que estaba a la vista de la casa. Igual podría sentarse en el tablón y ver si era capaz de columpiarse sola. Pero al llegar al columpio vio que una cuerda estaba muy deshilachada.

¿Obra de Draydale?

—Qué lástima. Esperaba que fueras tan tonta que intentaras columpiarte sin mirar la cuerda —dijo la voz de Artemis.

Prudence se giró a mirarla.

—Esto es mezquino. Te equivocas al odiar a Cate, pero ¿por qué atacarme a mí? No te he causado ningún daño.

—Él te ama —dijo Artemis.

Prudence estuvo a punto de negarlo, pero eso sería revelar demasiado.

—Él no ha hecho nada para dañarte a ti ni dañar a los tuyos, y tu bilis te va a atragantar.

Artemis le dio la espalda y se alejó sin contestar.

—Si es preciso, te obligaré a marcharte —dijo Prudence.

Artemis se giró hacia ella.

—Él ha prometido que puedo quedarme.

—Yo soy menos compasiva que él. ¿Para qué continuar aquí, Artemis? Vivir aquí sólo puede producirte sufrimiento. —Entonces comprendió—. Es el recuerdo del paraíso, ¿verdad? Pero el paraíso ya no está. No puedes hacer nada para traerlo de vuelta.

Artemis retrocedió como si la hubiera golpeado, y luego se alejó.

Prudence miró tristemente el columpio, pero enseguida decidió actuar. Volvió a la casa y le ordenó a Flamborough que lo hiciera reparar. Era posible que eso no entrara en sus responsabilidades, pero lo haría arreglar.

Después fue a la biblioteca y sacó más libros. Eso podía ser mezquino, pero no se dejaría intimidar. Acababa de ordenarle a un lacayo que subiera los libros a su sala de estar cuando la encontró Cate.

—Ya es casi la hora de la comida.

Ella deseó rogarle que comieran en la mesa pequeña de su sala de estar, pero no podía permitirse el lujo de esconderse.

—¿Hoy ha tenido más sentido tu mañana? —preguntó.

—En realidad, sí. Hay ciertas disputas locales relativas a tierras. Todavía no entiendo los detalles más sutiles de la agricultura, pero veo la importancia del agua, el drenaje y las tierras de pastoreo.

Le explicó la situación. Ella no lo entendió todo, pero le encantó hablar de esas cosas con él. Esa comunicación formaba gran parte del matrimonio, y era buena.

Le contó las mejoras que había hecho en los cuartos de los criados.

—No hay nada malo en eso, ¿verdad? Me pareció que la señora Ingleton estaba desconcertada.

—No que yo sepa. Pregúntaselo a Artemis.

Prudence tuvo que reprimir un suspiro. Acababan de llegar a la puerta del comedor; entraron y al instante se detuvo.

Estaban presentes Artemis y la condesa viuda. Al menos, la dama baja y rechoncha, toda de negro y expresión desaprobadora tenía que ser la madre de Cate, por poco que se pareciera a la jovencita esbelta del retrato.

—Madre —dijo Cate, obsequiándola con una leve venia—, me

alegra que te haya vuelto el apetito. Y que te haya vuelto a ti también, Artemis.

Las dos hicieron sus reverencias, mostrando una falsa sonrisa. Prudence vio que los ojos oscuros de la condesa viuda la estaban examinando en todos los detalles. Deseó no llevar puesto el viejo vestido azul teñido y haberse tomado el tiempo para retocarse el peinado.

Los demás comensales eran los mismos del día anterior, pero Artemis y la condesa viuda estaban sentadas una frente a la otra en el centro de la mesa, separando a las hermanas y a los caballeros mayores.

Mientras Cate la acompañaba hasta su lugar, cayó en la cuenta de que también ahí usurpaba el puesto que hasta hacía poco era de su furiosa cuñada. Pero era sencillamente ley de vida, la rueda del destino. Antes Artemis había asumido el puesto y las obligaciones de la condesa viuda.

Se sentó, sonrió y tocó la campanilla dorada. El primer plato era una sopa, una sopa blanca con un delicioso sabor a almendras.

Miró hacia Cate.

—Debemos felicitar al cocinero, Malzard. Esta sopa está particularmente deliciosa.

Él asintió.

—Especialmente porque te ha gustado a ti, mi amor.

Ella casi derramó la sopa de la cuchara, pero, claro, él sólo dijo eso para causar efecto. De todos modos, indicaba que quería apoyarla.

—El cocinero de Keynings es excelente, lady Malzard —dijo Optimus Goode.

Esto le recordó que no le había dicho a Cate lo de su mentira. Tuvo la oportunidad pero lo olvidó. Tal vez a propósito.

Le preguntó si había leído *Cándido*.

Él sorbió por la nariz.

—No me interesan las obras modernas, milady.

—Comprendo. Lo encontré extrañamente pesimista.

—Yo lo encontré muy fiel a la realidad —dijo la condesa viuda—. Hay muchísimas personas que aseguran que las cosas son buenas cuando no lo son.

—¿De veras, señora? —dijo Prudence—. A mí me parece que muchas veces las personas se quejan de problemas que se podrían corregir fácilmente.

—Eso es cierto —dijo la señorita Catesby, convirtiéndose en una inesperada aliada—. Normalmente es bastante fácil mirar la parte más positiva de las circunstancias.

—¿De la muerte de mi hijo? —desafió la condesa viuda.

Prudence apenas logró refrenarse de decir: «¡Tiene un hijo vivo, señora!» Se limitó a tocar la campanilla.

Entraron los criados a retirar los platos de la sopa y otros a distribuir las fuentes del primer plato sobre la mesa. El mayordomo sirvió vino. Mientras tanto Prudence, desesperada, se devanaba los sesos buscando algo neutro que decir.

—Los tejedores de seda de Spitalfields están pasando por dificultades —dijo Cate—. Espero que ninguna de vosotras, señoras, compre seda extranjera.

—¿Nos vamos a dejar mandar por esa gente? —preguntó la condesa viuda.

—¿No es aconsejable, madre, apoyar a nuestros trabajadores en lugar de a los de nuestra enemiga Francia?

—Ya no estamos en guerra, Malzard —dijo Artemis, como si le hablara a un imbécil.

—Pero volveremos a estarlo —repuso él—. De eso no me cabe duda. ¿Me permite que le pase las patatas, señor Coates?

—Gracias, gracias —dijo el anciano—. Interesante alimento, la patata. Causó algunas muertes cuando acababan de traerla a este país, porque la gente comía los frutos de las flores, que son muy venenosos, y aunque están emparentadas con el tomate, no son de la misma familia. Aunque, de hecho, algunas personas todavía temen comer tomates, debido a su leve parecido con el fruto de la patata.

—Con qué facilidad la cultivan los pobres —dijo la señorita Cecily—. La patata quiero decir. Con muy poco trabajo, tengo entendido. Dios nos ha enviado muchas bendiciones del extranjero, ¿verdad?

—¿Cómo la Peste Negra? —dijo la condesa viuda—. ¿Y otras pestes?

Prudence se mordió el labio para no reírse. Era ridículo. Vio que a Cate le ocurría lo mismo.

—He recibido una carta muy interesante —dijo Artemis—. De Darlington.

A Prudence se le quitaron las ganas de reírse. Había llegado la noticia. ¿Cuánto?

—Un relato de nuestra boda, supongo —dijo Cate—. Seguro que causó cierto asombro ahí.

Artemis apretó los labios, como si hubiera preferido decirlo ella y alargar la historia.

—Mi amiga Anne Chaloner vive ahí ahora. Sí, vuestra boda causó sensación, pero, curiosamente, parece que nadie sabe todavía que el novio era el conde de Malzard. Claro que Anne reconoció tu apellido, y podemos fiarnos de que va a guardar en secreto el asunto.

—No es un secreto, Artemis. Simplemente me pareció mejor no atraer la atención del vulgo.

—Si te hubieras casado de manera normal —dijo su madre—, no habría habido ninguna necesidad de ocultar nada. Esto se ha llevado mal desde el principio.

—Tenía la idea, madre, de que si traía aquí a Prudence como mi prometida, tú podrías haber intentado impedir la boda.

—Bueno, eso por supuesto.

Sintiendo arder las mejillas Prudence comprendió que las tenía rojas, y deseó no tenerlas así, porque su rubor podría interpretarse como sentimiento de culpa. Le costó discernir qué revelaba la expresión de él, con los rasgos inmóviles, hasta que cayó en la cuenta de que era peligro.

No era de extrañar que su madre se hubiera callado.

—Me ofendería si alguien dijera algo que afligiera a mi esposa.

—Seguro que nadie desearía hacer eso —se apresuró a decir la señorita Catesby.

—Claro que no —dijo su hermana.

Los dos caballeros estaban muy concentrados en sus platos.

Prudence comprendió que debía decir algo.

—No te preocupes, hermana —dijo—. No hay ninguna vergüenza en contar una noticia que va a llegar aquí muy pronto de todos modos.

Artemis la miró sorprendida.

—¿Vergüenza? Tú eres la que deberías sentir vergüenza. ¿Cómo puedes asegurar que amas a Catesby cuando estabas ante el altar a punto de casarte con otro?

Una de las primas Catesby ahogó una exclamación, o tal vez las dos.

La condesa viuda simplemente abrió la boca.

—Artemis —dijo Cate, en tono de advertencia.

Pero a Prudence la alegró que Artemis por fin hubiera enseñado los dientes.

—Desde luego con mi primer novio cometí un muy grave error de juicio —dijo.

—Un «error» —farfulló la viuda.

—Basta —dijo Cate—. Prudence creyó que yo había muerto. Al llegar a Darlington la encontré a punto de casarse con otro. Cuando ella vio que estaba vivo no le cupo duda de que no debía proseguir esa boda. Alguien incluso comentó que era un romance digno de trovadores.

Optimus Goode levantó la cabeza como si quisiera poner objeciones a los romances medievales, pero seguro que lo pensó mejor, porque volvió a concentrarse en su plato.

Artemis arrojó otro dardo.

—¿De verdad acabásteis a puñetazos? ¿Ante el altar?

—No quiero hablar más de esto aquí —dijo Cate.

Su madre no hizo caso.

—¿Fue legal tu matrimonio, Malzard?

—Sí —repuso él secamente.

—¿Nació y se crió en Darlington, lady Malzard? —preguntó la señorita Cecily, con el fin de desviar la conversación.

Prudence lo agradeció, pero no deseaba hablar de su historia.

—No, me trasladé ahí no hace mucho, para vivir con mi hermano. Él es abogado allí.

—Un tal señor Youlgrave —dijo Artemis—. Titulado hace muy poco, tengo entendido, y falto de dinero, pero también afortunado en el matrimonio. Su esposa es la heredera de un comerciante de la ciudad, tengo entendido.

—Cierto —dijo Prudence—, y sí, me he casado con un hombre muy superior a mí en posición social. ¿Es un delito eso?

Artemis la miró furiosa, la condesa viuda se veía malhumorada, y Cate estaba peligrosamente inmóvil y callado. ¿Ella podría dar por acabada la comida levantándose y llevándose a las mujeres? Quedaría encerrada con ellas, pero aliviaría la tensión en el comedor.

Estaba a punto de levantarse cuando habló Optimus Goode:

—¿Youlgrave? ¡Youlgrave! Aaron y Prudence, los hijos de Aaron Youlgrave. —Le sonrió—. Era usted una niña muy inteligente, querida mía; siempre haciendo preguntas. —Se giró a mirar a los demás, mientras a Prudence le caía el corazón al suelo—. Visité la colección de sir Joshua Jenkins —explicó—. Hará unos doce años. Armas y manuscritos medievales maravillosos. Claro que sir Joshua era un inculto. Amasó una fortuna en Oriente, no sé cómo, pero contrató al hombre idóneo para ocuparse de todo. Aaron Youlgrave era un experto en esas cosas. Una lástima que Jenkins lo perdiera todo en el juego y se matara. La colección se dispersó, pero yo adquirí unas cuantas cosas para su padre, milord.

Cate la estaba mirando con una expresión impasible, indescifrable. Ella no le había mentido, pero lo había hecho suponer otra cosa.

—¿Qué fue de su padre, lady Malzard? —le preguntó Goode.

—Murió no mucho después que sir Joshua.

—Ah, lamentable, lamentable. No puede haber sido muy mayor. ¿Y su madre? Encantadora dama.

—Murió hace muy poco.

—Lástima, lástima. Pero habrían estado felices de verla tan bien establecida en el mundo.

—Asombrados diría yo —dijo la condesa viuda—. ¿Un «bibliotecario»?

—Un experto, señora —dijo Goode, en tono bastante glacial—, como yo.

Prudence se levantó.

—¿Té, señoras?

Todas se levantaron.

—Me harás el favor de disculparme, hermana —dijo entonces Artemis. Antes de salir le pasó el papel doblado a la condesa viuda, diciendo—: Disfrutará con la carta.

Las primas Catesby se miraron indecisas y entonces la mayor dijo:

—Tal vez hoy tomaremos el té en nuestros aposentos, querida lady Malzard.

Prudence tenía la esperanza de que la condesa viuda volviera a su madriguera, aunque sólo fuera para leer la carta, pero esta se dirigió a la puerta diciendo:

—Té, por supuesto.

Vaciló en seguirla, pensando si se atrevería a hablar con Cate ahí mismo. No, por muchos motivos importantes, no.

Subió detrás de la lady Malzard viuda, que tenía un don para parecer más alta de lo que era. Por fin conseguía un encuentro con su suegra. ¿Escaparía viva?

Capítulo 30

*E*n el salón quedó clarísimo quien tenía el mando. La condesa viuda ordenó que les llevaran el té y se sentó primero. Prudence casi se quedó de pie como una niña a la que han llamado para reprenderla, pero se sentó, tratando de conservar la serenidad. Pero carecía absolutamente del valor para competir por la supremacía.

—Me chocó la boda de Catesby —dijo la viuda—, pero pensé que era una simple tontería romántica.

—Un romance digno de trovadores —dijo Prudence, irónica.

—Lo que signifique eso. Voy a leer esta carta.

Prudence la observó, como quien observa a un tordo golpear a un caracol contra una piedra hasta que se rompe el caparazón y se puede comer al bichito, sintiéndose como el caracol.

La dama agrandó los ojos y luego movió rápidamente la cabeza de un lado a otro. Levantó la vista para mirarla justo cuando llegó el té. De repente, Prudence tuvo que combatir la risa; lo encontraba todo muy ridículo. Tomó a su cargo la preparación del té, oyendo los pasos del lacayo al salir y cerrar la puerta; después levantó la vista y vio que la viuda la estaba mirando atentamente.

—¿Estás embarazada del hijo de otro hombre?

Ah, había olvidado que ese detalle estaría en la carta.

—No, señora. ¿Se sirve leche con el té?

—Sí. ¿Es verdad eso?

—Eso es un viejo dilema, señora. Lo entiendo. En realidad, todavía soy virgen.

La viuda la miró sorprendida.

—¿Es que este niño no es capaz de hacer nada bien?

—¿Se refiere a Cate? —preguntó ella, y no tuvo que fingir sorpresa.

—Ha sido un desastre en todo lo que ha hecho, y este matrimonio es la culminación.

Prudence pensó un momento, pero muy breve.

—Se equivoca, señora, y considero una gran lástima que una madre hable así de un hijo o una hija.

—¡Ja! Espera a tener algunos. Por improbable que parezca eso, según tú. Sírveme té.

Eso la hizo reír, pero le tembló la mano al servir.

—¿Estás con la regla? No elegiste bien el día de la boda, ¿verdad? ¿Ningún tema merecía discreción?

—No, señora, no estoy con la regla. —Tenía que defender a Cate, y se le ocurrió una explicación—: Debido a la acusación de Draydale, de la que pronto se enterará todo el mundo, decidimos no consumar el matrimonio todavía. Así, si hay un hijo nacerá más de nueve meses después de la boda y no habrá ninguna duda respecto a de quién es hijo o hija.

—Jum. Eso indica más sensatez de la que le atribuyo a Catesby.

—Entonces, señora, parece que no le conoce muy bien.

La condesa viuda entrecerró los ojos.

—Eres una arribista insolente.

—Soy la condesa de Malzard y su nuera. Podemos llevarnos bien o mal, pero estaremos clavadas juntas durante mucho tiempo.

La dama desvió la cara.

—No sé por qué el destino es tan cruel.

Prudence estaba a punto de decirle algo áspero cuando vio que a la mujer le temblaban los labios y recordó que no hacía mucho había perdido un hijo.

—Mi querida señora, comprendo su sufrimiento, de verdad. Es una pena terrible ver morir a un hijo, aún cuando sea adulto. No tengo el menor deseo de hacerla sufrir más, y tampoco lo tiene Cate. Permítale que sea un buen hijo para usted.

La viuda continuó sin mirarla.

—Todo era tan perfecto. Éramos la más feliz de las familias.

—No me cabe duda.

—Sebastian era el mejor de los hijos, y un conde digno.

—Cate me dijo eso mismo una vez.

La viuda la miró.

—¿Sí?

—Sí. Respetaba muchísimo a su hermano. Lo definió algo así como un hijo tierno, un marido leal y un padre amoroso pero firme.

La condesa viuda sacó un pañuelo y se sonó.

—Siempre creí que le tenía envidia. Mi marido también lo creía. Por eso insistió en que Catesby entrara en el ejército. Encontraba que deseaba demasiado Keynings. El primer plan fue que entrara en la Compañía de las Indias Orientales, pero Catesby armó un ridículo alboroto por el trato a los indios, y eso le puso fin a todo. Después no tardó en meterse en deudas y entregarse al libertinaje, por lo tanto, la solución fue el ejército. Habiendo una guerra, podíamos confiar en que lo enviarían al extranjero.

Prudence se dijo que no sacaría nada con regañarla. Pero sí dijo:

—Fue un buen oficial.

—Si las proezas estúpidas cuentan como buenas. Nos enteramos de todas las historias. Al final lo echaron del ejército y tuvo suerte de que no fuera peor. Entonces fue cuando volvió aquí a crear problemas otra vez.

—Tal vez simplemente vino para visitar a su familia.

—¿Por qué, cuando no le importábamos nada? Cuando el bebé murió al nacer no recibimos nada de él. Ni siquiera el mensaje de condolencias más breve.

—Estoy segura de que no recibió la carta.

—Disculpa cómoda. En el mejor de los casos, no le importó; en el peor, lo celebró.

—Señora, sé que eso no es cierto —dijo Prudence, inclinándose hacia ella—. Artemis cree que fue así. ¿No puede convencerla de la verdad?

—No sé la verdad.

—¡Sí, la sabe! No es posible que conozca tan poco a su hijo. Tiene que conocerlo.

La condesa viuda se echó hacia atrás.

—¡No me hables de esa manera!

—Siempre defenderé a Cate.

—Tontamente. ¿Sabes que estaba cortejando a otra en Londres hace muy poco?

Prudence la miró fijamente, temerosa de hablar.

—Veo que no. A la hija de un comerciante en aceite muy rico. Yo no me entrometí. Él necesitaba medios para mantenerse. Supongo que debería agradecer que no me hayan endosado a Georgiana Rumford y sólo a la hija de un bibliotecario.

Temiendo decir lo que pensaba de eso, Prudence se levantó e hizo su reverencia.

—Buenas tardes, señora.

Salió del salón y volvió a sus aposentos hirviendo de rabia, rabia por esa madre cruel y furiosa, y herida por la noticia de que sí había habido otra mujer después de todo. No una exquisita dama de la alta sociedad, sino una heredera de cuna no inferior a la de ella, que habría traído a Keynings una fortuna en lugar de problemas.

Karen salió del vestidor.

—¿Pasa algo, milady?

—No.

—El vestido negro está terminado, milady.

Prudence miró el triste vestido color hollín extendido sobre la cama y deseó gruñir.

Todo iba mal.

Cate tenía una visión idealizada de Keynings, y lo único que veía ella era una casa en que rondaba su hermano difunto y estaba inundada por el rencor y el descontento que brotaban de todas las paredes. Artemis nadaba en el fondo, rezumando más veneno, con la condesa viuda de su parte.

Vio tan viva esa ridícula imagen en la imaginación que se echó a reír. Pero no había nada divertido en ella. Todo iba mal y no tenía idea de cómo enderezarlo.

Sonó un golpe en la puerta de la sala de estar. Karen fue a abrir y volvió diciendo:

—¡Han llegado sus otros baúles, milady!

¿Otros baúles?

Entonces recordó a Perry.

—Ah, sí. Ordena que los suban.

Ya no consideraba importante demostrar que había posesiones en su pasado, pero cualquier cosa iría bien para aligerar la situación.

Eran dos los baúles y al verlos el entusiasmo le elevó el ánimo. ¿Qué habría en ellos? Abrió uno y sacó un vestido verde. Era justo el tipo de vestido que habría sido el favorito de una dama, que tenía ya unos años pero lo conservaba porque era cómodo. Había varios otros similares, pero ninguno apropiado para el luto. Karen los guardó en el ropero, con una expresión que decía lo satisfecha que estaba por empezar a llenarlo.

Entonces pensó si le quedarían bien de talla, pero supuso que al ser elección de Perry sí serían de su talla. Había medias de diversos tipos, entre ellas un par de seda tan bonitas como las que había estropeado, y dos pares de medias zurcidas, para demostrar su frugalidad. Camisolas, miriñaques, cofias, sombreros. Acabó riéndose de lo ridículo de todo, y entonces Karen deseó saber por qué se reía.

—Simplemente es agradable volver a tener mis cosas.

En el fondo había libros y unas piezas de porcelana y cristal muy bien envueltas. Desenvolvió una larga y se encontró con una estatuilla clásica de hombre.

—¡Cielos! —exclamó Karen, y al instante añadió—: Es como esas escandalosas del vestíbulo.

—Sí, pero esta es...

—¡Oh, milord!

Prudence se apresuró a mirar. Era Cate.

—Tus posesiones —dijo él—. Supe que habían llegado.

Prudence lo miró atentamente; no parecía enfadado.

—Como ves —dijo—. Karen, puedes retirarte por el momento.

Tan pronto como salió la doncella, se levantó, diciendo:

—Cate, lamento haberte engañado acerca de Blytheby.

—Me gustaría que hubieras sido sincera, pero sólo para allanarte el camino.

—Sin embargo, ahora se pone más pedregoso por momentos. En la carta de Artemis viene la acusación de Draydale.

—Diablos.

—Cate, tuve que... tenía que decir algo para calmar la ansiedad de tu madre. Le dije que... que habíamos decidido retrasar la consumación.

—¿Cuál fue su reacción?

Eso no se lo diría.

—Yo tenía una explicación excelente. Para que nuestro primer hijo no fuera sospechoso a los ojos del mundo. Y ahora creo que es lo correcto. Que deberíamos... o no deberíamos... Lo siento.

Él la cogió en sus brazos.

—No lo sientas. Ese es un motivo excelente. Mucho mejor que el mío.

—¿El tuyo?

—Te debo una confesión. Tú dejaste claro que Draydale mintió, pero yo no podía creerte del todo.

Ella se apartó.

—¡Cate!

—No en ese sentido. Pero una mujer forzada podría no querer reconocerlo, y no me costaba imaginármelo forzando a su novia.

—Sí que intentó sobrepasarse.

—No me cabe duda. Y en el fondo mi idea fue muy similar a la tuya. No deseaba tener ni un solo momento de duda. No deseaba esa posibilidad suspendida sobre nuestro primer hijo. Eso fue lo único que me refrenó de venir a tu cama anoche.

—Ah, yo pensé que no me deseabas.

Él se rió en voz baja y apoyó la cabeza en la de ella.

—Te deseo, esposa mía. Pero parece que debemos practicar el autodominio.

Ella sintió tan agradable el momento que no quiso estropearlo sacando el tema de la dama de Londres. ¿Qué importaba? Se casó con ella.

—Eres la mujer más reconfortante que he conocido.

Reconfortante no era amor; más parecía un sillón mullido.

—No fui reconfortante cuando me mostré desagradecida en Northallerton. Ni cuando estaba gruñendo por la bonita y elegante lady Malzard.

Él se rió.

—No, pero a mí no me gustan las camas de plumón. Dices lo que piensas; sabes cuidar de ti misma cuando es necesario. Incluso tienes un cuchillo. ¿Has sacado todo lo que envió Perry?

—¿Qué? No.

—Pues debes. —Le cogió la mano y la llevó hasta los baúles. Miró en el fondo del que ya estaba abierto y dijo—: Abre el otro.

Parecía un juego, y eso le encantó. Levantó la tapa del baúl. Encima había otro vestido, envuelto en muselina blanca. Lo sacó y le quitó la muselina.

—¡Ooh, qué inteligente es!

—Retaré a duelo al villano. Pero no, puesto que actúa como mi secretario, me atribuiré el mérito. Es una espléndida gala de luto.

—Se lo agradeceré en particular —replicó ella, poniéndose el vestido por delante para mirárselo—. Es lo bastante largo creo.

—No te quepa duda. Perry jamás se equivoca en asuntos de

moda. —Cogió otro envoltorio de muselina y sacó más ropa negra—. La enagua, supongo. Y aquí está el peto. Todo caro, pero muy, muy sobrio.

Prudence corrió a extender todas las prendas sobre la cama.

—Es precioso.

Era de crepé adornado con blondas, encajes y bordados, todo en negro pero sin brillo. Lo único con algo de brillo estaba en unos rectángulos de damasco que formaban parte del corpiño y en el peto, de la misma tela. Las mangas largas llevaban volantes en los puños, pero del mismo crepé.

De todos modos se veía cetrina, pero como una condesa cetrina.

—Mi sombrero de Storborough quedará perfecto con esto. No te dejaré en vergüenza mañana en la iglesia.

—Venga, explora otro poco.

Era evidente que deseaba que ella encontrara algo, y eso la hizo sentirse como una niña en Navidad. Sacó otros vestidos, pero apenas los miró. La sorpresa de Cate no podía ser eso.

Encontró un costurero, bellamente recubierto por rectángulos bordados. No, ese no era el regalo.

Una cajita de té, llena, pero, como todo lo demás, no era sospechosamente nueva.

—Me alegra tener esto —dijo, pero sabiendo que no era eso lo que estaba buscando.

Había tres paquetes grandes; al desenvolverlos encontró una jofaina y un jarro de porcelana decorados con flores de primavera. Y el otro era un orinal a juego.

Se mordió el labio.

—Exactamente el tipo de cosas que conservaría una dama.

—Más que probable. Perry tiene que haber disfrutado enormemente haciendo esto.

Una caja contenía abanicos de diversos tipos y dentro de un tubo había un quitasol.

Entonces sacó una cajita plana forrada en piel no más larga que su mano. ¿Una joya? La desilusionó un poco que Cate le hubiera encargado ese regalo a su amigo.

Pero cuando la abrió encontró un cuchillo. No, no un cuchillo, esa tenía que ser la daga italiana de la que habló Cate. La funda era sencilla y estrecha, y el mango sólo era una esfera de plata con perlas incrustadas. Demasiado ornamental para ser práctica.

—Ah, encontró una —dijo él—. Le perdonaré la excelencia del resto.

Ella le sonrió.

—Gracias, es preciosa, pero espero no tener necesidad de usarla.

—Yo también lo espero, pero nunca se sabe.

—El mango es muy poca cosa.

—Es una daga para el corpiño.

—¿Una daga para el corpiño?

Él metió un dedo por el centro del corpiño, acercándola.

—¿Cate?

Entonces movió el dedo, produciéndole alarmantes sensaciones; sobre todo cuando le había dicho a la condesa viuda que no...

—El corsé tiene un hueco protegido por las ballenas —dijo él, mirando—. La daga se mete aquí y sólo se ve el mango.

Cogió la daga con su funda y mientras ella estaba temblorosa y aturdida, la introdujo en el hueco del centro del corsé. Después la situó ante el espejo.

—Mira.

Sólo se veía la bonita esfera que era el mango, y parecía un broche.

—Sácala, con un poco de cuidado. La funda es de textura áspera, así que se quedará dentro.

Ella cogió la esfera y tiró, mirándose en el espejo, consciente de que él estaba detrás.

—No es cómoda de coger.

—No es para uso diario. Te servirá para pinchar a un demonio si es necesario.

Ella se giró a mirarlo.

—De verdad espero que nunca sea necesario. ¿Cómo va la matanza de demonios?

—En sólo un par de días me he enterado de muchísimas cosas acerca de los negocios públicos de Draydale y de en qué es vulnerable. Tengo a personas investigando el resto. Estoy seguro de que hay un resto.

—Tallbridge debe de saber muchísimo.

—No recurriré a él, a no ser que sea necesario.

Prudence dejó a un lado la daga y metió el dedo en el hueco del corsé para sacar la funda.

—Permíteme —dijo él.

Ella se lo permitió, y el contacto le gustó demasiado.

Él sacó la funda, que realmente se quedó cogida en el forro del hueco y después se la pasó como una caricia por el cuello y alrededor de los labios.

—Creo que nos está permitido un beso.

Se besaron, largo y profundo, con lo que a ella se le despertaron todas las hambres que no podría satisfacer durante un tiempo.

—¿Cuándo? —preguntó.

—Dentro de unas semanas, como mínimo.

Ella exhaló un suspiro.

—Al menos ahora has visto que Artemis no es la perfección.

—¿Sabías de su inquina? Deberías habérmelo dicho.

—Te habría resultado difícil creerlo. Está desquiciada de pena, creo. No sólo por la muerte de su marido, sino también por su bebé muerto al nacer. Te culpa a ti de lo primero y cree que eres insensible a lo otro.

Él movió la cabeza.

—No supe nada del bebé. Las cartas se pierden en tiempo de guerra. Y en cuanto a lo otro, ¿por qué me culpa a mí? Roe murió semanas después que yo me marché.

—Tal vez entonces le comenzaron los dolores de cabeza.

—No estaba desquiciado de furia. Yo estaba más furioso que él. Hasta ese momento yo no sabía lo mala que era la opinión que él tenía de mí; tampoco me había dado cuenta de la mala opinión que yo tenía de él. Ah, sí que cumplía con sus obligaciones, pero no había ni una pizca de innovación ni aventura en su alma.

Ella le cogió las manos.

—No revivas esa pelea. Lo lamentarás. Tal vez él la lamentó, aunque sólo fuera por haber abierto la caja de Pandora. Su ataque, su muerte, fueron simples coincidencias.

Lo besó, ofreciéndole consuelo, y de ahí él pasó a un fuerte abrazo, que era lo que los dos necesitaban más que ninguna otra cosa.

—Me abrazaste en Northallerton. Jamás olvidé eso.

—Los abrazos son gratis, como el aire. ¿No somos ricos? Vamos a dar ese paseo en coche.

Capítulo 31

*E*sa noche Prudence se sintió menos desgraciada en su solitaria cama, sabiendo que había una finalidad, pero le costaba dormirse, deseando que al menos pudieran compartir una cama. Ansiaba esa proximidad y si estaba con él pensaría menos en lo de la mañana siguiente en la iglesia.

Gracias a Perry podría ponerse ese hermoso vestido, pero sería su primer encuentro con los vecinos. Tal vez asistirían las familias de Sosa, Torpe y Chispa y se ofenderían al verla.

Podría haber otros enfrentamientos también. Artemis vivía encerrada, pero escribía cartas y podría haber derramado veneno en algunos oídos. No, eso no estaba bien. Eso mata a las personas, como al padre de Hamlet.

Había olvidado ordenar que le pusieran almohadas más mullidas, y no eran imaginaciones suyas que el colchón era demasiado duro. La cama de Cate era perfecta para su gusto. Y así continuó, dándose vueltas y más vueltas, con la cabeza zumbando por pensamientos locos, hasta que se quedó dormida.

Karen la despertó, nerviosa.

—Perdone, milady, pero si quiere ir a la iglesia será mejor que se levante.

Dormir otro poco habría sido agradable, pero la llamaba el deber.

El anuncio de que el conde deseaba desayunar con ella le hizo más luminoso el día. Cuando ya tenía puestos la camisola, el corsé y la enagua se puso la bata encima y entró en la sala de estar a reunirse con él. Él le correspondió la sonrisa con igual afecto, pero enseguida ella le pidió que le hablara de las personas importantes de la localidad mientras comían. Las familias de las ex aspirantes a condesa no vivían lo bastante cerca como para asistir al servicio de Saint Wilfred, así que eso la salvaba de esa prueba.

Cuando terminaron de desayunar se separaron para acabar de vestirse. Cuando él volvió ataviado con un sobrio y elegante traje negro, se sintió especialmente agradecida por su fino vestido de luto. Entonces él sacó otra joya.

—Creo que esto se puede usar con la ropa de luto —dijo.

Era un colgante de piedras negras engarzadas en una cadenilla de plata.

—Gracias —dijo, poniéndoselo—, pero soy tan codiciosa que me gustaría ver toda la colección.

—Gusto por la vida. Me gusta eso de ti. ¿Son cómodos tus zapatos? Cuando hace buen tiempo los familiares sanos van a pie a la iglesia. No me preguntes por qué, porque la mayoría vuelven en coche. Pero es la tradición.

—No me importa. Mientras el camino sea llano.

—¿Lo dices en sentido real o metafórico? —preguntó él, irónico, recordándole los retos que la aguardaban.

Dos de los retos estaban esperando en el vestíbulo: Artemis y la condesa viuda. Artemis apretó los labios al verla. ¿Habría deseado verla con el viejo vestido azul teñido? Pero ahora que Artemis ya había enseñado los dientes había dejado de tenerle miedo. Sólo deseaba saber qué podría hacer para ayudarla.

El señor Flamborough, el administrador de la casa, le ofreció el brazo a Artemis, lo que sin duda fue un recordatorio de cuando era a su marido al que le correspondía llevarla del brazo. Ahora debía caminar detrás, cuando hasta hacía tan poco iba a la cabeza de la procesión.

La viuda iba al otro lado de Cate, con una expresión de insatisfacción en su redonda cara. Detrás de Artemis venían las dos hijas mayores acompañadas por la niñera, y más atrás venían los criados que estaban libres a esa hora, seguramente por orden de rango. Y ahí venía la jovencita Karen, al parecer aterrada por formar pareja con el ayuda de cámara Ransom.

Eso le recordó que tenía que encontrar una solución a ese problema.

Fue una caminata silenciosa.

Entraron en el pueblo y apareció la iglesia a la vista. Muchas personas seguían ese mismo camino, además de unos cuantos jinetes y coches. Todos abrieron paso al grupo de Keynings, haciendo venias y reverencias. Prudence se sentía perforada por cientos de pares de ojos. ¿Artemis habría propagado por todo el pueblo los incidentes de Darlington?

Entraron en la iglesia y fueron a situarse en el primer banco, el perteneciente a la familia Burgoyne. Entonces Prudence se dijo que lo único que tenía que hacer para salir bien de esa prueba era causar buena impresión. Sabía qué debía y qué no debía hacer. Todo iría bien.

Fueran cuales fueren las historias que circulaban, después del servicio todos los miembros de la alta burguesía rural demostraron su deseo de presentar sus respetos. O tal vez el de echarle una mirada de cerca a la sorprendente condesa.

Prudence sonreía, asentía y participaba en la conversación haciendo los comentarios apropiados, al tiempo que evaluaba a las personas para ver cuáles eran amigas y cuáles enemigas. La condesa viuda y Artemis estaban ligeramente aparte rodeadas por su propio círculo. ¿De veras había dos grupos, o eso era sólo una impresión fortuita?

Cuando la gente comenzó a dispersarse, en dirección a sus coches o para volver a pie a sus casas, pensó que todo había ido tan bien como podría haber esperado. Incluso una joven casada, la señora Wrotham, podría convertirse en su amiga; le había expresado su esperanza de que le interesara ayudar a los huérfanos de la localidad y ella dijo que sí. La esposa del párroco también intentó interesarla en obras de caridad, pero con menos simpatía.

—¿Prefieres volver en coche o a pie? —le preguntó Cate.

—A pie —repuso ella, con la esperanza de que nadie deseara caminar con ellos.

Vio a Karen alejándose con un alegre grupo; le había dado permiso para ir a comer con su familia.

La estaba mirando salir del camposanto con su familia cuando vio que se acercaba a ella un grupito de pordioseros; Karen se giró a señalar al cura, el señor Loveday. Eso le daría la oportunidad de ver si el párroco y su esposa eran verdaderos cristianos.

Pero cuando los pordioseros se fueron acercando la miraron a ella, no al párroco, con sus expresiones mezcla de angustia y de esperanza. El perro cojo que los acompañaba ladró y corrió hacia ella, con la lengua fuera.

Durante un horroroso instante deseó negar que conocía a Hetty y a sus hijos. No podía hacer eso, pero deseó que no hubieran llegado en ese momento, habiendo aun tanta gente de la localidad cerca. Con el corazón desfallecido al pensar cómo sentaría aquello, se agachó a saludar a *Toby* y luego avanzó hacia su amiga.

—Hetty, ¿qué es esto? ¿Qué ha pasado?

—¡Uy, Pru! Nos echaron de la casa y a Will lo llevaron a la cárcel. No se me ocurrió nadie más que pudiera salvarlo.

Prudence le pasó un brazo por los hombros y el otro por los de los niños.

—Por supuesto, haré todo lo que pueda. —Consciente de la interesada muchedumbre y de las miradas desde los coches de Keynings, añadió—: Entremos en la iglesia y ahí me lo cuentas todo.

—¿Quiénes son esas personas? —gritó la condesa viuda, con voz aguda y clara.

Sin mirar a Cate, Prudence se giró a mirarla.

—La señora Larn es una amiga que me ayudó cuando yo necesitaba ayuda. La ayudaré en lo que pueda.

—La comida se servirá cuando lleguemos de vuelta de la iglesia.

—Yo podría retrasarme, señora. Por favor, no me esperéis.

—Los dos podríamos retrasarnos —dijo Cate, situándose a su lado—. La señora Larn también me hizo un servicio a mí. —Miró a los dos niños llorosos que estaban apoyados en su madre—. Tenéis que estar muy cansados. ¿Os llevo en brazos?

Los dos asintieron, así que los cogió, uno en cada brazo, sin fijarse en lo polvorientos que estaban, y entró con ellos en la iglesia. Prudence entró detrás, llevando a Hetty rodeada con el brazo, amando a Cate más aún. Que el mundo los considerara una vergüenza para su rango; Cristo, esperaba, vería amor y caridad.

Se sentaron en el último banco de la iglesia.

—Ahora cuéntamelo todo —dijo Prudence.

Hetty apretó en la mano un muy usado pañuelo.

—No debería haber venido, ¿verdad?, sobre todo aquí, estando tú tan elegante y con tus amigos finos. Te he puesto en evidencia delante de su familia, ¿verdad?

—No digas tonterías. Dime qué le ocurrió a Will. ¿Por qué lo arrestaron?

—Todo fue así. Will se fue a su trabajo como siempre, y unas horas después golpearon muy fuerte la puerta y unos alguaciles dijeron que teníamos que desalojar la casa porque a Will lo habían llevado a la cárcel por robo y el casero no quería ladrones en sus casas. —Se giró hacia Cate—. No fue justo, señor. Will no es un ladrón.

—Claro que no —dijo Prudence.

—¿En qué trabaja su marido? —le preguntó Cate.

—Es mozo del establo en la Crown, señor, y es tan honrado como el día es largo.

—¿Qué dicen que robó?

—Unos dineros que un hombre dejó en una bolsa en su caballo. Robar está castigado con la horca, señor. ¡No pueden colgar a mi Will!

Las lágrimas formaron nuevas huellas en las polvorientas caras de los niños. Prudence se las secó con su pañuelo.

—No permitiremos que llegue a eso.

—Pero ¿qué puede hacer nadie? —gimió Hetty—. Sólo pensé que tú, que te casaste con él y él es tan... bueno, un señor, y vives en la casa de un conde... No sabía a qué otra parte ir. Mi familia no puede hacer nada en esto. Ni siquiera me atreví a dejarles a mis niños porque hay algo que no está bien en esto, señor. Hay algo que no está bien.

A Prudence le vino una horrorosa idea. Miró a Cate y moduló: «¿Draydale?»

Él agrandó los ojos, luego asintió y apretó los labios en una expresión adusta.

—¿Qué le hace pensar que hay algo más que una acusación injusta?

—Han ocurrido otras cosas, señor. Unas noches atrás alguien rompió los cristales de una ventana de la casa donde vivías tú, Pru, y arrojó trapos ardiendo, empapados en aceite. Los Armstrong, que viven ahí ahora, apagaron el fuego y evitaron el incendio, pero nadie logró imaginarse quién podría haber hecho una cosa así. Después no funcionaba la bomba del patio y resultó que la habían manipulado.

Draydale. Esos eran mensajes, que les haría daño a través de otros, y tal vez que sabía lo de White Rose Yard, y aprovecharía ese conocimiento para vengarse.

Cosas pequeñas para empezar, pero con la manipulación de la rueda del coche podría haberlos matado o dejado mal heridos, y como consecuencia de ese último golpe podrían colgar a Will.

—¿Dónde está su marido ahora? —preguntó Cate.

—En la cárcel, y es un lugar horrible y sucio, señor. Fui a verlo pero no pude llevarle nada porque los alguaciles no lo permitieron. El carcelero nos dejó apenas un momento para estar juntos. Le dije que iba a recurrir a usted, señor. A usted y a Pru. Alguien dijo que podrían llevarlo a juicio mañana.

—Sólo a los magistrados —dijo Cate—. Si ellos lo juzgan culpable, lo retendrán ahí hasta las sesiones jurídicas. Entonces yo ya me habré encargado de todo. No se preocupe.

—Pero ¿qué puede hacer usted? —gimió Hetty—. Pensé que usted podría, pero la ley es la ley, y le encontraron tres guineas y otras cosas en su bolsa, donde la cuelga en el establo cuando llega al trabajo. No hay nada que pueda hacer. Nada que pueda hacer nadie.

—Hetty —le dijo Prudence—, mi marido es el conde de Malzard. Perdona que no te lo dijera, pero deseábamos mantenerlo en secreto uno o dos días más.

—¡¿Conde?! —exclamó Hetty. Su expresión de incredulidad era la misma con que reaccionó ella cuando Cate se lo dijo, pensó Prudence, aunque ahora él lo aparentaba más—. Cielos —susurró, impresionada—. Pero, Pru, eso significa... ¿eres una «milady»?

—Pues sí.

—¡Cielos!

—Para ti sigo siendo la misma Pru, pero verás que mi marido tiene poder para arreglar las cosas.

—Ah —dijo Hetty, secándose los ojos—. Ah.

Y se echó a llorar con la cara apoyada en el pecho de ella.

Apareció el párroco, a preguntar si era necesaria alguna ayuda, aunque su expresión era de renuencia y desaprobación. A ninguna parroquia le gustaba que llegaran vagabundos esperando ayuda de los fondos locales. Prudence deseó poder llevar a Hetty a Keynings, pero ¿dónde podía alojarla ahí? En ninguna de las grandiosas habitaciones, seguro. ¿Habría alguna casita desocupada en la propiedad?

—La señora Larn y sus hijos vendrán con nosotros a Keynings, Loveday —dijo Cate—. ¿Se quedó a esperar alguno de los coches?

—Sí, milord —dijo el párroco, ya no desaprobador sino asombrado.

Los niños se habían adormilado y apenas despertaron cuando Cate los cogió en brazos. Prudence cogió a *Toby* y ayudó a Hetty a levantarse y a salir en dirección al coche. Cuando llegaron al vehículo Hetty retrocedió, como si tuviera miedo de subir.

—Estamos demasiado sucios para sentarnos en esos asientos tan finos.

—No seas tonta. Sube, Hetty. Todo irá bien. Te encontraremos un lugar para descansar y habrá comida también. ¿Cuándo comiste por última vez?

—Antes —repuso Hetty, sentándose muy rígida en el asiento tapizado en brocado—. Y no tenía dinero, ¿sabes? En el campo la gente no es amable con los desconocidos, ¿verdad?

—No si parecen vagabundos —reconoció Prudence.

Los Stonehouse habían sido generosos, pero se habrían mostrado mucho más recelosos ante un grupo polvoriento y desaliñado, y con razón. Muchas veces eran ladronzuelos llenos de pulgas en el mejor de los casos, o ladrones declarados en el peor.

—Mi padre siempre lamentaba la destrucción de los monasterios —dijo—, porque cuando estaban en buena situación ofrecían caridad a todos y eran capaces de hacer frente a los robos y de solucionar otros problemas.

—Mientras que ahora —dijo Cate— las parroquias son las responsables de esos servicios, vale decir, los contribuyentes. Naturalmente, no quieren hacerse cargo de los problemas de otros. El verdadero cristianismo puede no serlo tanto en la práctica, ¿verdad?

Pero él era un verdadero cristiano, con toda su alcurnia y privilegios, pensó Prudence. De todos modos, seguía pensando dónde iban a alojar a Hetty y a los niños.

Cuando llegaron a Keynings Cate le ordenó al cochero que los llevara a la entrada del ala norte.

—Ahí hay desocupado por lo menos un conjunto de aposentos —le explicó a Prudence—. De momento servirá.

¿Los iba a alojar en Keynings? Eso era más de lo que habría esperado, y una parte de ella tembló al pensar en la reacción de los demás residentes. ¿Cómo reaccionarían a esos vecinos las hermanas Catesby, Optimus Goode y el señor Coates?

Intentó desechar esos temores. Keynings era su casa y a Cate y a ella les correspondía llevarla como quisieran. Sólo rogaba que los aposentos no intimidaran tanto a Hetty que se sintiera incómoda.

A Hetty le asombraron, evidentemente, y sí se puso nerviosa, pero las necesidades de sus hijos eran más importantes. Al ver que Cate iba derecho hacia el dormitorio a ponerlos en la cama, dijo:

—¿Dónde puedo ir a buscar agua para lavarlos antes, Pru? Están profundamente dormidos, los pobrecillos, pero van a ensuciar las sábanas, y eso es terrible.

—Por supuesto —dijo Prudence, pero no vio ningún cordón para llamar.

—Yo enviaré a alguien —dijo Cate, poniendo suavemente a los niños en el sofá.

Cuando él salió, Hetty exclamó:

—Eso va a ser más difícil de limpiar que las sábanas.

—A él no le importará. Sólo habrá pensado que la cama será más cómoda si las sábanas están limpias.

—Uy, Pru, es un hombre encantador, pero no encuentro correcto que nos alojemos aquí.

—Es correcto, por supuesto. Sois mis huéspedes.

Entró una criada, más o menos de la edad de Karen, y de categoría inferior, con un jarro con agua caliente, y detrás de ella entró otra con uno de agua fría. Las dos agrandaron los ojos, sorprendidas, pero no mostraron ningún tipo de insolencia.

Prudence les dio las gracias y envió a la primera a buscar comida.

—Algo sencillo y rápido, que no necesite preparación. Y un cuenco para ponerle agua al perro.

Toby estaba tan cansado como los demás, y se había echado a dormir cerca de los niños, pero necesitaría salir y entrar. Había que atender a muchos detalles.

Ayudó a Hetty a lavar a los polvorientos niños, que apenas despertaron, y casi lloró al ver las ampollas que tenía Willie en los pies.

—Y no se quejó ni una sola vez —dijo Hetty, besándoselas.

—Me imagino que tú también tienes ampollas.

—Sí, pero yo entendía la necesidad. No sé si él también.

Acostaron a los niños en la enorme cama, les remetieron las mantas y pasaron a la sala de estar, donde ya esperaba la comida: pan, carne fría, queso y una jarra pequeña de cerveza.

Con el instinto propio de un perro, *Toby* despertó y las siguió trotando. Bebió del cuenco y luego miró hacia la mesa. Prudence le puso un trozo de carne en el suelo.

—Cuando los niños despierten, Hetty, manda a buscar leche para ellos y cualquier otra cosa que necesiten.

—¿Cómo?

—Excelente pregunta. Yo aún no me aclaro mucho con esas cosas. Ordenaré que te pongan una criada para atenderte, que esté a mano para hacer recados.

—Uy, Pru...

—No discutas. Es la única manera. Esta es una casa enorme.

Hetty bebió un largo trago de cerveza.

—Si tú crees que es lo mejor... Debería llamarte «su señoría», ¿verdad? Tú tan grandiosa y todo eso.

—No te atrevas, que entonces yo te llamaré Hesther —bromeó Prudence—. Me alegra que hayas recurrido a mí, Hetty. Creo que sé cual es la causa de tu desgracia, y en último término todo viene a ser asunto mío, así que a mí y a mi marido nos corresponde arreglar las cosas, y lo haremos.

—Es ese tipo de hombre, ¿verdad? —dijo Hetty, hincando el diente en un trozo de pan—. Uno que hace las cosas, como mi padre.

La comparación hizo sonreír a Prudence, pero era cierta; esa es una cualidad que no depende del rango.

—Sí —dijo—. Siéntete cómoda aquí, Hetty, porque eres mi primera huésped y me eres muy querida.

—¿Yo?

—Tú —repuso Prudence, comprendiendo lo cierto que era eso; Hetty era su querida amiga y deseaba tenerla cerca. De alguna manera—. Eres sincera, amable y fuerte, y de verdad he echado de menos tu pan de avena.

Hetty se rió.

—Venga ya. ¿Teniendo comida como esta?

—Me gusta la comida de aquí, pero a veces la comida es más que comida.

Prudence salió de la sala de estar sintiéndose curiosamente liberada. No sólo tenía una amiga, que significaba más para ella de lo que había pensado, sino que, además, se había visto obligada a dejar de lado su inquietud por ser una condesa perfecta. Era lo que era, ella misma, y eso tendría que bastar. La gente ya sabía gran parte de lo peor acerca de ella, de modo directo o indirecto, así que sobre su cabeza no se cernía nada.

Y Cate... Su amabilidad con Hetty y sus hijos había sellado su amor por él. Era la más afortunada de las mujeres. Deseó ir inmediatamente a reunirse con él, pero antes tenía que ocuparse de otros asuntos. Volvió a su sala de estar e hizo llamar al ama de llaves.

—¿Es posible que la criada que le llevó agua a mis huéspedes se ocupe de atenderlos durante un tiempo, señora Ingleton?

—Sí, por supuesto, milady —repuso la mujer, pero sorprendida.

—¿Se sentirá rebajada por eso? No quiero ninguna descortesía hacia mi «amiga».

La expresión del ama de llaves fue indescifrable, pero dijo:

—Sin duda a Clarry le gustará realizar un trabajo más liviano. Mientras los huéspedes no se porten mal.

Prudence comprendió que enfadarse ante eso no le serviría de nada.

—A la señora Larn y a sus hijos los desalojaron injustamente de su casa, señora Ingleton, y a causa de eso llegaron aquí tan a mal traer. Tuvieron que caminar desde Northallerton. Ahora están descansando, pero cuando despierten van a necesitar ropa limpia. ¿Podemos darles eso?

—Sí, milady —contestó el ama de llaves, con expresión más compasiva.

Todo el mundo sabe que el mundo en que viven es injusto a veces.

—Será necesario darles lo que sea que pidan —dijo, y entonces se le ocurrió otra manera de apaciguar a la mujer—. Creo que usted tiene un ungüento milagroso, señora Ingleton. Al niñito en particular le iría bien que se lo aplicaran cuando despierte, tiene los pies llenos de ampollas.

—Uy, pobre niño. Le daré un poco a Clarry, milady.

Prudence le dio efusivamente las gracias, y cuando salió la mujer, expulsó el aliento en un soplido. Al parecer eso había ido bien. Ahora necesitaba hablar con Cate. Él se había mostrado amable y acogedor, pero ¿cómo reaccionaría a su deseo de tener cerca a Hetty? No en la casa, pero cerca. Will trabajaba con caballos; podría dársele trabajo en el establo. Podrían tener una casita cerca; se podría construir una si era necesario.

No le costó imaginarse los problemas. Deseaba tener cerca a Hetty como amiga, pero si eso molestaba a los criados e inquilinos, sería un nuevo pandemónium. Podría hacerle aun más daño a su reputación entre la gente bien de la localidad. Se imaginó los comentarios que haría Artemis, tal vez ayudada por la condesa viuda y las hermanas Catesby.

Más importante aún, tal vez Hetty no se sentiría cómoda con la situación. Era una mujer a la que le gustaba relacionarse con su comunidad. Si la consideraban una intrusa privilegiada, sufriría muchísimo. Se frotó la frente; sí, debía hablarlo con Cate, o, mejor dicho, necesitaba estar con Cate.

Cuando envió a Karen a averiguar su paradero, se enteró de que estaba reunido con sus empleados y funcionarios más importantes. Debió hacerlos venir interrumpiendo su comida del domingo, por lo tanto, era urgente, y sabía de qué tema tratarían.

Draydale. Su crueldad para vengarse a través de otras personas requería una acción rápida, y esperaba que Cate lograra hacerlo sufrir lo que se merecía.

Entonces, ¿qué debía hacer en ese momento? No le interesaba ir a comer.

Cuando despertaran, los niños agradecerían tener algo con que entretenerse, como libros y juguetes. Subió a la planta de los niños, buscando las salas cunas y las aulas. Recordaba haber pasado por ellas en el primer recorrido de la casa, pero tendría que ir probando.

Mientras se acercaba, oyó voces. Claro, no estarían vacías. Las hijas de Artemis y sus niñeras tenían que estar ahí. ¿A Artemis le molestaría su intrusión? Nerviosa, entró en la sala de estar y no pudo reprimir un mal gesto al ver que no sólo estaban las tres niñas, sino también Artemis, con expresión glacial.

La sala era pequeña y acogedora, amueblada en un estilo cómodo para entretener a niños. Había estanterías con un buen número de libros, además de muñecas, una casa de muñecas, bloques y otros juguetes. Qué maravillosos les parecerían a Willie y a Sarah.

—Perdonad mi intrusión —dijo—. He traído a la casa a la señora Larn y a sus hijos, y por el momento están instalados en el ala norte. Ahora están durmiendo, pero se me ocurrió que aquí podría haber juguetes y materiales de aprendizaje que se les pudiera prestar.

Las dos niñas mayores se habían puesto de pie y hecho sus reverencias, pero estaban inmóviles como estatuas. La pequeña, que estaba sentada en el suelo en medio de un montón de bloques, le sonrió. Sin pensarlo, Prudence le sonrió también. La niñita se puso de pie y corrió a cogerse de sus faldas, riendo.

Prudence miró a su cuñada, y al ver que no ponía objeciones, cogió en brazos a la encantadora niña y la besó en la mejilla.

—¿Eh que eres preciosa, nininini? —Cayó en la cuenta de que había empleado ese término cariñoso que había oído en White Rose Yard, pero no le importó. Les sonrió a las otras dos niñas—. Buenos días.

Ellas volvieron a hacer sus reverencias y contestaron al saludo, pero de forma distante. Estaba claro que Artemis la había pintado en tonos oscuros. Intentó poner simpatía en la atmósfera.

—Lo siento, pero no sé cómo os llamáis, queridas.

Ellas miraron a su madre, como si sus nombres fueran un secreto.

Artemis exhaló un suspiro.

—Permíteme que te presente a Flavia, mi hija mayor. —La más alta hizo una reverencia—. Y a Julia, mi segunda hija. —Otra reverencia—. La menor es Maria.

Al oírse nombrar por su madre, la pequeña se movió inquieta como para ir hacia ella, así que Prudence la llevó.

Artemis la cogió en los brazos y le apoyó la cabeza en el hombro.

—Faltaría más, coge todo lo que quieras, hermana.

Prudence paseó la mirada por la sala, pensando qué juguetes serían especiales para sus sobrinas.

—Tal vez vosotras podríais elegir algunos —les dijo a Flavia y a Julia—. ¿Hay algún juguete apropiado para un niño? Y libros. Sólo están comenzando a aprender a leer.

Las niñas se pusieron a la tarea con buena voluntad y Prudence no tardó en salir con un cesto de juguetes y cosas para entretenerse. Le gustaría ser una tía amorosa, pensó, pero dudaba que se le diera la oportunidad.

Capítulo 32

*P*rudence fue a dejar el cesto y la alegró que le abriera la puerta la criada a la que le habían asignado el trabajo de atender a Hetty. Los tres estaban durmiendo la informó la chica en un susurro, al parecer contenta con su nuevo trabajo.

Entonces Prudence cayó en la cuenta de que tenía hambre, pero no tenía la menor intención de ir al comedor por si aún estuvieran sirviendo la comida. Volvió a sus aposentos y envió a Karen a averiguar dónde estaba Cate y si había comido. La chica volvió con una invitación de él a reunírsele en su biblioteca. Cuando llegó ahí vio que él estaba comiendo.

—Ordené que pusieran cubiertos para ti —explicó él—, pero puesto que estabas ocupada, no te esperé. Tenía hambre.

Era la primera vez que ella estaba en esa sala. Se parecía más a su sala de estar de lo que había imaginado. Cuando se sentó, se lo comentó.

—Antes tenía paneles de roble y era masculina.

Mientras se servía sopa en el plato, ella evaluó su tono.

—Tu hermano la cambió, como cambió el vestíbulo.

—Y yo no puedo devolverlas a su estilo anterior sin parecer insensible o incluso hostil. Las pinturas son las que compró Roe en su *tour*.

—¿Tal vez a Artemis podría gustarle tenerlas? —sugirió ella, comenzando a servirse la sopa.

—¡Maravillosa dama! Y los muebles también, si los aceptara. Gracias.

—A mí me gustaría que se llevara los muebles de la sala de estar también. No lo digo en mal sentido, pero esa sala es de ella, no mía, y está impregnada de su amargura.

Él exhaló un suspiro.

—Aquí me siento siempre consciente de que Roe debe de estar haciendo rechinar los dientes en su tumba.

—Está en el cielo —repuso ella—. Estoy segura de que en el cielo se saben las verdades.

—Según el caso, esa es una idea alarmante.

Ella lo miró moviendo la cabeza y le explicó las disposiciones para atender a Hetty. Después le habló de su deseo de tener a su amiga en Keynings.

—¿Eso causaría muchos problemas?

Él hizo un mal gesto.

—Tal vez sí, depende. Pero si Hetty y su marido están dispuestos, lo intentaremos. ¿Te apetece una pieza de pollo? —Mientras le servía, continuó—: Si eso es causa de discordias, puedo darles casa en otra parte; tal vez una posada propia.

—Eres muy generoso —dijo ella sonriéndole.

Él sirvió vino en la copa de ella y volvió a llenarse la de él.

—Dar un poco cuando se tiene tanto no merece elogio. Pero sé que a ti te gustaría tenerla aquí.

—Pero no si se siente desgraciada. Sé muy bien cómo es no estar hecha para vivir en ciertos lugares. Ahora explícame tus planes respecto a Draydale.

—Hice un repaso de todo lo que sabemos sobre sus fechorías y he puesto a gente a recopilar toda la información de forma útil. Por desgracia, aún no hemos descubierto nada que sea rotundamente ilegal, pero sí mucho para deshonrarlo. Me gustaría actuar ya, pero muchas personas se opondrían a causar alboroto el día del Señor. De todos modos he enviado a personas a Northallerton a ocuparse de Will Larn. Pagar por comodidades en la cárcel y dejar claro a las autoridades que una persona importante se interesa por él. Mañana contratarán a un abogado para su defensa.

—Si el denunciante se entera de que el conde de Malzard está de parte de Will, es probable que huya de la región.

—Lo cual iría bien en un sentido, pero mis hombres tienen la orden de no permitir que ocurra eso a no ser que sea absolutamente necesario. Es darme un gusto, pero espero asustar a Draydale con ese detalle. También me interesa que el denunciante no desaparezca, porque se lo podría persuadir para que testimoniara sobre la implicación de Draydale en el asunto.

A ella la recorrió un ligero estremecimiento ante su tono, pero sí deseaba ver castigado a Draydale.

—Luego están la manipulación de la rueda del coche y el intento de incendiar la casa donde viviste. Ese incendio podría haber costado vidas, como también el vuelco del coche. Mis hombres buscarán a los involucrados. Dudo que alguna de estas cosas baste para deportarlo, y mucho menos para llevarlo a la horca, pero tendría que disminuir sus poderes, lo cual será un comienzo.

—Y, como has dicho, la pobreza y la impotencia serán un infierno para él.

Él bebió un trago de vino.

—Pero de todos modos me gustaría darle un golpe más contundente. Ser conde desde hace tan poco tiempo me debilita. La gente no tiene ningún motivo para temer mi poder.

—¿Habrían temido el poder de tu hermano? Eso lo encuentro casi medieval.

—En el norte queda muchísimo del pasado, y la nobleza de aquí ejerce más poder público. Estoy seguro de que Roe mostraba un puño con guantelete de malla cuando era necesario. Mi padre hacía eso, ciertamente.

—Yo podría ser un problema en eso, ¿verdad? —dijo ella, ceñuda—. La hermana de Aaron Youlgrave, causante de ese escándalo

ante al altar, no encaja con antiguos linajes ni con el poder establecido.

—Y yo soy el caballero mal vestido que la ayudó. —Levantó la
copa en un brindis por ella—. Somos guerreros por lo menos, y la
gente ha visto eso. ¿Has terminado? Deseo enseñarte mi bañera.

—¿Tu bañera?

—Adecuada para un guerrero. Ven a verla.

Entraron en el vestidor y ella miró boquiabierta la inmensa bañera sobre su tarima.

—¡Casi se podría nadar dentro!

—No del todo, pero podría servir para otros juegos. —Sonrió
travieso, pero sólo añadió—: Podríamos nadar en el lago.

—¿Nadar? Las mujeres no nadan, ¿verdad?

—Tú puedes si quieres. Yo te enseñaré.

Prudence no estaba nada segura sobre eso ni sobre lo de la bañera.

—Seguro que se necesitan baldes y baldes de agua.

—Tener criados es una buena obra. Reparte nuestra riqueza.

—Creo que debería poder rebatir ese argumento...

—No lo intentes. En lugar de eso, úsala. Usa esta bañera siempre que lo desees.

—Debe de ser maravilloso bañarse ahí. Y yo sólo tengo una
muy pequeña. —Miró las paredes—. Esta es una habitación muy
hermosa también. ¿Las pinturas son copias de pinturas romanas?

—La visión del Olimpo de algún pintor. Deberías tener un vestidor y una bañera igual de grandes. Ven.

La llevó a toda prisa a los aposentos de ella y fue a inspeccionar
un dormitorio contiguo.

—Este. Puedes diseñar y decorar todos los detalles a tu gusto.

—Pero perderemos un dormitorio.

—No nos escasean, pero si fuera necesario, construiremos otra
ala.

Ella se rió, pero ya no encontraba ilógica esa actitud.

El lunes al despertar se encontró con una nota de Cate en la que le comunicaba que Will Larn estaba todo lo cómodo posible en la cárcel y ya tenía un abogado preparado para ocuparse de su caso.

Se puso el vestido azul teñido de negro y fue a darle la buena noticia a Hetty. Los encontró a los tres con ropa limpia y fascinados por haberse bañado, con agua limpia cada uno. Los niños, que tenían libros y juguetes, estaban disfrutando de su nueva situación al parecer sin preocuparse de nada. Hetty seguía nerviosa, temiendo que los niños ensuciaran o estropearan algo.

—No debes preocuparte de nada —le dijo Prudence.

—¿Cómo no me voy a preocupar? Sería un pecado estropear estas cosas tan hermosas.

—Los niños son cuidadosos, pero ¿por qué no los llevas fuera para que puedan correr y *Toby* también?

—¿Estará bien eso?

—Sí, por supuesto.

Los llevó al jardín, donde los jardineros y encargados del parque estaban ocupadísimos trabajando. Les enseñó el columpio y los niños se columpiaron por turnos, riendo encantados. Un columpio era algo sencillo. ¿Por qué no tenían uno en un lugar como White Rose Yard?

Sintió ganas de tomar el desayuno, y la costumbre de tomarlo con Cate ya estaba tan fijada que no se lo podía imaginar de ninguna otra manera.

—Tengo que volver a la casa —le dijo a Hetty—. Disfruta del jardín. —Entonces recordó a Draydale; la mañana estaba tan apacible que era difícil imaginarse un peligro, pero de todos modos añadió—: Por ahora no os alejéis tanto que quedéis fuera de la vista de la casa.

Hetty agrandó los ojos y asintió.

—¿Podemos ir al lago, mamá? —preguntó Willie.

—Todavía no —repuso Hetty.

Prudence volvió a la casa a toda prisa, irritada por los problemas que causaba Draydale. Cuanto antes estuviera derrotado, mejor.

Encontró a Cate en su sala de estar, ya desayunando, pero él se levantó a besarla.

—¿Toda vestida y llena de energía?

—Fui a darle la buena noticia a Hetty. Están acostumbrados a levantarse temprano, así que ahora están fuera. —Sentándose añadió—. Les advertí que no se alejaran mucho de la casa.

—Muy bien. He ordenado que todos los hombres disponibles hagan algún trabajo fuera para que estén vigilantes por si hay peligro.

—Qué concienzudo eres.

—Años de práctica tratando de mantener vivos a mis hombres. Siempre he detestado las pérdidas de vidas a causa de la negligencia por parte de los superiores. Eso era otra cosa que me enemistaba con algunos en el ejército. No permitiré que Draydale le haga daño a alguien aquí.

—¿De veras lo intentaría?

—Él no se va a poner en peligro de que lo condenen por asesinato, pero si puede mutilar o matar aparentando un accidente, lo hará. En especial ahora. Tiene que haberse enterado de lo que he puesto en marcha en Darlington.

—Buen Dios, hemos aumentado el peligro.

—¿Preferirías dejar a Will Larn sin ayuda?

—No, pero detesto todo esto. ¿Por qué no podemos acabar con él ahora?

—Impaciente, como siempre —dijo él, sonriendo—. Igual que yo. Pero va llegando más información. Un día más podría traernos clavos más grandes para su ataúd. Pero sólo un día más. Mañana iré a Darlington a montarla. ¿Quieres acompañarme?

La idea la sobresaltó, pero enseguida dijo:

—Sí. Sobre todo si puedo ver su caída en el infierno.

—Haré todo lo posible, lo prometo. Por el momento son muchas las personas vulnerables. Está atacando a todas las personas relacionadas contigo, incluso a los nuevos inquilinos de la casa donde vivías.

Prudence detuvo a medio camino de la boca el panecillo con mantequilla.

—¡Los Stonehouse! ¿Draydale podría saber de ellos?

—Condenación, sí, por el mozo de Tallbridge. —Se levantó y le dio un rápido beso en los labios—. Debo enviar hombres ahí, a avisarles y a ocuparse de que estén a salvo. ¿Se te ocurre alguien más?

Prudence lo pensó.

—Si Aaron y Susan están seguros, creo que no. En White Rose Yard yo no intimaba con nadie aparte de Hetty.

Cate se marchó y Prudence descubrió que la había abandonado el apetito. Nerviosa por Hetty volvió a salir, pero vio que estaban cerca de la casa. Los niños estaban jugando con una pelota, ayudados por *Toby*; Hetty estaba sentada en un banco bajo un árbol. ¿Estaría gozando del descanso o inquieta por hacer algo?

Oyó voces infantiles procedentes del otro lado y vio que las hijas de Artemis estaban cerca del lago. Le encantaría ver a todos los niños jugando juntos, pero eso sería pedir demasiado.

Flavia y Julia atravesaron corriendo el pequeño puente chino que cruzaba el riachuelo que llevaba agua al lago y de pronto ella se sintió nerviosa. El agua era un peligro, y en la retorcida y vengativa mente de Draydale cualquier persona de Keynings era un blanco.

No obstante, había un extraordinario número de hombres trabajando fuera, algunos limpiando de cañas y carrizos la orilla del lago. Decididamente Cate se preocupaba, tal vez demasiado y de demasiadas personas, pero lo comprendía.

Pero no podía quedarse ahí rondando y buscando peligros por todas partes. Tenía sus obligaciones. Volvió a la casa y entonces, aunque sintiéndose tonta, se metió el antiguo cuchillo en el bolsillo y la daga en el hueco del corsé.

A la hora de la comida se presentó toda la familia. Aparte de decir «¿Tus amigos no van a comer con nosotros, Prudence?», la condesa viuda no creó ningún problema, y Artemis estuvo callada. El señor Goode parecía considerarla sinceramente una vieja conocida.

Las hermanas Catesby se sentían reanimadas por los niños.

—Qué situación tan triste —comentó la señorita Catesby—. Qué trato tan cruel.

El señor Coates disertó extensamente sobre las leyes para la vagancia y Cate aportó sus opiniones, y así discurrió la conversación hasta que la condesa viuda dijo:

—Espero que esos niños se comporten. No pueden estar acostumbrados a un entorno como este.

—Se portan muy bien —dijo valientemente la señorita Cecily—. No oímos ningún ruido, ¿verdad, hermana? El perrito también; no ladra.

—Mala raza —dijo la viuda.

Prudence decidió creer que se refería al perro.

El quebradizo humor continuó durante el té, pero no hubo una franca declaración de guerra y nadie se quedó mucho tiempo. A Prudence la sorprendió caer en la cuenta de que simplemente ya no le importaba. La condesa viuda y Artemis podían asarse en sus amargas salsas; por su parte, ella tenía mejores cosas que hacer.

En lo inmediato, deseaba ver si Willie y Sarah podrían pasear en bote por el lago sin riesgo. Osadamente entró en las oficinas para preguntárselo a Cate; pasó por la primera sala sin mirar a los escribientes, aunque por el rabillo del ojo vio que se ponían de pie, y que eso era ridículo. En la oficina interior encontró a Cate solo leyendo unos papeles.

Se besaron como si eso fuera tan natural como respirar.

—¿Habría riesgos? Sin duda sería maravilloso para ellos.

—Esta mañana hice revisar los botes y el puente, y hay hombres trabajando cerca, así que nadie tendría la posibilidad de hacerles daño. Iré contigo para organizarlo.

Ella miró los papeles que tenía sobre el escritorio.

—¿No tienes muchos asuntos que atender, milord?

—¿Atándome a mis deberes, milady? Voy a hacer novillos otra vez. La última vez fue muy gratificante.

Sonriendo, volvieron a besarse y salieron en busca de sus huéspedes.

Encontraron a Hetty y a los niños de vuelta en sus aposentos, pero al oír hablar de un bote Will se mostró deseoso de ir. Sarah no estaba muy segura, pero aceptó caminar hasta el lago. Los botes se guardaban en un cobertizo, y Cate le ordenó a un hombre que revisara uno otra vez y llevara a Hetty y a los niños a dar una vuelta por el lago.

Prudence se quedó mirándolos, tan contentos y entusiasmados.

—Espero que se queden.

—Este es un ejemplo de los problemas —le advirtió Cate—. De momento son huéspedes, pero si Will Larn estuviera trabajando aquí, su familia no podría tener los privilegios que se niegan a otros criados. De todos modos, no veo ningún motivo para que los botes no estén disponibles para todos de vez en cuando. A los hombres ya se les permite pescar en el lago en sus ratos libres. No, eso no se debe a mí. Fue mi padre.

—Era tan bueno como tú, entonces.

—Digamos, más bien pragmático. Él no era aficionado a pescar, así que no le importaban los peces del lago. Cuando tenía huéspedes a los que les gustaba la pesca, los criados sabían mantenerse alejados. ¿Te gustaría dar una vuelta en bote? —Al verla vacilar la embromó—: ¿Tienes menos valor que los niños de Hetty?

—Maldito —dijo ella amablemente—. Muy bien, pero si me ahogo será culpa tuya.

Él la llevó al cobertizo y soltó las sujeciones de un bote de fondo plano, lo arrastró hasta el agua y le tendió la mano.

—¿Y si se ladea?

—Yo no lo permitiré.

—Lo sé, lo sé, «confía en mí». Supongo que debo agradecer el haberme puesto mi vestido más feo, así si se estropea al empaparse la pérdida no será tan grave. Pero si me ahogo, tú tendrás la culpa.

—Si te ahogas, yo me ahogaré contigo.

Ella lo miró sorprendida, pero él estaba acomodando cojines en la parte de atrás del bote. Entonces se giró y le tendió la mano. Ella se la cogió, subió al bote pisando con sumo cuidado, se sentó y se remetió las faldas. Él se quitó la chaqueta y se la entregó a ella, luego cogió una vara, subió al bote y, situándose en el otro extremo, la metió en el agua hasta el fondo y la usó para alejar el bote de la orilla. El bote se zarandeó un poco y al instante ella se cogió de los lados.

—Confía en mí —dijo él, sonriendo.

—¿Cuánta práctica tienes en esto?

—Muchísima, pero cuando era un muchacho.

—Eso es lo que me temía.

Él sonrió de oreja a oreja y con la vara dio un fuerte impulso al bote llevándolo hasta el centro del lago, pero lejos del otro en que iban los niños riendo.

Prudence nunca se había sentido tan desamparada en toda su vida. El lago no era muy grande, pero sólo la sostenía el bote. Y Cate. Sin el bote y sin Cate estaría a merced del agua y se ahogaría.

—No te mueras —dijo.

—¿Impulsando el bote? Claro que no.

—Nunca. Quiero decir hasta pasado mucho, mucho tiempo. Tú eres lo único que tengo en este mundo.

Él la miró serio, haciendo avanzar suavemente el bote por el agua.

—Tú no eres lo único que tengo, Prudence, pero eres gran parte. No te mueras.

—Eso intentaré. Es lo único que puedo hacer ¿verdad? Intentarlo.

—Eres muy buena en eso de intentar. Intentemos encontrar un lugar retirado.

De las orillas del lago salían pequeñas lenguas de tierra boscosa, así que fue posible encontrar un lugar donde parecían estar solos en el mundo, y ella comenzó a tranquilizarse. El cielo estaba bastante nublado, sólo se veían trocitos de azul, pero eso daba al aire un agradable frescor, y las nubes blancas se veían hermosas.

—Me gustaría saber cómo sería si pudiera volar y tocar una nube.

—Sólo son niebla. Yo he estado metido en ellas en las montañas.

—Me estropeas la magia.

—Te llevaré a una montaña para que puedas tocar las nubes. Incluso serviría una colina elevada, si está nublado. ¿Has visto el mar?

—No.

—Eso podemos hacerlo con más facilidad aún.

—Lo siento —dijo ella.

—¿Qué?

—Haber experimentado tan poco.

—Eso me da más oportunidades de darte placer. Quítate el guante y desliza la mano por el agua.

Ella se lo quitó y metió la mano.

—Ah, el movimiento del agua contra mi piel. Algo tan simple.

—Muchos placeres lo son. Como las nubes y los arco iris. Y los abrazos.

—Tú haces todo el trabajo aquí. Me siento una inútil.

—Ah, pues, lo disfruto. La peor prueba para mí es la falta de actividad. Normalmente salgo a cabalgar por la mañana, pero he intentado cuidar mi herida. Mañana cabalgaría hasta Darlington si no tuviera que llegar con mucha solemnidad. Tal vez debería hurgar en el ático a ver si encuentro una armadura antigua, así llegaría a caballo con un estandarte desplegado.

Ella se rió, pero se puso seria al pasarle una idea por la cabeza.

—¿Has pensado que la gente podría creer que el motivo de tu venganza es la supuesta violación de mi persona por Draydale? ¿Que se daría por hecho?

—Si yo creyera eso lo retaría a duelo y lo mataría —dijo él rotundamente.

Todavía podía sorprenderla con esas declaraciones, y de pronto el día le pareció más oscuro.

—No, por favor.

Él la miró atentamente.

—¿Quieres decir que yo podría tener motivos?

—¡No!

—Te creo. Me pareció que sugerías otra cosa.

—No... No. Pero no estoy acostumbrada a la violencia. Me trastorna.

—¿Preferirías no acompañarme mañana?

—No. Deseo estar ahí —dijo ella, intentando sacudirse la sensación morbosa.

—Muy bien. De todos modos, no espero violencia sino sólo espectáculo. Demostraremos la verdad de nuestra causa con nuestros actos. Un romance digno de trovadores, ¿lo recuerdas?

—Eso ya no parece tan fantasioso —dijo ella sonriendo.

—No es fantasioso en absoluto.

Ella se ruborizó al ver su sonrisa y se giró a ver pasar los árboles de la lengua de tierra más allá de los carrizos que tapaban la orilla.

Ella ya había hecho sus cálculos. Dentro de una semana le vendría la regla, lo que significaba que dentro de dos semanas ya habría acabado. Entonces a Cate ya no le quedaría ni un asomo de duda, pero ¿sería demasiado pronto para arriesgarse a concebir un hijo? No todas las mujeres concebían inmediatamente, pero era posible que ella sí, y entonces a los ojos de los desconfiados seguiría siendo posible que el hijo fuera de Draydale.

Tal vez fue pensar que debían esperar más tiempo lo que la hizo sentirse como si las nubes se hubieran oscurecido; o igual eran otras cosas.

—Creo que está refrescando. Espero que no llueva.

—¿Deseas volver a la orilla?

—No. Ah, mira, ahí, al otro lado, están las hijas de Artemis con caras tristes. ¿No pasean en bote por el lago?

Él se giró a mirar.

—No lo sé. Nunca las he visto hacerlo. ¿Las invito?

—Podríamos ir a proponérselo.

Impulsando el bote con la vara, él lo sacó de la pequeña cala a una velocidad alarmante. Prudence se afirmó en los lados, rogando, diciéndose que debía tener confianza. Flavia y Julia estaban mirando y se acercaron más a la orilla para encontrarse con ellos.

—¡Tened cuidado! —les gritó.

Una niñera estaba con ellas, con la pequeña Maria en brazos, pero al parecer no las estaba vigilando. Menos mal que uno de los hombres de Cate estaba cerca. Tal vez estaba cortando cañas, pero había dejado la herramienta en el suelo e iba corriendo hacia las niñas.

Entonces el hombre le arrebató la pequeña a la niñera y la arrojó al lago.

—¡Cate! —gritó Prudence.

—¡Socorro! ¡Maria! —gritaron también las niñas y la niñera.

Cate soltó la vara, con los pies se quitó los zapatos y se zambulló, haciendo mecerse el bote. Prudence se afirmó de los lados, deseando chillar, pero con los ojos fijos en Cate que iba nadando rápidamente hacia la niñita. Al parecer el vestido hinchado mantenía a flote a la pequeña, pero en cualquier momento...

Otro grito la hizo mirar hacia la orilla. El hombre debió golpear a la niñera, porque estaba tendida sobre la hierba, y en ese momento se alejaba corriendo llevando a una de las niñas sobre el hombro. La otra iba corriendo detrás gritando:

—¡Pare! ¡Pare! ¡Socorro! ¡Socorro!

El bote que llevaba a Hetty y a los niños venía acercándose rápidamente. De todas partes salieron hombres corriendo. Cate ya había cogido a la agitada niñita, pero no podía nadar rápido hacia la orilla.

El bote de Prudence había continuado avanzando y de pronto paró con una sacudida, al quedar atascado en los carrizos de la orilla. Sin pensarlo, saltó de él, quedando hundida hasta los muslos entre los carrizos, y comenzó a avanzar, arrastrando las faldas, pisando el lodo resbaladizo, agarrándose a todo lo que encontraba para darse impulso y poder perseguir al villano que ya había desaparecido entre unos árboles y arbustos.

Unos gritos le dijeron que venían otros, pero ella estaba más cerca.

Al llegar a tierra firme cayó sobre las manos y las rodillas y pasado un instante se obligó a levantarse y echó a correr, sintiendo la resistencia de las empapadas faldas como un peso muerto. Jadeante se internó entre los árboles siguiendo el sendero sembrado de ramas rotas y sorteando las que podían golpearla desde arriba. Más adelante oía los gritos de las niñas pidiendo auxilio.

De pronto sintió un golpe en la cabeza. Pensó que era una rama que no alcanzó a esquivar a tiempo al agacharse, pero el golpe la hizo tropezar y cayó al suelo. Entonces lo vio: el hombre estaba apuntándola con una gruesa rama, a punto de arrojársela. Rodó hacia un lado, buscando su cuchillo, pero tenía la falda tan mojada y enredada que no logró encontrar la abertura por la que podía meter la mano en el bolsillo de la enagua.

Las niñas, las niñas...

Pero él debió abandonarlas para volver.

A atacarla a ella.

Cogió el pequeño mango de la daga del corpiño y la sacó justo cuando él se acercaba para golpearla. Se la enterró en las piernas y rodó alejándose. Las medias de él se tiñeron de sangre, y la maldijo.

—¡Prudence! ¡Prudence! —oyó gritar a Cate.

—¡Aquí! ¡Aquí!

El hombre levantó la rama sobre ella, con intención letal.

Sonó un disparo. El hombre agrandó los ojos y cayó al suelo, y de la boca le salió un chorro de sangre.

Se alejó rodando de esa espantosa vista, y sollozando de agotamiento, terror y alivio.

Entonces Cate la tenía en sus brazos.

—¿Cómo estás? ¿Estás herida?

Ella lo miró.

—Creo que no... Estoy bien. ¿Tú le disparaste?

—No llevo pistola y estoy empapado —resolló él—. Creo que fue uno de los guardabosques. Sea quien sea, recibirá una buena recompensa. Y Draydale ha firmado su condena al infierno.

A pesar de sus protestas, él la levantó en los brazos y la llevó fuera del bosque, y entonces vieron a Artemis corriendo hacia sus hijas. Un hombre le pasó a la niña pequeña y las otras dos corrieron hacia ella.

—Salvaste a la pequeña —dijo Prudence.

—Eso fue fácil, pero la niña sólo era una distracción.

—Como la otra. Era a mí a quien quería. A mí a quien quería Draydale. Cate, ¡tus heridas! Déjame en el suelo.

—Mis heridas ya están curadas —dijo él, pero la bajó con sumo cuidado hasta dejarla de pie—. «Un pie sin zapato y el otro con» —dijo, mirándole los pies.

Apoyándose en él, ella terminó el verso infantil:

—«Estafa, estafa, bola de masa, hijo mío John». Ponle fin a esto, Cate. No soporto tener tanto peligro por todas partes.

—No temas, lo pondré.

Artemis iba entrando en la casa llevando a las niñas. ¿Le echaría la culpa a Cate de eso también? Con su retorcida forma de pensar, podría. Sin duda todo era culpa suya, causado por su tontería al aceptar la proposición de Draydale.

Tan pronto como entraron en la casa Cate ordenó que llenaran su bañera. La llevó al dormitorio de ella y le ordenó que fuera a su vestidor una vez que se quitara toda la ropa mojada.

—Mi pobre vestido azul —dijo ella—. Creo que esto ha sido su toque de difuntos.

Él la estrechó en sus brazos.

—No hables de muerte. Morí mil veces corriendo detrás de ti. Ahora quítate esta ropa y ve a bañarte. No te me vas a morir de una neumonía.

—¿Y tu ayuda de cámara?

—No se entrometerá. Tú y Karen tendréis el vestidor para vosotras.

Prudence no deseaba separarse de él, pero no podía bañarse estando él presente, y tenía un frío terrible. Cuando, nerviosa, entró en el vestidor de él, sólo cubierta por la bata, vio que la bañera estaba llena de agua humeante y en una mesita a un lado había un decantador de coñac, una copa y un ramo de rosas rosadas.

Karen estaba boquiabierta mirando la bañera.

—¡Nunca había visto una igual, milady!

—Dudo que sea muy común. —Con todo cuidado entró en la bañera, se sentó, pudo estirar las piernas e incluso recostarse, y entonces suspiró feliz—: Esto es maravilloso. Pon un poco de coñac en la copa y pásamela.

—Sí, milady. —Cuando le pasó la copa, añadió—: He oído decir que el coñac es medicinal, milady.

—Lo es. Muy medicinal. Para el alma, la mente y el cuerpo.

De repente la golpeó el pensamiento de lo que podría haber ocurrido y se estremeció.

Debían aplastar a Draydale.

Capítulo 33

*N*i con toda la voluntad del mundo se podía mantener caliente el agua, así que Prudence tuvo que salir de la bañera, secarse y ponerse la bata. Volvió a su dormitorio a vestirse y tuvo que ponerse el vestido de crepé negro feo.

Se había lavado el pelo, así que tenía que secárselo. No le importó; necesitaba un tiempo a solas. Con qué facilidad podría haber acabado todo en un desastre, pero gracias a la resolución y pronta acción, habían sobrevivido.

Al estilo Catesby Burgoyne.

Se había traído el coñac y las rosas; fue a buscar el jarrón pequeño de su madre y en él puso las rosas. Sonriéndoles, bebió un poco de coñac, sorprendida al descubrir cómo el amor se puede hacer más profundo en el corazón.

Un golpe en la puerta de la sala de estar la sacó de sus pensamientos. Karen fue a abrir y volvió diciendo que Artemis, lady Malzard, deseaba hablar con ella.

Para expresar sus quejas, sin duda, aunque tal vez también querría dar las gracias a regañadientes. Decidió que era mejor no recibirla en su sala de estar y sugirió un encuentro en el salón amarillo.

Se dirigió al salón resuelta a ser tolerante, incluso ante ingratos insultos. Cuando llegó, Artemis ya estaba ahí y al instante le dijo:

—Me marcharé de Keynings cuanto antes. Vuelvo a la casa de mi padre.

Prudence se sorprendió, aunque lo agradeció, pero no pudo evitar pensar si habría alguna trampa.

—Seguro que marcharte será duro para ti, pero al final será lo mejor.

—Lo hecho, hecho está —dijo Artemis tristemente—. No se puede cambiar.

—Lleva tiempo aceptar eso.

Artemis la miró a los ojos.

—Tú has conocido la pérdida también.

—La de mi primer hogar, seguida por la muerte de mi padre. Recuerdo el sufrimiento de mi madre.

—Dudo que acosara a su sucesor.

—No había sucesor. Mi padre era un empleado ahí, como sabes, así que no teníamos ningún derecho a la casa. Blytheby se vendió y los nuevos propietarios no tenían ninguna conexión con el pasado. Mi madre no tuvo otra opción que poner sus pensamientos en el futuro.

Artemis desvió la mirada.

—Yo no había conocido ese sufrimiento hasta hace poco. Mis padres están vivos. Mis hermanos y hermanas están sanos. Pero el bebé... Eso fue terrible, muy duro. Y me enfureció que mi marido clamara contra la pérdida de su hijo. Era mi bebé, el que yo sentía moverse dentro de mí, al que ya conocía, y esperaba acogerlo con amor, fuera niño o niña. —Se giró, tapándose la boca con una mano—. No sé cuándo va a acabar este sufrimiento. Pero para Sebastian sólo era su hijo, su heredero, su medio para impedir que Catesby llevara a Keynings a la ruina.

Prudence deseó abrazarla, pero no se atrevió.

—Estoy segura de que eso no es cierto. Es muy fácil malinterpretar algo cuando estamos afligidos. Y de decir lo que no pensamos.

—A veces lo odiaba —dijo Artemis, sin mirarla—. Y cuando murió, todo se fusionó. Lamenté la muerte de Sebastian, pero una parte de mí seguía amargada, y Catesby estaba en el centro de todo. Le causaba una tremenda ansiedad a Sebastian y nunca reconocía sus faltas. Parecía que no le importaba nada. Cuando murió el bebé y él no envió ni siquiera una palabra de compasión...

—No lo supo.

Artemis se giró a mirarla cansinamente.

—Ahora estoy segura de que eso es cierto. No es ese tipo de hombre.

—No.

—Lo había sospechado durante un tiempo, pero ahora... Ayer, cuando cogió a esos niños sucios y ellos se acomodaron en sus brazos, sintiéndose seguros, se agrietó mi certeza. Hoy... salvó a Maria, y tú arriesgaste tu vida por Julia. Ya no os puedo seguir odiando. Es... doloroso a su manera, pero mejor, creo.

—Artemis, ¿me aceptarías un abrazo?

Artemis la miró sorprendida y luego asintió. Fue un abrazo rígido, pero cuando Prudence estaba a punto de apartarse, Artemis la acercó más, desplomándose un poco apoyada en ella, y tal vez llorando. Prudence la estrechó con más fuerza, recordando esa noche en Northallerton cuando Cate la tuvo abrazada así.

Cuando se apartaron Artemis se sonó con un pañuelo de bordes negros y se alejó, tal vez sintiéndose avergonzada.

—Es el contacto físico lo que echo más de menos. Tengo a las niñas, pero echo en falta unos brazos que me abracen. ¿Está mal que ya esté mirando hacia el futuro, al día en que podría volverme a casar?

—Es natural.

—Pero ¿lo natural está bien? —La miró ceñuda—. ¿Qué significan esas personas para ti y para Catesby? ¿Por qué son importantes?

—¿Hetty y sus hijos? Creemos que son víctimas de Draydale, el hombre con el que me iba a casar. ¿Sabes que él estaba detrás de lo que ocurrió hoy?

—Catesby me lo dijo.

—Pensé que me culparías a mí. Habrías tenido razón.

—¿Por qué te comprometiste con ese hombre? —preguntó Artemis, aunque por curiosidad, no como acusación.

—Me he hecho esa misma pregunta. Estaba ciegamente empeñada en conseguir algo, así como tú estabas empeñada en echarle la culpa de todo a Cate. Hizo falta una conmoción para liberarme de eso. Escapé, pero él no es el tipo de hombre que acepte bien una contrariedad. Sobre todo cuando me golpeó delante de todos los invitados a la boda.

—Fue algo espantoso, según la carta.

—Cate le dio una buena paliza, ahí mismo, ante el altar.

Artemis se mordió el labio, pero en sus ojos brilló un destello de algo positivo, por primera vez.

—Espantoso pero satisfactorio —dijo.

—Yo no estaba en condiciones para apreciar eso en aquel momento, aunque después sí. Y ahora Cate va a acabar con él.

—¿Lo va a matar? —preguntó Artemis, alarmada.

—No, pero lo va a aplastar de todas las demás maneras.

—Eso espero, pero me alegraría saber que ha muerto. —Se dirigió a la puerta, y al llegar ahí se detuvo y se giró—: Tu situación no será fácil, Prudence, y no por obra mía. Los chismes llegados de Darlington serán de dominio público y muchos creerán lo peor. Es desafortunado que seas hija de un bibliotecario y hermana de un abogado joven, pero la parte más difícil de tu pasado sugerida por los recién llegados va a ir en contra tuya en el vecindario cuando se corra la voz. Te sugeriría que ocultaras esa parte de tu vida, pero no lo harás, ¿verdad?

—No, porque no hay nada de qué avergonzarse. Mi madre y yo vivimos en la pobreza para que mi hermano pudiera estudiar una profesión para después mantenernos. —Prefirió no decir nada de los fallos de Aaron—. Cuando estaba en mi peor situación, Hetty me dio su amistad e incluso comida. No me avergüenza llamarla amiga, y es mi deseo tenerlos cerca, a ella y a su familia.

—Eres más valiente de lo que podría ser yo jamás.

—Te sorprendería comprobar lo valiente que puedes ser, pero espero que nunca tengas necesidad de este tipo de valentía.

—Yo también. Soy una persona muy convencional, me da miedo parecer diferente.

Prudence se encogió de hombros.

—Yo no tengo otra opción. No se puede ocultar la verdad, y sencillamente es demasiado difícil intentar ser otra cosa de lo que soy. Si el mundo es cruel, pues que así sea.

Artemis puso la mano en el pomo, y volvió a vacilar.

—¿Seré bienvenida si vengo de visita?

—¡Por supuesto! Ven siempre que quieras.

—Eres más tolerante de lo que podría ser yo.

Diciendo eso salió y Prudence se quedó en el salón, repasando la conversación. Rogó no tener que enfrentar nunca la muerte de un hijo pequeño, aunque eso era bastante común. Hetty había perdido a uno de seis meses.

Pero la idea de perder a Cate...

En eso entró él.

—¿Qué haces aquí? ¿Te pasa algo?

Ella corrió a arrojarse en sus brazos.

—Simplemente abrázame.

Capítulo 34

Cuando se apartaron ella le contó la conversación con Artemis.

—Pobre mujer —dijo él.

—Sí. ¿De verdad tu hermano era tan cruel?

—Seguro que no con intención, pero sí, su desesperación por tener un hijo varón era evidente. No lo juzgues con dureza. Tenía motivos para pensar con horror que yo podría quedar a cargo de Keynings. Todavía no sé si seré capaz de hacerlo bien.

—Sí que eres capaz.

—Qué fe en mí. —La besó—. Voy a ir armado y acompañado por hombres armados a examinar el escenario del intento de rapto, por si puedo enterarme de algún detalle. Ojalá hubiera vivido el hombre para señalar con el dedo a Draydale.

—¿Han retirado el cadáver?

—Sí, por supuesto.

—Entonces quiero ir yo también. Lo vi todo borroso. Deseo verlo estando más tranquila.

—Si estás segura.

—Sí, pero ¿estás seguro de que no hay peligro?

—De ninguna manera me voy a quedar escondido en la casa, y he puesto a todos los hombres disponibles a hacer una barrida del parque. Si el hombre tenía cómplices, han huido.

Prudence pensó si debería ponerse sombrero y guantes, pero no se molestó en volver a su habitación para hacerlo.

Cuando salieron de la casa los rodearon seis hombres, alertas. Parecía ridículo, porque daba la impresión de que los jardines y el parque estaban durmiendo al calor de la tarde, y no se veía ni asomo de alboroto o muerte. De todos modos, Prudence agradeció haber devuelto a su lugar los dos cuchillos, aunque su principal sentimiento no era miedo sino furia, furia de que Henry Draydale hubiera ensuciado ese lugar con su violencia.

Cuando se acercaban a la parte boscosa vio los arbustos pisoteados y las ramas rotas, y vaciló. Cate la miró preocupado, así que se armó de valor.

—Fue osado al simular que era uno de tus hombres —comentó, recogiéndose las faldas para que no se le estropearan las orillas.

—Posibilidad que no se me ocurrió —dijo él—. Hice venir a trabajadores de las granjas cercanas, lo cual significa que no todos se conocían bien entre ellos.

Sacó un trozo de tela negra que estaba cogida de una rama; era del vestido de ella, que se quedó enganchado cuando pasó por ahí corriendo.

—No puede haber tenido pensado un rapto, ¿verdad?, porque entonces habría elegido un sendero más llano.

—No podía saber que tú estarías en el lago. Simplemente rondaba por ahí fingiendo trabajar, buscando una oportunidad de causar daño o hacer algo peor.

—Por encima de todo, Draydale desea tenerme a mí.

—Sí. Había caballos cerca, estuvieron ahí muchas horas, por si había éxito. Si hubieras salido a caminar sola...

—Henry Draydale siempre supuso que soy tonta.

Él se rió.

—Es un hombre astuto, pero estúpido en el fondo.

Llegaron a la parte ensangrentada.

—No debería haberte traído —dijo él.

—Necesitaba verlo.

Mientras él y los hombres lo examinaban todo por si encontraban algo que se les hubiera escapado, ella recordó todo lo que pudo del incidente.

Cuando iban saliendo de la sombreada zona boscosa, él le preguntó:

—¿Esto ha servido a tu finalidad?

—Sí. Ahora lo sé, así que no tendré pesadillas con esto.

Él sonrió.

—Debería haber sabido que no eres una mujer que se oculte de la realidad. Basta de esto. Volvamos a la casa.

Echaron a caminar de vuelta, más tranquilos.

—¿Es posible que uno tenga un instinto ante el peligro? —preguntó ella—. Cuando estábamos en el lago presentí un peligro. Y no de ahogarme. Ahora me siento segura.

—Esas cosas existen, por supuesto. Celébralo.

—Espero no tener que volverlo a usar.

Un enorme coche de viaje iba llegando a las puertas de la casa, tirado por seis magníficos caballos y rodeado por cuatro jinetes de escolta además.

—Una persona de mucha alcurnia —dijo Prudence.

—Y aquí nosotros con barro en los zapatos y hojas en el pelo. ¿Corremos a ponernos respetables o lo enfrentamos descaradamente?

—Lo enfrentamos.

—Esta es mi Hera. Y en todo caso, ese es Perry.

Pues sí, era Perry el que bajó del magnífico coche.

—Creí que le gustaba cabalgar —dijo ella, mientras se acercaban—. Qué historia tenemos para contarle.

—Le va a fastidiar haberse perdido el espectáculo. Hay alguien con él.

Perry se había girado a ofrecerle la mano a una dama para ayudarla a bajar. Cuando estaban más cerca Prudence vio que la dama era más o menos de su edad y tenía el pelo castaño.

Había un algo en ella. Prestancia.

—Milady —dijo Perry a la dama—, permíteme que te presente al conde y la condesa de Malzard, tus anfitriones. Amigos míos, ella es la marquesa de Rothgar, condesa de Arradale y gran señora del norte.

Lady Rothgar se rió de eso y les sonrió a ellos.

—Perriam insistió en que me recibirían bien y también en que yo podía ser de utilidad. También me contó el romance digno de trovadores. No pude resistir el deseo de llevar al sur la última noticia de Yorkshire.

Capítulo 35

*D*esesperada Prudence recordó que llevaba su feo vestido negro y pensó en su pelo, que se le había escapado de la cofia y, sí, debía tener hojas enganchadas. Hizo su reverencia y le dio la bienvenida, pensado cómo debía tratar a la marquesa-condesa que era dueña de inmensas zonas de Yorkshire.

Pero lady Rothgar se había girado a recibir un bultito de manos de una criada; un bultito del que salían gemidos. Entonces se giró hacia ellos con expresión pesarosa:

—En realidad, Perriam nos ofreció un refugio. Por desgracia, mi preciosa hija eligió este momento para echar su primer diente, y sufre tanto que el viaje es una tortura para todos. Estaba disponiendo las cosas para quedarme unos días en York cuando nos encontramos, y tuvo la osadía de sugerir que ustedes me darían refugio.

Prudence ya veía al bebé, sin duda una niña preciosa, pero con la cara arrugada por el malestar; le caía baba por el mentón, en el que ya lucía un sarpullido. Los gemidos de la nenita fueron aumentando en volumen hasta hacerse llanto. Ella no tenía ninguna experiencia con la dentición, pero cuando la nena lanzó un verdadero aullido de dolor, dijo:

—Subamos a la planta de los niños, por favor, milady. Tal vez alguien de ahí tendrá algo para aliviarla.

Estaba la niñera Cawley, que cuidaba de la pequeña Maria. Tenía que tener experiencia.

Entraron y subieron a toda prisa, seguidas por la niñera y otra criada, mientras el llanto resonaba en las paredes.

La niñera Cawley corrió a recibirlos.

—¡Un bebé! —exclamó feliz.

—Y que está echando un diente —dijo lady Rothgar.

—Uy, pobrecilla. Becky, trae el coñac.

—¿Coñac? —protestó Prudence—. No puede ser.

—Es justo lo que necesita, milady. Se le frota un poco en la encía dolorida. Y algo para morder. ¿Tiene un chupador, milady? —preguntó a lady Rothgar.

—No. Recibí unos cuantos de regalo para el bautizo, algunos ridículamente preciosos, pero no llevo ninguno conmigo.

—¡Un chupador! —gritó la jefa de la planta de los niños.

Las hijas mayores de Artemis se acercaron a ver qué pasaba, le echaron una mirada a la nenita y se alejaron. Estaba claro que sabían qué era un chupador.

—Por aquí, milady —dijo la niñera jefa llevándolas hacia otra habitación—. Ahí hay una cuna que se puede preparar rápidamente.

—Gracias —dijo lady Rothgar—, pero querría que la pusieran en mi dormitorio. Siempre tengo a mi hija conmigo.

Bueno, pensó Prudence, así es como se da una orden indiscutible de la manera más agradable posible.

A la niñera Cawley no le gustó eso, pero dio las órdenes pertinentes.

—Entonces tal vez podríamos bajar a su dormitorio, milady.

Lady Rothgar la miró a ella, que cayó en la cuenta de que no tenía idea de cuál sería el dormitorio más apropiado.

—Tenemos muchos —dijo—. Soy muy nueva aquí.

—Eso tengo entendido —dijo lady Rothgar—. Qué historia más romántica.

Prudence ya comenzaba a desconfiar de muchos matices de la palabra «romántico». Seguro que la condesa de Arradale se había casado con su marqués simplemente por el poder, la riqueza y el rango más elevado.

Entró una criada y le entregó a la niñera Cawley un frasquito y un objeto redondo y plano hecho de algo que parecía hueso o marfil. La señora Cawley puso un poco de coñac en un paño y lo aplicó a la encía inferior de la nenita.

—Ya está, mi angelito, ya está. ¿No la sientes mejor? No llores más, no llores más.

Los berridos de la nena bajaron de volumen. Prudence pensó que eso se debía a la sorpresa por el sabor desconocido, aunque tal vez el coñac sí adormecía las encías. Entonces la niñera le puso el disco en la mano y se lo guió hasta la boca. La nenita lo mordió una vez y luego continuó mordiendo con una expresión de mucha concentración.

Prudence se rió y lady Rothgar le dio las gracias a la niñera jefa, pero una de las criadas estaba mirando furiosa la escena; tal vez era la niñera de la niñita. La niñera Cawley demostró su valía pasándole el bebé con expresión comprensiva.

—Un primer diente que ha salido antes de tiempo —dijo, para explicar la falta de preparación.

Expulsado el pandemónium, se restableció la armonía.

Prudence hizo una honda inspiración.

—Creo que no le he dado adecuadamente la bienvenida a Keynings, lady Rothgar. Lógicamente puede quedarse aquí todo el tiempo que desee.

—Muy amable, pero continuaré mi camino al sur tan pronto como sea posible. Estoy ansiosa de volver a estar con mi marido.

La frase fue muy sencilla, pero algo en el tono y en los ojos le dijo a Prudence que había juzgado mal la situación. Había sido un matrimonio por amor.

—Se produjo una pequeña crisis en una de mis propiedades de aquí y lord Rothgar no podía abandonar Londres teniendo tantos asuntos pendientes, así que vine sola. En todo caso, hacía mucho tiempo que no visitaba mis propiedades, pero viajar con un bebé es difícil.

—No me cabe duda —dijo Prudence—. ¿Bajamos para instalarla en sus aposentos?

Echó a caminar delante, sin saber todavía dónde podía alojar a una huésped tan importante. Cuando llegó a la primera planta encontró solucionado el problema, pues la condesa viuda había salido de sus aposentos para hacerse cargo de la situación.

Lógicamente esta conocía a lady Rothgar y no estaba particularmente impresionada, pero sí se sentía gratificada por tenerla de huésped. No tardó en dejar instalada a la marquesa en un excelente dormitorio comunicado con una habitación que serviría de sala cuna. Hizo llamar a dos lacayos para que bajaran la cuna, y le ofreció un refrigerio.

—Gracias, lady Malzard, pero por el momento debo instalar a mi hija.

La condesa viuda inclinó la cabeza y se alejó, su deber cumplido. No era exactamente su deber, pero Prudence agradeció que su suegra se hubiera ocupado de eso.

Lady Rothgar le sonrió comprensiva.

—Dentro de un rato agradecería un té. ¿Sería tan amable de acompañarme? Ansío oírlo todo acerca de sus aventuras.

Prudence sólo podía decir que sí, pero corrió en busca de Cate, y lo encontró en su biblioteca con Perry.

—Has sobrevivido —dijo él—. Tenemos coñac.

—La nenita también.

Perry emitió un silbido.

—¿Ese es el secreto?

—Sólo se le frota un poco en las encías —explicó ella; cogió la copa que le ofrecían y bebió un trago—. ¡Ella desea saber todas mis aventuras!

—No te asustes tanto —le dijo Cate—. Sólo es un rango más elevado que el tuyo.

—No me lo parece. Recuerdo una vez que la vi en Northaller-ton. Era como si viniera de otra esfera. Tiene un porte...

—Impresionantemente segura de sí misma y también de su autoridad —dijo Perry—. Por eso la traje aquí. Mi don angelical, su caché ilimitado.

—¿Qué? —preguntó Prudence.

—Hacer de anfitriona de la condesa de Arradale, dejaremos de lado lo de lady Rothgar por el momento, te cubre de aprobación aquí en el norte. Aun cuando no puedas festejarla con un baile, se correrá la voz.

Cate levantó su copa en un brindis por ella.

—Según Perry, y él tiene que saberlo, su gloriosa luz eliminará hasta la más pequeñísima mancha en tu reputación.

Prudence bebió otro trago de coñac.

—Pero ¿debo decirle la verdad?

Cate miró a Perry interrogante.

—Lord Rothgar tiene la fama de ser omnisciente —dijo Perry—. Todo es cuestión de tener ojos y oídos en muchas partes, supongo, pero esa es su manera de informarse de todos los detalles sobre todos los asuntos y personas que pudieran afectarlo a él y a los suyos. Cuando su lady vuelva a su lado y le cuente la historia, él pondrá su atención en Keynings y los Burgoyne.

—Entonces, ¿por qué diablos la has traído aquí? —preguntó Cate.

—Para mejorar la reputación de Prudence en el norte, pero también porque los dos debéis ir a Londres. El marqués y la marquesa de Rothgar pueden allanaros el camino ahí.

—¿Has pensado que el marqués podría no bendecirnos con su favor? —preguntó Cate—. Podríamos enredar a su esposa en asuntos peligrosos.

—Muy cierto. Si aquí sufriera algún daño ella o la niñita, sería mejor que huyerais a los confines de la Tierra, pero si tenéis el favor de ella tendréis el de él. Podrías descubrir, Prudence, que tú y ella tenéis más cosas en común de lo que crees.

—Aparte de ser mujeres, no logro imaginarme qué podríamos tener en común.

—Las dos sois condesas —observó Cate.

—Pero ella es además marquesa y nació para la grandeza —dijo Prudence y, después de beber el resto de su copa, salió a ordenar que llevaran el té.

Después corrió a adecentarse, lamentando la falta de una doncella de señora que supiera peinarla y tal vez hacer parecer más fino un vestido sencillo y feo. Sintió la tentación de ponerse el otro más fino, pero comprendió que eso sería ridículo.

—Las dos somos condesas —musitó, mirándose en el espejo—. ¡Ja!

Pero cuando se sentó a tomar el té con lady Rothgar, esta la hizo sentirse cómoda al instante, diciendo:

—En el norte prefiero usar mi propio título, lady Arradale, pero me gustaría muchísimo si nos tuteáramos y nos llamáramos por nuestros nombres de pila. Me llamo Diana.

—Yo, Prudence —dijo esta, refrenándose justo a tiempo de añadir «milady».

Sirvió el té.

—Desafortunado nombre —dijo Diana francamente—. Sí, leche, por favor. Un nombre como ese no es común en la nobleza. Recuerda demasiado, tal vez, el periodo de la república de Cromwell.

—El nombre viene de la familia de mi padre, y eran partidarios de Cromwell.

Diana cogió su taza y bebió.

—Ah, eso es un detalle muy grato. Ahora cuéntame tu historia. Perriam sólo me explicó unos pocos retazos, el granuja.

—¿Le conoce bien, mil... Diana?

—Todo el mundo conoce a Perriam en Londres. Es un pícaro encantador.

—O el arcángel Rafael —dijo Prudence, y le contó lo de esa tontería.

Diana sonrió.

—Me interesan más los demonios, sobre todo los que están tan cerca de mis tierras.

«Mis tierras», dicho con tanta seguridad. Prudence pensó cómo sería tener esa natural conciencia de poseer tanto. Pero sin duda, por el matrimonio, todo lo que Diana poseía era ahora de su marido.

Vio que Diana la estaba mirando interrogante, sin duda extrañada de su silencio. Comenzó su historia y continuó el relato sin omitir nada.

—Tu hermano no te trató bien —dijo lady Rothgar, aceptando otra taza de té.

Lo dijo en un tono tan frío que Prudence defendió a Aaron.

—Fue más despreocupación que mala intención. Siempre ha sido ciego a todo lo que no desea ver.

—Muchos hombres lo son. ¿Y su esposa? ¿Es igual?

—Ah, no, Susan no es ciega a nada. Dudo que alguna vez seamos amigas, pero la comprendo y la respeto. A su padre también. No lo considero menos porque se ha forjado su buena posición partiendo de cero. La gente da mucha importancia a la cuna, pero he llegado a comprender que las personas de cuna humilde son tan capaces de grandes cosas como cualquiera.

—O incapaces. Entre los pobres también hay tontos ociosos y derrochadores.

Esa manera de expresarlo hizo reír a Prudence.

—¿Todos estamos hechos de la misma arcilla? Entonces, ¿no deberían tener más oportunidades los pobres? El niño pequeño de Hetty podría estar capacitado para algo más que para hacer un trabajo simple, pero sin educación no tendrá ninguna oportunidad.

Así fue como se encontró inmersa en una animada conversación sobre la educación de los pobres, niños y niñas por igual, y de ahí pasaron a hablar de la desigualdad de las mujeres ante la ley.

—Sólo piensa en tu caso, Prudence. Si las mujeres pudieran buscar los mismos empleos que los hombres, tú habrías podido mante-

ner a tu familia. Me pareces más capacitada para eso que tu hermano.

—¿Ser abogado?

—¿Por qué no? Lo único que se necesita es estudiar, y de eso
eres capaz.

—Me gira la cabeza.

—¿Lo ves? —dijo Diana alegremente—. Yo soy mucho más es-
candalosa que tú. Ahora hagamos venir a lord Malzard. Me interesan muchísimo sus planes para el demonio Draydale.

Al parecer no encontraba escandaloso hacer llamar a un conde
en su propia casa. Y si Cate lo encontraba, de todos modos vino, y
Perry también.

—En esencia —le explicó Cate a Diana—. Mi plan es cabalgar
hasta Darlington con un séquito, darme a conocer como el conde de
Malzard y enfrentar a Draydale exponiendo sus pecados. En público.

—¿Y si los niega?

—En lo que se refiere a sus pecados en los negocios, tengo pruebas y testigos, aquellos que han tenido miedo de hablar o quejarse,
pero que lo harán con mi apoyo.

—Y el mío —dijo Diana, sonriendo feroz—. Darlington no es
mi territorio, pero me interesan todos los asuntos del norte. ¿Me
permitirá que les acompañe?

Cate la miró pensativo.

—Mi plan es cabalgar, y podría haber riesgos.

—Soy una excelente jinete. Y también excelente tiradora y espa-
dachina.

—Recuerda que yo también iré —dijo Prudence.

Cate la miró.

—Ahora las cosas son más serias. No sabes cabalgar, disparar ni
manejar una espada.

—Pero esto es asunto mío. Yo sembré las semillas de gran parte
de esto, y Draydale me ha atacado y ha atacado a las personas cercanas a mí. Deseo ver su caída. Y necesito que él vea que la veo.

Él apretó los labios como si fuera a poner objeciones, pero pasado un momento asintió.

—Tienes razón. Y, lady Rothgar, si quiere acompañarnos no se lo impediré.

—Eso es lo mejor —dijo ella, ásperamente—. Si me hace el favor, Malzard, llámeme lady Arradale en esto. No voy a actuar como representante de mi marido.

Prudence tuvo que morderse el labio para no reírse al ver el apuro de Cate ante esa situación tan poco normal, aunque por su parte le gustaba muchísimo. No había nacido para la elevada posición que tenía Diana, pero ya era condesa, con poderes y autoridad, y esperaba aprender a usarlos bien.

—Excelente —dijo Perry, que no parecía sorprendido por nada de eso—. Veamos la manera de llevar a cabo este justo castigo a lo grande.

Capítulo 36

*A*l día siguiente partieron con gran despliegue y ceremonia en dirección a Darlington. Prudence se había puesto su vestido negro fino e iba a la grupa de Cate sobre un caballo grande y fuerte, en una silla especial; esta era muy parecida a una silla normal, puesta de lado, e incluso tenía un reposapiés.

—Esto te va a enlentecer —comentó.

—No tenemos ninguna prisa, y quiero que la gente nos vea y se fije en nosotros.

—Se fijarán, sin duda —dijo ella, mirando alrededor.

Perry se había encargado de organizar el asunto, y el resultado era impresionante.

Los acompañaban seis criados, es decir, mozos del establo, armados y montados, vestidos con libreas del siglo anterior que habían encontrado hurgando en los baúles del ático, libreas con muchos galones, y unos sombreros de ala ancha con plumas.

Prudence acababa de enterarse de que Cate había enviado por delante a un lacayo que iría corriendo, luciendo su espléndida librea y llevando levantado el bastón con la empuñadura de oro que anunciaba la proximidad de un gran personaje.

Perry cabalgaba un magnífico caballo negro, vestía un elegante traje de montar y llevaba una espada al costado. Cate, en cambio, vestía su viejo traje de montar, que podrían recordar muchas personas en Darlington. Las calzas estaban muy bien remendadas, pero se veía bien el remiendo y las manchas de sangre.

Diana montaba a horcajadas, ataviada con un traje de montar color carmesí, la chaqueta de estilo masculino, con un fular al cuello y el pelo recogido en una coleta, como un hombre, y tocada por un tricornio. Llevaba pistolas en unas fundas sujetas a la silla, y una espada al costado. Su apariencia era la de la gran señora del norte y, francamente, pensó Prudence, ¿por qué una mujer como ella se iba a considerar inferior a un hombre?

Una madre de la propiedad amamantaría a la hija de Diana durante su ausencia, además de a su bebé.

«Me sentiré incómoda —le había dicho Diana—, y tendré que extraerme la leche, pero quiero transmitir un mensaje a todos los hombres del norte que por codicia pisotean a personas inocentes.»

Atrajeron la atención a lo largo de todo el camino, sobre todo al pasar el lacayo que corría delante. Este no anunciaba nada de viva voz, pero todos sabían que detrás tenía que venir una persona importante, así que la gente se fue agrupando a ambos lados del camino para mirar.

A los mozos se les había dicho que explicaran a algunas personas lo más esencial del asunto: que el conde de Malzard iba cabalgando en dirección a Darlington para llevar ante la justicia a un bellaco. La mayoría de los mirones tenían que volver a sus trabajos, pero unos cuantos los siguieron para ver la diversión, alargando el séquito.

—Tal vez deberíamos llevar estandartes —dijo Prudence cuando pararon para dar de beber a los caballos.

—¿Que declaren «Muerte a Todos los Demonios»? —dijo Cate—. Ojalá se me hubiera ocurrido.

—Lo estás disfrutando.

Él sonrió de oreja a oreja.

—Sí.

—Loco.

Él la besó, a la vista de todos.

Cuando se acercaban a Darlington los seguían unas veinte personas, unos pocos hombres a caballo, y el resto a pie. Ya cerca de la ciudad, el camino estaba bordeado por bastante gente, hombres y mujeres de todas las edades, todos extrañados por ese insólito espectáculo. A partir de ahí se fueron uniendo más y más personas a la procesión, todas deseosas de ver qué pasaba.

Algunos reconocieron a Diana, y se corrió la voz.

—¡Es lady Arradale!

Diana saludaba con una inclinación de cabeza, sonriendo.

—¡Ese es el que le dejó sangrando la nariz a Draydale!

Corrió la voz. El apellido pasó por la multitud como un siniestro murmullo: «Draydale, Draydale, Draydale...» Ah, sí, muchos sabían lo infame que podía ser Henry Draydale.

Cuando llegaron a la plaza del mercado, el centro de la ciudad, se detuvieron y se posicionaron. El lacayo sacó un papel del bolsillo, lo desplegó y con voz potente y firme leyó la declaración ante la multitud:

—Su señoría el conde de Malzard, vizconde Roecliff, barón Malsonby y Preel, viene aquí a acusar a Henry Draydale de esta ciudad de diversos delitos y crueldades: que respecto a la mina de plomo cercana a Briggleby, amenazó a varios y ordenó actos de violencia contra uno, para que no hicieran ofertas por la mina y por lo tanto la compró por menos de su justo valor; que envió a hombres a aterrorizar a los dueños de unas tierras en condominio para que no se atrevieran a oponerse a la construcción de un camino que pasaría por sus tierras; que en el juicio de Samuel Greenock pagó a testigos para conseguir que lo condenaran; que...

La lista continuó y continuó, y eso sólo era lo que los hombres de Cate habían descubierto rascando la superficie.

Prudence vio aparecer a Tallbridge detrás de la multitud, acompañado por Aaron y Susan. ¿Tallbridge estaría implicado en alguno de los delitos? Rogó que no.

Finalmente el lacayo llegó a los incidentes recientes:

—Que ordenó dañar la rueda de un coche con el fin de causar heridas graves o matar a los viajeros; que ordenó incendiar una casa en White Rose Yard de Northallerton, sin preocuparse por la vida de las personas que viven ahí; que ordenó hacer amaños para que arrestaran injustamente por robo a un hombre de esa ciudad, Will Larn; que enfurecido golpeó a una mujer, mujer que era preciosa para el conde de Malzard, y que ahora es su condesa y está aquí ante vosotros.

Llegado a ese punto, el lacayo hizo una muy merecida inspiración y continuó:

—Por todos estos delitos y muchos otros, se convoca a Henry Draydale a presentarse aquí a rendir cuentas y entregarse a la justicia.

Se hizo un profundo silencio, todos esperando por si aparecía Draydale. Lo siguiente del plan, sabía Prudence, era cabalgar en procesión hasta la casa de Draydale y repetir las acusaciones ante su puerta.

Como era de esperar, Draydale no se presentó.

El lacayo anunció la intención de cabalgar hasta su casa, y justo en ese momento, alguien de la multitud, que estaba atrás, gritó:

—¡Ha huido! Draydale ha huido en un coche de viaje tirado por seis caballos.

Muchísimas de las personas que estaban en ese lado se giraron para perseguirlo, y sus gritos hicieron bajar un estremecimiento por la columna a Prudence. A pesar de todo, esperaba que no le dieran alcance.

Entonces habló Cate, con voz potente:

—Una lista de sus delitos se ha de fijar por todo Darlington y en Northallerton, Gisborough, Stockton y muchos otros pueblos donde ha cometido sus crueldades. Que nadie le manifieste amistad a no ser que desee cargar con las mismas acusaciones. Y si alguien conoce detalles de otras crueldades y delitos, de él o de otros, que me los envíe a mí.

Diana hizo avanzar su caballo y dijo con voz clara y potente:

—Soy Diana, condesa de Arradale. Esta no es mi tierra, pero me conocéis y sabéis que defiendo el bien de todos los pueblos del norte. Declaro a Henry Draydale bandido fugitivo de la ley en todo el norte.

¿Se consideraría semejante a la Buena Reina Bess?, pensó Prudence.

Todo era una magnífica obra de teatro, y tal vez no tenía fuerza de ley en ese tiempo y siglo, pero acabaría con Henry Draydale ahí y en los alrededores. Se correría la voz, como siempre, y lo deshonraría en todo el país.

—¿Adónde irá? —preguntó cuando la gente comenzaba a dispersarse, todos hablando con mucho entusiasmo.

—No muy lejos. Lo encontraré.

—Ten cuidado, Cate. El deseo de venganza puede roer el alma.

—Simplemente quiero llevarlo ante la justicia por los delitos que están en la lista. Y lo haré. Pero el juicio lo dejaré a otros. No es digno de mi atención aparte de eso.

—Yo pienso lo mismo.

—Entonces volvamos a casa.

—Querría hablar con Aaron y los Tallbridge.

—Por supuesto.

Dirigió el caballo hacia donde estaban ellos y luego la ayudó a bajar.

—Bueno —dijo Susan, por una vez sin saber qué decir.

—Estamos muy bien, gracias —dijo Prudence, dándole un ligero abrazo.

Después miró a Aaron, que parecía estar dudando entre mostrarse impresionado o enfadado.

—Me alegra verte cómodamente situada, Prudence.

—Pues dilo como si fuera cierto.

Él frunció el ceño.

—Lo que pasa es que me preocupas.

Prudence movió la cabeza, riendo, y lo dejó pasar. Aaron siempre interpretaría las cosas a su manera.

Cate estaba hablando con Tallbridge.

—Debo pedirle disculpas otra vez por la destrucción de su coche, señor, pero, como habrá sabido, no fue todo culpa mía.

—Una nimiedad, milord —dijo Tallbridge, inclinándose en una venia—. Estamos encantados de verle sano y salvo. ¿Me permite ofrecerle la hospitalidad de mi casa?

Era la cortesía personificada, pero Prudence vio la mirada que le dirigió a Diana, que seguía montada, bastante divertida al parecer, e inmóvil como una estatua ecuestre. Seguro que esa pose era intencionada, y no le cabía duda de que Tallbridge deseaba tenerla de huésped en su casa.

—Lamentablemente, señor —dijo Cate—, debemos ponernos en marcha para volver a Keynings, pero esperamos aceptar su hospitalidad en otra ocasión. Y, por supuesto, usted, su hija y el hermano de Prudence sois bienvenidos en Keynings en cualquier momento.

Tallbridge se inclinó en otra venia, visiblemente complacido con ese premio menor.

Tomaron el camino de vuelta a Keynings de muy buen humor y esperaron a estar alejados un par de millas para hacer la primera parada para dar de comer y beber a los caballos. Más adelante, Diana y Perry se separaron del grupo para echar una improvisada carrera a caballo.

—Deseas participar también —dijo Prudence.

—Sí. ¿Te importaría si cambiara de caballo con uno de los mozos durante un rato?

—Claro que no.

Cate hizo el cambio, poniéndose también el sombrero emplumado del mozo, y se lanzó a galope tendido a unirse a la carrera, magnífico al cabalgar, y su risa llegó hasta ella traída por el viento.

No había más remedio, pensó Prudence. Tendría que aprender a cabalgar.

Capítulo 37

*K*eynings se veía hermosa a la luz de última hora de la tarde, y Prudence cayó en la cuenta de que ya era un hogar para ella. No el hogar perfecto todavía, pero hogar, y podría sentirse a gusto ahí.

Vio a Hetty y a los niños en el jardín y los saludó agitando una mano. Más cerca de la casa estaba Artemis con sus hijas, las tres, y las niñeras, una de las cuales tenía en brazos a un bebé. Inmediatamente Diana viró en esa dirección. Cuando llegó hasta ellas, desmontó, cogió a su bebé, se giró discretamente y se puso a amamantarlo, igual que una campesina.

Prudence deseó tener pronto una seguridad similar para hacer lo que fuera que deseara.

Cate, Perry y ella desmontaron al pie de la escalinata de la entrada y los otros jinetes se llevaron sus caballos al establo.

Cuando entraron en la casa, Cate dijo:

—Supongo que debería ir a ver a madre para ponerla al tanto de lo ocurrido hoy. No lo aprobará.

—Te acompañaré —dijo Prudence—, y me encargaré de que lo apruebe.

—Y yo me escaparé —dijo Perry riendo, y se escapó.

La condesa viuda no manifestó ningún tipo de admiración, pero dijo:

—Hay que castigar a esos bellacos. No os hará ningún daño a vosotros dos que os hayan visto en compañía de lady Arradale. Espero que mañana sea un día más normal y ella coma con nosotros. Conocí a sus padres, ¿sabéis? No tuvieron un hijo. Fue una inmensa pena para ellos.

—Como Enrique octavo —dijo Cate—, podrían haberse consolado con su hija si hubieran vivido para verla reinar.

—Enrique octavo debería haber sido mucho más juicioso al elegir esposa. Una papista extranjera fue un mal comienzo.

Prudence se las arregló para guardar silencio, pero cuando salieron, preguntó:

—¿No sabe que ese Enrique era papista en ese tiempo?

—Creo que lo que no le gusta es lo de «extranjera». Piensa que nuestro actual rey habría sido más juicioso si se hubiera casado con una inglesa, pero la capacidad de la reina para tener hijos, entre ellos niños sanos, la está ablandando. Lo siento. Mi madre no es una mujer fácil de tratar.

—Pero es franca. A eso puedo adaptarme.

—Y cuando tengas niños sanos serás el sol y la luna para ella.

—Esa podría ser la perspectiva más aterradora. Pero nos hemos librado del pandemónium, ¿verdad? ¿Y están derrotados todos nuestros demonios?

—Sí, y por lo tanto deberíamos recompensarnos.

—¿Recompensarnos?

—Esta noche —dijo él, dejando muy clara la intención.

—¿Esta noche? Pero... —Habían llegado a la puerta del dormitorio de ella, así que miró alrededor para asegurarse de que no había nadie cerca—. No podemos.

—Podemos. Hay placeres que no entrañan el riesgo de embarazo.

—¿Sí? ¿Por qué no me lo dijiste antes?

Él llegó envuelto en su bata, sin nada debajo. Ella también se había puesto la bata, sobre su camisón sencillo. Se había dejado el pelo suelto.

—Miel clara —dijo él, levantándole unos mechones y dejándolos caer—. A la luz de las velas.

Ella estaba esperándolo sentada junto a la ventana, contemplando el final de la puesta de sol y la aparición de las primeras estrellas.

Él puso una silla junto a la de ella, y le cogió la mano, entrelazando los dedos.

—La noche es el tiempo para los demonios, pero también para el amor más dulce.

La palabra «amor» quedó flotando en el aire como el fruto prohibido. No, no le pediría nada de eso. Su recompensa ya sería lo bastante exquisita.

—La noche es el tiempo apacible del día —dijo.

—A no ser que seas un animalito pequeño tratando de evitar al búho.

Ella lo miró ceñuda.

—Esta noche sólo acepto paraíso, no *El paraíso perdido*. ¿Por qué es tan agradable estar simplemente sentados aquí? —Se contestó ella misma—: Porque a todos nos gusta el contacto físico, intimar con alguien. ¿O no? ¿Lo deseas tú?

—No lo había deseado. O tal vez no me daba cuenta. —Le besó el dorso de los dedos—. No logro imaginar estar casado con otra que no seas tú.

—Yo tampoco, pero si te hubieras casado con Sosa, Torpe o Chispa, podrías haber llegado a amarlas con el tiempo.

Había tocado el fruto prohibido, pero al parecer él no se fijó.

—Tal vez, pero he conocido bastantes matrimonios de ese tipo, en que los miembros de la pareja solamente se toleran. A diferencia de nosotros.

Le besó cada dedo, uno a uno, donde se alternaban con los de él. Ella giró las manos entrelazadas para hacerle también esas dulces caricias, sentir su olor, la suave aspereza de su piel, el fino vello que le hizo cosquillas en los labios.

—Si no fuera por ti, tal vez me habría casado con una de ellas

—continuó él—, o con una de las otras candidatas de las listas de mi madre. Estaba resuelto a cumplir mi deber.

—Y en lugar de eso te casaste conmigo y trajiste el pandemónium a Keynings.

Él le mordisqueó un dedo.

—Y evité un infierno peor. Dudo que hubiera sido un marido apacible cuando la esposa me volviera loco.

—¿Estás seguro de que yo no te volveré loco?

—Sólo de las mejores maneras posibles. Vamos a la cama, esposa mía.

Cuando estaban cerca de la cama él le quitó la bata.

—Una dama en un recatado camisón. Encantador, pero tendrá que salir. ¿Me lo permites?

Prudence ya tenía acelerado el corazón y la boca reseca, pero consiguió decir:

—Lo permito.

Él le soltó lentamente los seis botones, rozándole el pecho con los dedos, y luego abrió el cuello del camisón y lo bajó por los hombros hasta poder besarle un pecho. Después le besó el pezón, haciéndole bajar un estremecimiento por toda ella.

—¿No es delicioso esto? —musitó—. Y sin riesgo de bebé.

Tenía abierta la bata en el pecho, así que ella cedió a la tentación y puso una mano ahí, y sintió la piel cálida, suave y el pecho duro por los músculos. Mientras él concentraba la atención en su otro pecho, lo acarició ahí explorando el misterio de su piel.

—No hay barreras entre nosotros esta noche —dijo.

—Sí las hay; las barreras de nuestra intención, pero como he dicho, las propias barreras pueden aumentar el placer.

Le bajó el camisón por los brazos hasta que este cayó al suelo alrededor de sus pies, dejándola desnuda. Sin pensarlo se cubrió con las dos manos. Él se las cogió suavemente y le abrió los brazos.

—Eres magnífica, mi reina guerrera. Un cuerpo clásico para tu cara clásica.

—Agripina —dijo ella.

Él se rió y se quitó la bata, y permitió que ella lo mirara como él la había mirado a ella. Ya no tenía vendada la pierna, pero se veían las cicatrices de sus heridas antiguas y de la nueva. De todos modos, era perfecto.

—Tú eres magnífico. Una estatua clásica encarnada. Dejas en vergüenza a las estatuas del vestíbulo.

—Roe hizo hacer copias de estatuas antiguas, pero reparando lo dañado. Eso es imposible en mi cuerpo.

—Eres un guerrero, tus cicatrices son insignias de honor.

Lo abrazó y el abrazo fue más maravilloso que los anteriores, piel con piel, calor con calor, pero tierno a la manera fogosa.

Sonriendo, con los ojos brillantes de regocijo, tal vez sonriendo con ella, la levantó en los brazos y la llevó a la cama.

—Recuerdo cuando me llevaste por la escalera en la casa de Tallbridge. Me gustó, pero también me asustó.

—¿Te asustó?

—Porque eres tan fuerte.

—¿Te asusto ahora?

Consciente de que debía decir no, le dijo la verdad:

—Eres un hombre. Aún no estoy bien acostumbrada a los hombres. En especial a hombres como tú.

—¿Hombres como yo?

La depositó en la cama y la rodeó para subir por el otro lado.

—Hombres como tú —repitió ella, apreciando todos los detalles de su magnífico cuerpo—. Pero veo las ventajas. Si te tengo más cerca podría acostumbrarme mejor.

Él se rió y se tendió en la cama, sin molestarse en cubrirse.

—Acostúmbrate todo lo que quieras, milady.

Ella obedeció, acariciándolo y explorándolo, por el simple placer de hacerlo, con la esperanza de darle placer.

Él se mantuvo quieto, y pasado un rato le introdujo una mano en la entrepierna y comenzó a explorar con un dedo.

Sobresaltada, ella cambió de posición, y entonces exclamó:

—¡Oh!

—¡Oh! —repitió él, sonriendo.

Entonces se inclinó a cogerle un pezón entre los labios otra vez. Era una caricia suave para producirle ese torbellino de sensaciones, pero tal vez era la mano que tenía abajo, o las dos cosas.

—¿Qué es esto?

—Un regalo de los dioses sin consecuencias. Ríndete, mi amor.

—¿Tu amor?

—Por supuesto.

—Podrías haberme dicho eso antes —protestó ella, y le golpeó el hombro igual que cuando él le confesó que era conde.

Él simplemente se rió y continuó las caricias hasta que ella estaba sumergida en el placer, acariciando, palpando y besando cualquier trocito de piel que se le acercara a la boca.

Él le introdujo hasta el fondo los dedos, en lugar de su miembro, produciéndole un misterioso calor que giraba a su alrededor y dentro de ella, llevándola a un loco deseo. Gruñía, ¡gruñía!, y luego gritaba. De pronto la inundó una oleada de placer, que pasó por toda ella llevándose el torbellino y dejándole una estremecida y calurosa satisfacción.

—Ah, caramba. Ah, caramba.

—Ah, cariño —dijo él, sonriendo y besándola—. Sabía que serías una amante lujuriosa.

—¿Lo fui?

—Lo fuiste. Eres. Siempre.

—Dilo otra vez.

—¿Siempre?

—¡Que me amas! ¿O me lo imaginé?

—Te amo. Lo sabes.

—Nunca me lo habías dicho.

—Tengo que habértelo dicho.

—No.

—Tú no me lo has dicho a mí.

—Me sentía tímida.

—Tal vez yo soy tímido.

Ella volvió a golpearlo, riendo. Él le cogió la mano y le besó la palma.

—Todavía no me lo has dicho.

—Te amo, te adoro. Creo que eres el mejor de los hombres.

Él sonrió, aunque algo azorado.

—Lo eres, Cate. Yo lo sabía, una parte de mí lo supo desde el comienzo. Por eso te dejé entrar en mi casa y corroboré tu historia en la iglesia. Siempre he sabido que eres un hombre bueno.

—Y yo sabía que tú eras la única mujer para mí.

Volvieron a besarse y acariciarse, riendo, y ella se dio cuenta de que él volvía a tener duro el miembro.

—Me has dado placer a mí, pero ¿y tú?

—Está la cama sucia. —Cambió de lugar hasta quedar más en el lado de ella—. Dentro de un rato nos trasladaremos a la tuya. Y por la mañana, está la bañera.

—¿Quién la usa primero?

—Los dos. Hay muchos juegos para jugar mientras esperamos, en la cama, en la bañera, en un bote, incluso en el columpio. Y cuando termine el tiempo de espera, mi deliciosa y lujuriosa esposa, en nuestro paraíso, en nuestro hogar, voy a darte placer de todas las maneras, todos nuestros días, hasta que la muerte nos separe.

Nota de la autora

*L*a semilla de esta historia la cogí del excelente libro de Amanda Vickery, *Behind Closed Doors: At Home in Georgian England* (Yale University Press, 2009). Tal como en su otro libro, *Gentlemen's Daughters*, acerca de mujeres de la pequeña aristocracia rural de ese mismo periodo, explora las cartas y relatos de mujeres de ese tiempo para ilustrar sus vidas.

Abunda en detalles acerca de la vida de hombres y mujeres en el interior de sus casas, entre otros, la evidente verdad de que incluso aquellos hombres más partidarios del sistema de gobierno republicano y de la libertad, en Gran Bretaña y Estados Unidos, rara vez deseaban hacer realidad esos principios en sus hogares. Normalmente las mujeres de este periodo, y hasta bastante después, estaban bajo el dominio de los hombres, y la vida entre ellas variaba según lo que les consentían ellos.

Era muy humillante cuando el soberano de la vida de la mujer era su hermano, y, a no ser que su padre hubiera hecho provisiones para ella, dependía totalmente de sus caprichos. Muchas hacían la obvia reclamación de que no los diferenciaba nada aparte del sexo, sin embargo, el hijo tenía el dinero y la independencia mientras que las hijas no tenían nada.

Este libro ofrece un atisbo de la vida de una determinada mujer. Cuando murió el padre, dejando a la familia en la pobreza, ella y su madre se sacrificaban, se apretaban el cinturón y ahorraban para que el hermano pudiera titularse en abogacía y después mantenerlas del modo digno y refinado al que estaban acostumbradas. Pero cuando el hermano obtuvo su título y se hizo rico en el ejercicio de su profesión, hizo caso omiso de sus peticiones de la justa recompensa. La madre murió y la hija lo apremió e insistió en su demanda de justicia.

Finalmente él le arregló un matrimonio con un colega.

¿Te suena esta historia? Ten presente que es un caso real.

Este caso resultó mal. El marido era un bruto y finalmente lo único que pudo hacer la mujer fue huir, aun cuando tuvo que abandonar a su hija recién nacida. Recurrió a los tribunales en busca de justicia y, lo creas o no, su hermano actuó en defensa del marido, y al final le asignaron una miseria para vivir y nunca volvió a ver a su hija.

Decidí reescribir la historia con un final mucho mejor, y espero que te haya gustado.

El siglo XVIII fue un periodo duro para las mujeres, y creo que no debemos soslayar esos problemas en las novelas históricas, pero tampoco debemos olvidar que fue una época jerárquica y los hombres también tenían que someterse a otros: empleadores, magistrados o jueces o personas de rango más elevado en la sociedad. Como tal vez has visto en *El duque misterioso*, incluso Rothgar tiene que andar con pies de plomo en torno al duque de Ithorne, que es más joven, y los dos deben inclinarse ante el rey.

La historia del propio Cate ilustra otras formas de dominio. El ejército ha sido y sigue siendo una organización autoritaria y jerárquica y él no es bueno para obedecer órdenes. Siendo hijo menor, desde su infancia sabe que su hermano mayor lo tendrá prácticamente todo y que él tendrá que forjarse su propio camino. La única diferencia entre la situación de él y la de Prudence es que ese mundo ofrecía a los hombres muchas oportunidad para ganarse la vida e incluso para hacer fortuna, mientras que a las mujeres les ofrecía muy pocas.

Y, por último, él no tiene verdadero poder para resistirse a su destino; cuando muere su hermano se convierte en el conde, lo quiera o no; por lo tanto, debe asumir las pesadas responsabilidades y consagrar su vida a ellas. Su único escape sería un deshonroso descuido de su legado y de todas las personas que dependen de él. Lo que necesita por encima de todo es una compañera que lo ayude, y, al final, su inimaginable condesa es exactamente la que le conviene.

Esta historia tiene lugar en mi mundo Malloren, regido por el marqués de Rothgar. La serie principal de novelas Malloren comienza con *Lady escándalo*. La que presenta a los personajes Rothgar y Diana es *Diabólica*. Puedes informarte acerca de estas y de todo el resto en mi sitio web: www.jobev.com.

Mi primera novela se publicó en 1988, así que hay unas cuantas.

Si deseas recibir informes sobre todas mis novelas, nuevas y reimpresas, firma por favor en la petición de envío de mi ocasional hoja informativa (newsletter) en mi página web.

Me gusta saber de mis lectores. Puedes contactar conmigo en jo@joveb.com. Por favor, pon algo en la línea Asunto (subject), porque si no el mensaje se eliminará como spam. También me puedes encontrar en Facebook, y de vez en cuando «hago pío».

Espero que todas las novelas que leas las termines sonriendo.

Mis mejores deseos

Jo

www.titania.org

Visite nuestro sitio web y descubra cómo ganar
premios leyendo fabulosas historias.

Además, sin salir de su casa, podrá conocer
las últimas novedades de
Susan King, Jo Beverley o Mary Jo Putney,
entre otras excelentes escritoras.

Escoja, sin compromiso y con tranquilidad,
la historia que más le seduzca
leyendo el primer capítulo de cualquier libro
de Titania.

Vote por su libro preferido y envíe su opinión
para informar a otros lectores.

Y mucho más...